S0-CFT-497

CORRESPONDANCE

IV

SOURCES CHRÉTIENNES

N° 429

THÉODORET DE CYR

CORRESPONDANCE

IV

(Collections conciliaires)

TEXTE CRITIQUE DE E. SCHWARTZ

INTRODUCTION, TRADUCTION, NOTES ET INDEX

PAR

Yvan AZÉMA

Agrégé de l'Université

Docteur ès lettres

Cet ouvrage est publié avec le concours de l'Œuvre d'Orient

LES ÉDITIONS DU CERF, 29, Bd de Latour-Maubourg, Paris-7e

1998

La publication de cet ouvrage a été préparée avec le concours de l'Institut des « Sources Chrétiennes » (UPRES A 5035 du Centre National de la Recherche Scientifique)

ISBN : 2-204-05557-3
ISSN : 0750-1978

ABRÉVIATIONS ET SIGLES

AB — *Analecta Bollandiana*, Bruxelles.
ACO — *Acta Conciliorum Oecumenicorum*, Berlin-Leipzig.
CIL — *Corpus Inscriptionum Latinarum*, Berlin.
CSCO — *Corpus Scriptorum Christianorum Orientalium*, Louvain.
CSEL — *Corpus Scriptorum Ecclesiasticorum Latinorum*, Vienne.
DACL — *Dictionnaire d'Archéologie Chrétienne et de Liturgie*, Paris.
DCB — *Dictionary of Christian Biography*, Londres.
DHGE — *Dictionnaire d'Histoire et de Géographie Ecclésiastiques*, Paris.
DTC — *Dictionnaire de Théologie Catholique*, Paris.
ETL — *Ephemerides Theologicae Lovanienses*, Louvain.
FM — Fliche A. et Martin V., *Histoire générale de l'Église*, t. 4.
HL — Hefele Ch.-J. et Leclercq H., *Histoire des conciles*, t. 2[1].
HThR — *Harvard Theological Review*, Cambridge Mass.
JThS — *Journal of Theological Studies*, Oxford.
LSJ — Liddel H. G., Scott R. et Jones H. S., *A Greek-English Lexicon*, Oxford.
MSR — *Mélanges de Science religieuse*, Lille.
NRT — *Nouvelle Revue Théologique*, Tournai.
PG — *Patrologia Graeca*, Paris.
PW — *Realencyclopädie der classischen Altertumswissenschaft*, Stuttgart.

REB *Revue des Études Byzantines*, Paris.

RHE *Revue d'Histoire Ecclésiastique*, Louvain.

RSPT *Revue des Sciences Philosophiques et Théologiques*, Paris.

RSR *Revue des Sciences Religieuses*, Strasbourg.

PLRE II MARTINDALE J. R., *The Prosopography of the Later Roman Empire*, t. 2, Cambridge 1980.

SC *Sources Chrétiennes*, Paris.

ST *Studia Theologica*, Lund.

ThLZ *Theologische Literaturzeitung*, Berlin.

TU *Texte und Untersuchungen zur Geschichte der altchristlichen Literatur*, Leipzig.

On renvoie à la Correspondance de Théodoret de la manière suivante :

— lettres de la collection Sakkélion (manuscrit de Patmos) : P suivi du numéro de la lettre dans *Correspondance I* (*SC* 40) ;

— lettres de la collection Sirmond : S suivi du numéro de la lettre dans *Correspondance II* et *III* (*SC* 98 et 111) ;

— lettres de la présente collection (conciliaire) : C suivi du numéro de la lettre dans la présente édition, *Correspondance IV* (*SC* 429).

BIBLIOGRAPHIE

Les titres des ouvrages cités dans la Bibliographie sont donnés de manière abrégée dans le cours du livre.

D'ALÈS A., « La lettre de Théodoret aux moines d'Orient », *ETL* 8, 1931, p. 413-421.

AMANN E., art. « Nestorius », *DTC* 11¹, 1931, c. 76-157.

BARDY G., « Acace de Bérée et son rôle dans la controverse nestorienne », *RSR* 18, 1938, p. 21-44.

—, art. « Théodoret », *DTC* 15¹, 1946, c. 299-325.

CAMELOT P.-Th., « De Nestorius à Eutychès. L'opposition de deux christologies », dans *Chalkedon*, t. 1, Wurtzburg 1951, p. 213-242.

—, *Éphèse et Chalcédoine* (*Histoire des Conciles œcuméniques* 2), Paris 1962 (= CAMELOT).

CANIVET P., *Le monachisme syrien selon Théodoret de Cyr* (*Théologie historique* 42), Paris 1977.

CHAPOT V., *La frontière de l'Euphrate*, Rome 1967².

CUMONT F., *Études syriennes*, Paris 1917.

DANIÉLOU J. et MARROU H., *Nouvelle Histoire de l'Église*, t. 1 : *Des origines à Grégoire le Grand*, Paris 1963 (= DANIÉLOU-MARROU).

DELEHAYE H., *Les saints stylites* (*Subsidia Hagiographica* 14), Bruxelles 1923.

—, *Les origines du culte des martyrs* (*Subsidia Hagiographica* 20), Bruxelles 1933².

DELMAIRE R., *Les institutions du Bas-Empire romain de Constantin à Justinien. I. Institutions civiles palatines*, Paris 1995 (= DELMAIRE).

DUCHESNE L., *Histoire ancienne de l'Église*, t. 3, Paris 1910².

Dussaud R., *Topographie historique de la Syrie antique et médiévale*, Paris 1927.

Évieux P., « André de Samosate. Un adversaire de Cyrille d'Alexandrie durant la crise nestorienne », *REB* 32, 1974, p. 253-300.

Festugière A.-J., *Antioche païenne et chrétienne*, Paris 1959.

—, *Éphèse et Chalcédoine. Actes des conciles*, Paris 1982.

Ficker G., *Eutherius von Tyana. Ein Beitrag zur Geschichte des Ephesinischen Konzils vom Jahre 431*, Leipzig 1908.

Firmus de Césarée, *Lettres* (M.-A. Calvet-Sébasti et P.-L. Gatier éd.), *SC* 350, Paris 1989.

Flemming J., *Akten der Ephesinischen Synode vom Jahre 449*, dans *Abhandlungen der königlichen Gesellschaft der Wissenschaften zu Göttingen. Phil.-Hist. Klasse* XV, 1, Berlin 1917.

Fliche A. et Martin V., *Histoire générale de l'Église*, t. 4 : *De la mort de Théodose à l'élection de Grégoire le Grand*, Paris 1945, p. 149-210 (= *FM*).

Galtier P., « Saint Cyrille et Apollinaire », *Gregorianum* 37, 1956, p. 584-609.

Halleux A. de, « Cyrille, Théodoret et le *filioque* », *RHE* 74, 1979, p. 597-625.

Hefele Ch.-J. et Leclercq H., *Histoires des conciles*, t. 2^1, Paris 1908 (= *HL*).

Jaffé P. et Wattenbach G., *Regesta Pontificum Romanorum*, t. 1, Leipzig 1885 (= Jaffé).

Jouassard G., « Marie à travers la Patristique », dans *Maria. Études sur la Sainte Vierge* (H. du Manoir éd.), t. 1, Paris 1949, p. 69-157.

Lassus J., *Sanctuaires chrétiens de Syrie*, Paris 1947.

—, art. « Syrie », *DACL* 15, 1951, c. 1855-1942.

Lenain de Tillemont M., *Mémoires pour servir à l'histoire ecclésiastique des six premiers siècles*, Paris 1711.

Lequien M., *Oriens Christianus*, t. 2, Paris 1740.

Mahé J., « Les anathématismes de saint Cyrille et les évêques orientaux du Patriarcat d'Antioche », *RHE* 7, 1906, p. 505-542.

—, art. « Cyrille d'Alexandrie », *DTC* 3^2, 1923, c. 2476-2527.

Opitz H., art. « Theodoretos », *PW* 5A², 1934, c. 1791-1801.

Peeters P., « S. Syméon stylite et ses premiers biographes », *AB* 61, 1943, p. 29-71.

—, *Le tréfonds oriental de l'hagiographie byzantine* (*Subsidia Hagiographica* 26), Bruxelles 1950.

Piganiol A., *L'Empire chrétien*, Paris 1972².

Richard M., « Un écrit de Théodoret sur l'unité du Christ après l'Incarnation », *RSR* 14, 1934, p. 34-61.

—, « L'activité littéraire de Théodoret avant le concile d'Éphèse », *RSPT* 24, 1935, p. 83-106.

—, « Notes sur l'évolution doctrinale de Théodoret », *RSPT* 25, 1936, p. 459-481.

—, « L'introduction du mot 'Hypostase' dans la théologie de l'Incarnation », *MSR* 2, 1945, p. 5-32; 243-270.

—, « Théodoret, Jean d'Antioche et les moines d'Orient », *MSR* 3, 1946, p. 147-156.

Schwartz E., *Codex Vaticanus 1431. Eine antichalkedonische Sammlung aus des Zeit Kaiser Zenos*, dans *Abhandlungen der Bayerischen Akademie der Wissenschaften. Philosophisch-Philologische und historische Klasse* XXXII, Munich 1927.

Scipioni I., *Ricerche sulla cristologia del 'Libro di Eraclide' di Nestorio*, Fribourg Suisse 1956.

INTRODUCTION

Avec le présent volume s'achève l'édition de la Correspondance de Théodoret de Cyr : sont ici publiées les trente-six lettres, datées des années 431-435, qui nous sont parvenues à travers les collections conciliaires [1]. Contemporaines du conflit christologique qui opposa alors Cyrille d'Alexandrie à Nestorius de Constantinople, elles témoignent du choc violent et douloureux de deux tendances, de deux écoles, de deux Églises ; leur intérêt est donc avant tout historique et théologique, mais il est aussi psychologique, car elles sont le reflet de l'évolution des sentiments de celui qui les a écrites en fonction des événements auxquels il s'est trouvé intimement mêlé : à ce titre elles viennent enrichir la connaissance que nous avaient déjà donnée de Théodoret les deux collections antérieures [2]. On ne saurait les comprendre pleinement sans évoquer d'abord le contexte historique et théologique dans lequel elles se situent.

1. Sur ces collections, cf. E. AMANN, art. « Nestorius », *DTC* 11, 1931, c. 86-90 ; P. GALTIER, « Le centenaire d'Éphèse », *RSR* 21, 1931, p. 169 s. Exposé plus détaillé dans B. ALTANER, *Précis de patrologie*, Mulhouse 1961, p. 361 s.

2. THÉODORET DE CYR, *Correspondance*, éd. Y. Azéma, 3 vol. : *SC* 40, 1955, 1982[2] (Coll. Sakkélion) ; *SC* 98 et 111, 1964 et 1965 (Coll. Sirmond).

I. LE CONTEXTE HISTORIQUE ET THÉOLOGIQUE

Au ve siècle les vrais problèmes ne concernent plus la « théologie » au sens que l'on donnait alors à ce terme, c'est-à-dire, l'étude de la connaissance de Dieu dans son unité et dans sa Trinité. Depuis Nicée (325) qui avait défini en la matière la règle de foi orthodoxe, le problème s'est déplacé : une fois le danger écarté, on ne se contente plus de la définition nicéenne selon laquelle deux éléments distincts, divin et humain, se trouvent étroitement unis dans le Christ, on désire que soit précisé le mode de cette union. Que devient la nature divine dans l'Incarnation ? Le Verbe avait-il pris une véritable nature humaine ou seulement une apparence humaine ? La réunion de ces deux natures signifiait-elle confusion de l'élément divin et de l'élément humain ou fallait-il, au contraire, affirmer, au sein même de cette union, la différence entre les deux, au risque d'introduire deux personnes distinctes dans le Christ, l'homme et le Dieu ? C'est de la difficulté à accorder cette unité et cette dualité que naquit le débat christologique qui emplit tout le ve siècle.

À ce problème des solutions diverses avaient été déjà proposées. D'une part, ceux des théologiens qui se rattachaient à ce qu'il est convenu d'appeler l'École d'Antioche proclamaient qu'il ne saurait s'agir que d'une union extérieure et, par suite, avaient quelque peine à appeler la Vierge « mère de Dieu » (*theotokos*) car, pensaient-ils, « ce n'est pas le Fils de Dieu, mais un homme dans lequel était Dieu, qui est né de Marie [1] ». De

1. Cf. I. A. DORNER, *Entwicklungsgeschichte der Lehre von der Person Christi*, t. 2, Berlin 1853², p. 53.

son côté, voulant accentuer en face du dualisme antiochien l'union des natures, Alexandrie en venait à utiliser une formule d'allure monophysite telle que « une seule nature du Dieu Verbe incarnée », employée pour la première fois par Apollinaire, et disait que c'est Dieu même qui a souffert sur la croix.

L'entrée en scène, en 428, de Nestorius fut à l'origine de la querelle théologique dans laquelle Théodoret fut amené à jouer un rôle de premier plan. De cette querelle longue et complexe il n'est sans doute pas nécessaire de retracer ici l'histoire dans le détail [1], mais il convient d'en marquer les grandes lignes et d'en souligner la signification théologique.

Aussitôt installé sur le siège épiscopal de Constantinople, Nestorius eut à cœur, pour combattre ce qu'il considérait comme une hérésie, de développer, en matière de christologie, les principes hérités de l'École d'Antioche, inspirés des doctrines de Diodore de Tarse et de Théodore de Mopsueste. Ainsi proposait-il de substituer, à propos de Marie, le terme de *christotokos* au titre traditionnel de *theotokos*, dont Alexandre d'Alexandrie se servait comme d'un terme usuel et qui était devenu courant au cours du IVe siècle. Nestorius, quant à lui, jugeait ce terme tout à fait impropre puisque, disait-il, Marie, au sens strict, n'a jamais donné naissance qu'à l'humanité du Christ (ou à l'*homo assumptus*), elle n'a pas enfanté la divinité.

C'est le *theotokos* qui fut à l'origine de la querelle. En effet, l'application de Nestorius à défendre l'idée que la Vierge n'a enfanté qu'un homme (« on n'enfante que ce qui vous est consubstantiel ») l'exposait naturellement au risque de se voir accusé de faire de Jésus un pur homme (ψιλὸν ἄνθρωπον). Telle n'était cependant pas la vraie

1. Pour le détail, voir *HL* 21, p. 219-442; DUCHESNE III, p. 313-388; G. BARDY dans *FM* 4, p. 163-203; G. JOUASSARD, « Marie... », p. 122-136 (récit très précis de la suite des événements).

pensée de Nestorius qui n'a cessé de dire que le Christ est à la fois Dieu et homme, s'appuyant même pour fonder cette affirmation sur le Symbole de Nicée qui, professant sa foi en un seul Seigneur Jésus-Christ, distingue aussitôt après en lui les attributs de la divinité et ceux de l'humanité. Toutefois un excès dans la distinction des deux natures composantes du Christ pouvait, à l'évidence, lui attirer le reproche de prêcher deux Fils. Théodoret, justement, aura plus tard à se défendre d'une telle accusation [1]. Pour sa part Nestorius s'est défendu avec force de cette suspicion, en ne cessant de proclamer l'unité foncière du Christ, mais désignée le plus souvent par le mot συνάφεια (= *coniunctio*) [2], qui exprime bien l'idée que les deux éléments qui composent le Seigneur gardent chacun leurs propriétés essentielles : un mot qui ne plaisait guère à Cyrille, lequel préférait, pour exprimer l'union des natures, le mot ἕνωσις. Certes, si affirmer l'existence de deux natures distinctes dans le Christ ne signifie pas refus de l'unicité de la personne (πρόσωπον), Cyrille pouvait reprocher à Nestorius de ne pas assez définir ni approfondir dans son *mystère* l'unicité substantielle du Christ, et on peut comprendre l'inquiétude que pouvaient faire naître chez l'Alexandrin à la fois la doctrine et la terminologie dont usait son collègue de Constantinople. Il s'agissait bien, en effet, d'un affrontement entre deux types de christologie opposées : d'un côté une christologie unitaire ou du Verbe incarné, la plus ancienne dans la tradition de l'Église, de l'autre, une christologie dualiste, attachée à la distinction des natures, la première qui part d'en haut, c'est-à-dire du Verbe qui était en Dieu et qui s'est fait chair, la seconde qui part d'en bas, c'est-à-dire du réalisme humain de l'Évangile [3]. En d'autres termes, Alexandrie

1. Lettre S 82, à Eusèbe d'Ancyre (*SC* 98, p. 200-202).
2. Liste dans F. Loofs, *Nestoriana*, Halle 1905, p. 406.
3. Cf. Camelot, « De Nestorius à Eutychès... ».

considère d'abord le Verbe fait chair, Antioche l'*homme-Dieu*.

Inquiet du danger que semblait pouvoir faire courir à la foi othodoxe la doctrine de Nestorius, Cyrille intervint très vite. D'abord par une homélie pascale, la dix-septième, pour l'année 429 et par une lettre à tous les moines d'Égypte [1]. Cyrille y réfutait longuement les erreurs dualistes. Ensuite par deux lettres (*Ep.* 2, fin de l'été 429, et 4, janvier-février 430) [2], adressées nommément à Nestorius. Enfin, comme Nestorius ne cédait rien et soumettait son cas à la fois au pape Célestin et à la cour impériale pour obtenir leur faveur, Cyrille, de son côté, intervint auprès de l'empereur et des princesses par l'envoi de trois lettres sur la vraie foi [3], et fit parvenir à Rome, par le diacre Posidonius, un dossier complet sur l'affaire : démarche qui réussit parfaitement puisque le pape, à la suite d'un synode tenu le 11 août 430, non seulement rendit un verdict sévère contre Nestorius, à qui il était demandé de se rétracter et de professer la foi de l'Église, sous peine de déposition, mais encore donna à Cyrille mission de faire exécuter le décret [4]. C'est pourquoi, après avoir tenu en novembre 430 à Alexandrie, un synode qui renouvela la condamnation déjà portée à Rome contre Nestorius, Cyrille envoya à ce dernier une troisième lettre [5] accompagnée de douze anathématismes qui résumaient la foi orthodoxe sur l'Incarnation, longuement exposée dans la lettre, et auxquels l'évêque de Constantinople était tenu de souscrire [6]. Le courrier était arrivé dans

1. *PG* 77 ; *ACO* I, I, p. 10-23, trad. dans FESTUGIÈRE, *Éphèse...*, p. 27-44. Date : « peu après Pâques » (429) selon LENAIN DE TILLEMONT, *Mémoires... 14*, p. 330 et 354.
2. *ACO* I, I, p. 23-25 et 25-28.
3. *ACO* I, I, 1, p. 42-72 ; I, I, 5, p. 26-61 et 62-118.
4. *PL* 50, 459-500.
5. *Ep.* 17 = *PG* 77, 105 C-122 D = *ACO* I, I, p. 33-42.
6. Trad. dans CAMELOT, p. 198-207.

la capitale le 30 novembre. Loin de se soumettre, Nestorius répond en accusant Cyrille d'apollinarisme et souhaite la convocation d'un concile pour trancher le débat. L'empereur Théodose annonçait, en effet, par des lettres adressées, le 19 novembre, à tous les métropolitains de l'empire d'Orient, la convocation d'un grand concile qui se tiendrait à Éphèse en 431 lors de la Pentecôte, pour y discuter des questions de personnes et des problèmes dogmatiques. De son côté, Jean d'Antioche, mis par Nestorius au courant des Anathématismes, demande à André de Samosate et à Théodoret de Cyr d'en publier une réfutation, que nous ne lisons plus qu'à travers les réponses de Cyrille [1].

Convoqué pour le 7 juin, le concile ne fut ouvert que le 22, par suite du retard de la délégation orientale, conduite par Jean, et fut dissous par l'empereur début août, peu après la sixième et dernière session (22 juillet), où lecture fut faite du Symbole de Nicée, approuvé à l'exclusion de tout autre. Ouvert par Cyrille avant même l'arrivée des Orientaux, contre l'opinion d'une importante minorité d'évêques et malgré la volonté du commissaire impérial Candidien, il avait dès sa première session, le 22 juin, prononcé par contumace la condamnation de Nestorius, frappé de déposition et exclu de l'épiscopat [2]. On comprend que les Orientaux mis dès leur arrivée, le 26 juin, au courant des événements, aient refusé de reconnaître la validité d'une sentence prononcée en leur absence et n'aient pas souscrit à la déposition de l'évêque de Constantinople. Les conditions dans lesquelles Nestorius avait été déchu de son siège pèseront lourd sur la suite des événements : on verra, à travers les lettres publiées dans ce volume, les Orientaux persister longtemps dans leur refus de consentir à la condamnation d'un homme dont ils n'avaient pas été faits juges.

1. *PG* 76, 385-452.
2. Cf. *ACO* I, I, 2, p. 54 (trad. dans CAMELOT, p. 208).

L'autre fait regrettable est la légèreté avec laquelle Jean d'Antioche décida, dès son arrivée à Éphèse, de réunir un contre-concile qui déposa aussitôt Cyrille et Memnon, l'évêque d'Éphèse, comme auteurs de l'*hérésie* exprimée par les Anathématismes. Cependant Cyrille, condamné par l'empereur le 29 juin, mais appuyé par les légats pontificaux, enfin débarqués à Éphèse, qui confirment la déposition de Nestorius, fait procéder, les 16 et 17 juillet (4e et 5e sessions), contre Jean d'Antioche, à son tour excommunié. Ainsi, paradoxalement, ce concile réuni pour apaiser les passions et mettre fin au conflit qui mettait aux prises Antioche et Alexandrie, n'avait fait que diviser un peu plus l'Église : aussi Théodoret, dans sa lettre à André de Samosate vers la fin de juillet 431, écrite pour l'informer de la situation, n'hésite pas à parler de la scission dans l'Église [1].

C'est pourquoi, afin d'aboutir à un accord nécessaire, Théodose convoqua à Chalcédoine les délégués des deux partis. Théodoret, qui avait déjà joué un rôle important pendant le concile, représentait son métropolitain Alexandre de Hiérapolis et fut le porte-parole de la délégation orientale, porteur d'un volumineux dossier patristique. Nous ignorons la date exacte de l'ouverture de la conférence (vers la mi-août ?) ainsi que le nombre de ses séances. Toujours est-il que les deux partis se refusant à toute concession, les choses restèrent en suspens, le seul résultat clair du concile étant la déposition de Nestorius, à qui fut donné pour successeur sur le siège de Constantinople, le 25 octobre, le vieux prêtre Maximien, élu par les amis de Cyrille; les Orientaux, qui avaient été tenus à l'écart de l'élection, refusèrent de reconnaître sa validité et, sur ordre de l'empereur, regagnèrent leurs diocèses, sans que la controverse née de l'affrontement de deux

1. Lettre C 2 (*Cas.* 108). Pour une appréciation équitable du concile d'Éphèse, voir CAMELOT, p. 61-75.

types de théologie opposés ait trouvé, ni à Éphèse ni à Chalcédoine, le moyen de mettre fin à une situation préjudiciable à la paix des Églises.

Il fallut attendre la fin de l'été 432 pour que s'engage enfin, par la volonté de l'empereur, une longue politique de négociations entre Antioche et Alexandrie, rendue possible à la fois par la modération — à laquelle il faut rendre hommage — de Cyrille, qui avait sans doute compris le danger de certaines des formules utilisées dans les Anathématismes, et par la bonne volonté des Orientaux qui aspiraient à la paix.

Cette nouvelle phase dans l'histoire de la crise nestorienne commence avec les pourparlers qui, sous la présidence du tribun et notaire Aristolaüs, s'engagèrent entre Antioche et Alexandrie, vers la fin de l'été 432, à partir de l'assemblée d'Antioche réunie par les Orientaux pour décider quelles ouvertures seraient faites à Cyrille. Des six propositions établies, Aristolaüs choisit la plus modérée pour la soumettre à Cyrille : ses auteurs déclaraient s'en tenir au Credo de Nicée et à la Lettre d'Athanase à Épictète, qui en avait clairement rendu le sens, et repoussaient toute addition de dogmes récemment introduits ou par lettres ou par chapitres [1]. C'était le début d'une longue suite de péripéties diverses auxquelles furent étroitement mêlés le vieil Acace de Bérée et Paul d'Émèse [2] ; après une série de négociations, on aboutit à l'acte d'union du 12 avril 433, véritable compromis par lequel chacun avait dû céder quelque chose [3] : il suffit de

1. *Coll. Athen.* 105 (*ACO* I, I, 7, p. 146) = *Cas.* 142 (*ACO* I, 4, p. 92).

2. Sur le détail de l'action menée par Paul d'Émèse au cours des négociations entre Jean et Cyrille, voir G. Bardy, « Acace de Bérée... », p. 39-42.

3. Analyse précise des concessions réciproques imposées par le formulaire de l'accord : E. Amann, art. « Nestorius », *DTC* 11, 1931, c. 122-126.

lire le formulaire de l'accord dans les deux lettres échangées par Cyrille et Jean pour constater leur accord [1]. D'une part Cyrille acceptait un symbole de foi d'origine orientale, qui était la reprise presque intégrale de la lettre envoyée à Théodose par le concile de Jean (août 431); il consentait à user de la terminologie des Orientaux (le *temple*, les *deux natures*, l'expression ναὸς ληφθείς pour désigner l'humanité assumée par le Verbe divin), admettait la distinction des affirmations évangéliques selon les natures (combattue dans le quatrième anathématisme). En revanche, les Antiochiens confessaient que « la Vierge est *Theotokos*, parce que le Verbe de Dieu s'est fait chair et s'est fait homme [2] » sans ajouter le terme *anthrôpotokos* (mère de l'homme). Paul avait dû aussi se soumettre à une exigence de Cyrille, grave entre toutes : la reconnaissance de la déposition de Nestorius, de son hétérodoxie et de la légitimité de Maximien. On ne parlait plus des Anathématismes, qui avaient été pourtant à l'origine de la crise. L'accord conclu entre Antioche et Alexandrie fut aussitôt porté à la connaissance de l'empereur [3], à qui Jean demandait aussi que l'on rétablît sur leurs sièges les évêques déposés. De son côté le pape Xyste III, informé par Jean et Cyrille, leur disait sa joie de la paix rétablie [4].

Cependant, si Jean d'Antioche et Cyrille d'Alexandrie avaient pu arriver sincèrement à un accord sur une formule de foi, la conclusion de la controverse qui avait tant secoué l'Église était trop imparfaite pour que ni l'un ni l'autre n'échappât au désaveu d'un nombre assez

1. Celle de Jean est du début de 433 : *Ep.* 38 (dans la correspondance de Cyrille) = *PG* 77, 169-173 = *ACO* I, I, 4, p. 7-9; celle de Cyrille date du printemps 433 : *Ep.* 39 = *PG* 77, 173-181 = *ACO* I, I, 4, p. 15-20.
2. *ACO* I, I, 7, p. 70, l. 20-22.
3. *Cas.* 179 = *ACO* I, 4, p. 127 = *PG* 84, 704.
4. JAFFÉ, § 391-392; Coll. *Veronensis* 30 et 31 (*ACO* I, 2, p. 107-108).

important d'évêques qui n'approuvèrent pas leur acte. Cyrille eut quelque peine à faire admettre par les monophysites que l'accord de 433 n'était pas une trahison de la doctrine alexandrine et qu'il n'avait pas, en signant le formulaire présenté par les Antiochiens, sacrifié au dyophysisme [1] ; de cette difficulté les lettres qu'il écrivit alors témoignent [2]. Plus difficiles furent les problèmes auxquels se trouva affronté Jean d'Antioche du côté des Orientaux, dont beaucoup restaient fidèles à la personne de Nestorius et à sa doctrine, et n'acceptaient pas la déposition. Aussi voit-on Jean, dans les mois qui suivirent l'acte, s'efforcer par tous les moyens d'obtenir l'accord des évêques récalcitrants de son patriarcat. Pour sa part, Théodoret continua encore quelque temps la lutte contre Cyrille et adhéra à la décision du synode d'Euphratésie (avant Pâques 434) de rompre toute relation avec Jean. En effet, celui-ci, s'engageant dans une politique offensive, s'était rendu coupable d'ingérence dans cette province qui ne relevait pas de sa juridiction ecclésiastique [3]. Cependant, cédant à la fois à son désir de rentrer en communion avec son patriarche et à la pression des moines, Théodoret finit, vers la fin de 434, par se réconcilier avec Jean et inviter les autres évêques à suivre son exemple, non sans avoir, au cours de l'entretien qu'il avait eu avec lui, reconnu son orthodoxie et reçu l'assurance que la souscription à la déposition de Nestorius ne serait pas exigée de ceux qui reviendraient à lui. Il s'employa particulièrement à épargner à son métropolitain les mesures policières dont il était menacé, depuis que Jean, au lendemain de l'élection de Proclus au siège de Constantinople, le 12 avril 434, n'avait pas hésité à faire appel au pouvoir pour

1. C'est-à-dire à ce qui sera bientôt appelé le « nestorianisme ».
2. Spécialement la lettre 40, à Acace de Mélitène (*PG* 77, 181 D-202 B = *ACO* I, I, 4, p. 20-31).
3. Voir les lettres C 24 et 25 (*Cas.* 216 et 221).

rétablir l'ordre. Cependant, Alexandre, demeuré intraitable, fut envoyé en exil, par décret du 15 avril 435, en Égypte, aux mines de Famothis. Nestorius, dont la présence à Antioche était gênante pour Jean, fut, à son tour, à l'instigation de celui-ci, exilé, l'année suivante (janvier-août ?) d'abord à Pétra, en Arabie, et plus tard en Égypte dans la Grande Oasis. Ainsi s'achevait pour lui la tragédie dont il avait été à la fois l'auteur et la victime [1].

Tel est le cadre historique et théologique dans lequel se situent les lettres qui sont ici publiées.

II. LES CORRESPONDANTS

1. *Acace de Bérée* (lettre 9) [2].

Acace était plus que centenaire lorsque éclata la crise nestorienne. Né vers 322, probablement en Syrie, il avait d'abord embrassé la vie monastique et vécu dans le couvent de Gindaros fondé par Astérius [3] où, selon Théodoret, il s'était rendu illustre par son ascétisme. C'est en 379 (plutôt qu'en 378) qu'il fut consacré par Eusèbe de Samosate évêque de Bérée [4], ville située au nord de la province de Syrie, sur l'emplacement de l'actuelle Alep, tout près de la frontière qui séparait cette dernière

1. Liste des évêques orientaux déposés et envoyés en exil dans *Cas.* 279 (*ACO* I, 4, p. 203-204).

2. Sur Acace, voir E. Venables, art. « Acacius 4 », *DCB* 1, 1877, p. 12-14 ; V. Ermoni, art. « Acace 6 », *DHGE* 1, 1912, c. 241-242 ; G. Bardy, « Acace de Bérée... ». Sur la période monastique de la vie d'Acace, dont datent ses relations avec Basile et peut-être Épiphane de Salamine, voir S. Schiwietz, *Das morgenländische Mönchtum*, t. 3, Mayence 1938.

3. Théodoret, *HP* 2, 9 (*SC* 234, p. 214 s.).

4. Théodoret, *HE* 5, 4, 5 (*GCS* 44, p. 283).

province de l'Euphratésie. Envoyé en mission auprès du pape Damase, peu après son élévation à l'épiscopat, pour obtenir la solution du schisme d'Antioche, il avait participé aussi au concile de Constantinople de 381, et, au début du ve siècle, lors du concile du Chêne (404) dirigé contre Jean Chrysostome, il manifesta une animosité particulièrement vive à l'égard de ce dernier. Trop âgé pour participer au concile d'Éphèse, en 431, où il se fit représenter par Paul d'Émèse, son homme de confiance, il joua toutefois un rôle important pendant le déroulement des négociations menées entre Jean d'Antioche et Cyrille d'Alexandrie en vue d'un règlement pacifique.

Les termes dans lesquels Théodoret parle de lui montrent l'affection qui l'unissait au vieil évêque, à qui son grand âge et sa piété avaient conféré un très grand prestige. Il compte parmi les sources de l'*Histoire Religieuse* de Théodoret qui, à ce titre, pouvait considérer comme un de ses pères spirituels cet homme qui, devenu évêque, continuait de mener la vie ascétique. La date de sa mort évolue de 432 à 437 [1].

2. Alexandre de Hiérapolis (lettres 3, 7, 11, 14, 15, 19, 20, 27, 28, 29, 33, 34).

Évêque métropolitain de Hiérapolis en Euphratésie, dans le diocèse d'Orient. Cette ville était située à l'ouest de l'Euphrate, à mi-chemin entre Zeugma au nord et Barbalissos au sud [2]. Alexandre n'était plus jeune au moment du concile d'Éphèse, si l'on accepte la thèse [3] selon laquelle il

1. 432, selon V. Ermoni (*DHGE* 1, c. 241-242) ; 435, selon le P. Peeters (*Tréfonds...*, p. 83) ; 437, selon le P. Festugière (*Antioche...*, p. 247), suivi par P. Canivet (*Monachisme...*, p. 113, n. 48) : date la plus vraisemblable.

2. Cf. G. Goosens, *Hiérapolis de Syrie. Essai de monographie historique*, Louvain 1943.

3. Baluze, *Noua collectio conciliorum*, p. 867.

exerçait déjà la fonction épiscopale en 404, où il avait eu l'occasion de manifester son zèle pour la foi en faisant supprimer d'une liturgie le nom d'un certain Julien, accusé d'apollinarisme. Peut-être aussi avait-il été le prélat consécrateur de Théodoret en 423.

Arrivé vers le 20 juin à Éphèse, en compagnie de son frère Alexandre d'Apamée, métropolitain de Syrie II, il fait tout pour éviter que Cyrille n'ouvre le concile avant l'arrivée de la délégation des évêques d'Orient, conduite par Jean d'Antioche : en vain. Le concile ouvert le 21 juin, il rejoint, le 26, l'assemblée des évêques orientaux dont il signe la sentence de déposition portée contre Cyrille et Memnon [1]. Farouche partisan de Nestorius, il ne cessera de lui rester fidèle, en luttant jusqu'à la fin contre les Anathématismes et en refusant toute concession. Encore à Éphèse, il croit devoir écrire personnellement à Acace de Bérée [2] pour lui faire part de certaines propositions soutenues par Acace de Mélitène — qui semblait affirmer que, dans le Christ, la divinité elle-même avait souffert — et pour le déterminer à la résistance. Absent de la conférence de Chalcédoine, où il fut représenté par Théodoret, il était revenu à son siège, où il reçoit de l'évêque de Cyr, en septembre-octobre 431, la lettre [3] qui le met au courant de la situation défavorable aux Orientaux. Il est présent aux deux assemblées tenues à Tarse et à Antioche, en décembre 431, par Jean d'Antioche, qui renouvellent la sentence déjà portée, à Éphèse, contre Cyrille et ses amis. En 432, au moment des pourparlers de paix entre Antioche et Alexandrie, il manifeste son hostilité à Théodoret qui avait jugé orthodoxe la réponse de Cyrille aux propositions orientales. Après la signature par Jean de l'accord de paix (avril 433), Alexandre rompt

1. *Cas.* 88 (*ACO* I, 4, p. 37).
2. *Cas.* 146 (*ACO* I, 4, p. 98-99).
3. C 3 (*Athen.* 69).

avec lui et refuse peu après de se rendre au concile euphratésien de Zeugma, où triomphèrent les vues de Théodoret. On conçoit sa colère, l'année suivante (début 434), devant les ingérences de Jean dans la province d'Euphratésie, qui ne relevait pas de sa juridiction ecclésiastique. Bien que de plus en plus menacé par le pouvoir, auquel Jean avait eu recours peu après l'élection de Proclus au siège de Constantinople (12 avril 434), pour venir à bout de la résistance des évêques d'Euphratésie, Alexandre resta insensible aux efforts de ses amis pour vaincre son obstination : le 15 avril 435, il est arraché à son siège et envoyé en exil aux mines de Famothis, en Égypte, où il mourut. Il figure en première position sur la liste des victimes de la répression impériale [1].

Il nous reste de lui un assez grand nombre de lettres : *Cas.* 146 à Acace ; 242 à Acylinus de Barbalissos ; 147, 153, 181, 190, 192 à André de Samosate ; 271 à Denys ; 143, 158, 253 à Helladius de Tarse ; 224 à Jean d'Antioche ; 193 à Jean de Germanicie ; 244, 267 à Mélèce de Mopsueste ; 154, 182, 184, 188, 235, 237, 240, 255, 257 à Théodoret. Il est par ailleurs, dans la collection qui nous occupe, le correspondant privilégié de Théodoret qui lui adresse douze lettres sur un total de trente-six.

3. *André de Samosate* (lettres 2 et 10) [2].

Évêque de Samosate, ville située en Euphratésie septentrionale, au nord d'Édesse, André, considéré comme un bon théologien de l'école d'Antioche, avait été, vers la fin de 430, sollicité pour réfuter les anathématismes de Cyrille contre Nestorius : réfutation parvenue, en grande partie, mêlée à la réponse de Cyrille [3]. Empêché par la maladie de

1. *Cas.* 279 (*ACO* I, 4, p. 203).

2. Sur André de Samosate, voir E. VENABLES, art. « Andreas Samosatensis », *DCB* 1, 1877, p. 112-113 ; J. MAHÉ, « Les anathématismes... » ; P. ÉVIEUX, « André de Samosate... ».

3. *PG* 76, 315-386 = *ACO* I, I, 7, p. 33-68.

se rendre à Éphèse, il joua, par la suite, un rôle important dans les débats christologiques avant et après l'Acte d'union d'avril 433. Présent au synode d'Antioche, en 432, et à celui de Zeugma, en 433, où fut reconnue l'orthodoxie de Cyrille, mais refusée l'acceptation de la condamnation de Nestorius, sa résistance au concile d'Éphèse ne fut en somme que momentanée, puisqu'il finit par se joindre au parti de ceux qui, comme Théodoret, prêchaient la réconciliation entre Antiochiens et Alexandrins, fit union avec l'évêque d'Antioche et se sépara de son métropolitain Alexandre de Hiérapolis, qui demeura toujours irréductible. André se trouva aussi, malgré lui, mêlé au conflit qui opposa l'évêque d'Édesse, Rabulas, à son clergé, le jour où il passa dans le camp des cyrilliens. Après 437 nous ignorons presque tout de sa vie ; nous savons toutefois qu'il s'excusa de ne pouvoir assister au concile d'Antioche, en 444, réuni pour régler le cas d'Athanase de Perrhe, un évêque délateur dont il est question dans plusieurs lettres de Théodoret [1]. André mourut avant 449, puisque c'est Rufin qui était présent au Brigandage d'Éphèse en qualité d'évêque de Samosate. Les deux autres lettres que lui adresse Théodoret [2] ne nous apprennent rien sur sa vie.

Il reste de lui une dizaine de lettres, dont huit adressées à Alexandre (*Cas.* 132, 148, 152, 171, 178, 186, 189, 191), une aux économes de l'Église de Hiérapolis (194), une autre à Théodoret (151).

4. *Candidien* (lettre 6) [3].

Comte des domestiques sous Théodose II, Candidianus, *magnificentissimus comes domesticorum*, ne nous est

1. S 42-47 (*SC* 98, p. 106-124) ; cf. LENAIN DE TILLEMONT, *Mémoires...* 15, p. 262.

2. P 41 (*SC* 40, p. 105) et S 24 (*SC* 98, p. 80-82).

3. Sur Candidien, voir E. VENABLES, art. « Candidianus 8 », *DCB* 1, p. 395 ; *PLRE* II, « Candidianus 6 », p. 257-258 ; sur le détail de son activité pendant le Concile d'Éphèse, G. JOUASSARD, « Marie... », p. 126-130.

connu que par le rôle qu'il joua à Éphèse en 431, au titre de commissaire impérial accompagnant Nestorius convoqué au concile pour le 7 juin. Porteur d'une *sacra* adressée au concile par les empereurs Théodose et Valentinien [1], il n'avait qu'une fonction disciplinaire : d'une part, écarter de la ville tout élément perturbateur (moines et laïcs), d'autre part, assurer à l'intérieur du concile l'ordre indispensable au bon déroulement des débats. Tâche difficile qui exigeait sans aucun doute une autorité qui semble bien avoir manqué à ce fonctionnaire par ailleurs zélé mais hésitant, et dont la sympathie pour la cause nestorienne paraît avoir été évidente : aussi, dès le 29 juin 431, un rescrit impérial était-il expédié à Éphèse, annonçant l'envoi d'un nouveau commissaire : ce sera Jean, le comte des largesses sacrées dont parle Théodoret dans la lettre C 3 (à Alexandre de Hiérapolis) et qu'il avait cité en exemple au cours d'une audience privée de l'empereur lors de la conférence de Chalcédoine.

5. *Cyrille d'Adana* (lettre 31) [2].

La ville dont Cyrille occupait le siège épiscopal était située en Cilicie I, sur la rive droite du Saros, à mi-chemin entre Tarse et Mopsueste, dans le diocèse d'Orient. L'évêque d'Adana, Paulin, avait assisté au concile de Nicée. Le nom de Cyrille, qui était un chaud partisan des Orientaux, apparaît plusieurs fois dans les documents conciliaires de l'époque [3] : il signe la protestation du parti antiochien contre l'ouverture, le 21 juin 431, du concile d'Éphèse en l'absence de la délégation orientale et souscrit, en vingt-cinquième position, à la déposition de Cyrille et de Memnon, décidée par l'assemblée des évêques

1. *ACO* I, I, 1, p. 120-121 ; traduction dans FESTUGIÈRE, *Éphèse...*, p. 186-187.
2. Voir E. VENABLES, art. « Cyrillus 9 », *DCB* 1, 1877, p. 773 s.
3. *Cas.* 82, 88, 96, 116 (*ACO* I, 4, p. 29, 38, 46, 67).

orientaux à Éphèse. Il ressort de la lettre que lui adresse Théodoret vers la fin de 434, qu'il n'avait pas encore, à cette date, accepté la communion avec Jean d'Antioche ; toutefois, comme il ne figure pas sur la liste des évêques sanctionnés pour leur résistance à l'Acte d'union de 433 [1], on peut penser qu'il avait fini par se réconcilier.

6. *Dorothée de Marcianopolis* (lettre 26) [2].

Évêque métropolitain de Marcianopolis en Mésie II, dans le diocèse de Thrace. Ardent nestorien, farouchement hostile au titre de *Theotokos* appliqué à Marie, il avait créé, dès avant le concile d'Éphèse, une surprise à Constantinople où, au cours d'une célébration liturgique, en présence de Nestorius, il avait osé déclarer anathème celui qui dirait que Marie est *Theotokos*, sans provoquer de réaction de la part de Nestorius. En 431, présent à Éphèse, il signe plusieurs documents avec les Orientaux : peu après, Maximien, successeur de Nestorius, le fait condamner et déposer avec Helladius de Tarse, Euthérius de Tyane et Himérius de Nicomédie. C'est sans doute à ce moment-là qu'il faut situer la tentative d'un certain Saturninus — et non Secundianus ! — pour le remplacer, avec l'aide de Plinthas, maître de la milice : la tentative aurait échoué en raison de l'hostilité de la foule à l'égard de l'usurpateur [3]. Malgré l'intercession de Paul d'Émèse en sa faveur aurpès de Cyrille, Dorothée est exilé, par ordre de l'empereur, à Césarée de Cappadoce [4]. Outre celle qui vient d'être citée, il nous reste de Dorothée deux lettres à Jean d'Antioche, relatives à la mission de Paul à

1. *Cas.* 279 (*ACO* I, 4, p. 203-204).
2. Sur Dorothée, voir E. Venables, art. « Dorotheus 7 », *DCB* 1, 1877, p. 900 ; A. Van Roey, art. « Dorothée 8 », *DHGE* 14, 1960, c. 688.
3. Détail de l'affaire dans la lettre de Dorothée au peuple de Constantinople (*Cas.* 135 = *ACO* I, 4, p. 88 s.).
4. *Cas.* 279 (*ACO* I, 4, p. 203, l. 31-32).

Alexandrie [1], et une courte lettre à Alexandre de Hiérapolis et à Théodoret [2].

7. *Helladius de Tarse* (lettres 12, 22 et 30) [3].

Helladius avait été moine avant de devenir évêque : disciple de saint Théodose d'Antioche, auquel il avait succédé, vers 412, à la tête du monastère que celui-ci avait fondé près de Rhosos en Cilicie [4], on le retrouve, en 431, métropolite de Tarse en Cilicie I, dans le diocèse d'Orient, comme successeur de Marianos. Son nom est désormais inséparable des controverses qui suivirent le concile d'Éphèse. On le rencontre, dès juin 431, parmi les Orientaux avec qui il signe la sentence de déposition contre Cyrille et Memnon, la lettre synodale adressée par l'assemblée des Antiochiens à Éphèse au clergé et au peuple de Hiérapolis [5], approuve le recours de Nestorius à l'empereur, refuse de reconnaître la légitimité de l'élection de Maximien comme successeur de l'archevêque déchu. Déçu, en 433, par le ralliement à l'Acte d'union de la plupart de ses anciens compagnons de combat, il dit sa peine à Alexandre [6], qui le félicite de sa fermeté. Cependant, mis en demeure par l'empereur de se soumettre ou de se démettre et ébranlé par la lettre de son vieil ami, l'évêque de Cyr (lettre C 30), le remplacement (avril 434) de Maximien par Proclus sur le siège de Constantinople lui permet de se rallier, lui aussi. Il lui restait toutefois à expliquer ce changement d'attitude à la fois à Alexandre et à Nestorius : c'est ce qu'il fait respectivement dans les

1. *Cas.* 167 et 203 (*ACO* I, 4, p. 114 et 144).
2. *Cas.* 225 (*ACO* I, 4, p. 164-165).
3. Sur Helladius, voir E. Venables, art. « Helladius 4 », *DCB* 2, 1881, p. 889-890 ; R. Aubert, art. « Helladius 5 », *DHGE* 23, 1990, c. 920-921 ; *FM* 4, p. 177-203 ; Duchesne III, p. 370-371.
4. Théodoret, *HP* 10, 9 (*SC* 234, p. 450).
5. *Cas.* 96 (*ACO* I, 4, p. 44 s.).
6. *Cas.* 157 (*ACO* I, 4, p. 105).

deux lettres *Cas.* 281 et 282 [1], celle-ci étant la dernière qu'on ait de lui ; après elle, on perd sa trace. Peut-être faut-il identifier avec cet Helladius le personnage de même nom qui est le destinataire de la lettre 41 de Firmus de Césarée [2].

8. Himérius de Nicomédie (lettre 13) [3].

Évêque de Nicomédie de Bithynie (diocèse du Pont), dans le second quart du ve siècle, Himérius, successeur de Diodore à une date que nous ignorons, serait [4] le premier évêque de cette ville à avoir porté le titre de métropolitain. Présent à Éphèse, en 431, il rejoignit les amis de Jean d'Antioche et protesta avec eux contre la condamnation précipitée de Nestorius. Défenseur de la christologie antiochienne, il fut frappé d'excommunication le 17 juillet et fut membre de la délégation orientale à Chalcédoine (août-septembre 431). Il semble avoir soupçonné de trahison Théodoret qui avait exprimé un jugement favorable sur la réponse de Cyrille à Acace [5]. Dans la lettre qu'il lui adresse, l'évêque de Cyr le félicite pour sa fermeté et son activité au service de la foi. Comme beaucoup d'autres, Himérius avait dû finir par se réconcilier avec Jean, car son nom ne figure pas parmi ceux des évêques frappés d'exil [6]. Il dut mourir avant 449, le siège de Nicomédie se trouvant à cette date occupé par un autre évêque, Eunome. Peut-être est-ce de cet Himérius qu'il s'agit dans la lettre 5 de Firmus de Césarée adressée au chorévêque de Cappadoce I, Alypios [7].

1. *ACO* I, 4, p. 204-205.
2. Cf. Introduction à FIRMUS, *Lettres* (*SC* 350), p. 57-58.
3. Sur Himérius, voir C. HOLE, art. « Himerius 4 », *DCB* 3, 1882, p. 84-85 ; R. AUBERT, art. « Himerius 3 », *DHGE* 24, 1993, p. 978.
4. LEQUIEN I, p. 589.
5. *Athen.* 107 = *Cas.* 145 (*ACO* I, 4, p. 94 s.).
6. *Cas.* 279 (*ACO* I, 4, p. 203-204).
7. Cf. Introduction à FIRMUS, *Lettres* (*SC* 350), p. 78, n. 5.

9. *Jean d'Antioche* (lettres 1, 16, 21 et 36)[1].

De Jean, patriarche d'Antioche de 429 à 441, nous ne savons presque rien avant son élévation à l'épiscopat. Lorsqu'il monta sur le siège de la capitale du diocèse d'Orient, il succédait à Théodote, à qui Théodoret avait adressé, dans les années 423-429, deux lettres (P 32 et 45) dans lesquelles il parle de lui comme d'un père. La jeunesse de Jean est mal connue : selon Lequien[2], il aurait reçu sa formation dans le monastère de saint Euprépios près d'Antioche, mais nous n'en avons aucune preuve certaine. D'autre part, dans une lettre à Firmus de Césarée[3], signalée par Théodoret (lettre S 112), Jean fait allusion à un bref séjour à Constantinople, mais nous n'en connaissons ni la date ni le motif.

Par contre nous sommes bien informés sur l'activité de Jean à partir de 430 : son nom est désormais attaché au débat christologique qui oppose Cyrille à Nestorius et aux Orientaux. Dès qu'il a connaissance (décembre 430) des anathématismes de Cyrille contre Nestorius, qui lui paraissent entachés d'apollinarisme, il demande à André de Samosate et à Théodoret d'en faire la réfutation. En juin 431, apprenant que le concile d'Éphèse a prononcé la déposition de Nestorius et condamné son enseignement sans attendre l'arrivée des Orientaux, il tient à Éphèse même, un contre-concile qui, le 26 juin, prononce à son tour la déposition de Cyrille et de Memnon, l'évêque du lieu : un geste qui lui vaut d'être lui-même excommunié par le concile cyrillien (16-17 juillet). Présent à la

1. Sur Jean, voir E. Venables, art. « Joannes 31 », *DCB* 3, 1882, p. 349-356 ; D. Stiernon, art. « Giovanni di Antiochia », *Dizionario patristica e di Antichità cristiane* 2, 1983, c. 1541-1543.

2. Lequien II, p. 721.

3. *Cas.* 79 (*ACO* I, 4, p. 7, l. 28-30).

conférence de Chalcédoine, il est à la tête de la délégation orientale chargée de mener la discussion avec les cyrilliens (août-septembre 431). Après l'échec de la conférence et l'élection de Maximien au siège de Constantinople (25 octobre 431), Jean, pendant le retour forcé des Orientaux dans leurs diocèses, tient encore concile à Tarse et à Antioche, où est confirmée la sentence déjà portée contre Cyrille, à Éphèse.

Il faudra près de deux ans pour voir aboutir, le 12 avril 433, par un accord entre les deux partis, les négociations qui furent pour le vieil Acace de Bérée l'occasion de montrer à la fois son esprit conciliant et sa diplomatie. Il s'agissait en fait d'un véritable compromis par lequel chacun avait cédé quelque chose : Jean avait dû accepter la déposition de Nestorius, la condamnation de son enseignement et reconnaître explicitement le *Theotokos* [1]. Désavoué par un nombre assez important d'évêques, Jean intervient brusquement, vers le début de 434, en Euphratésie, province étrangère à sa juridiction ecclésiastique, par des dépositions et des ordinations anticanoniques [2] et, peu après l'élection de Proclus sur le siège de Constantinople (12 avril 434), fait appel au pouvoir politique pour venir à bout des récalcitrants [3]. Il s'en est justifié au cours de la rencontre avec Théodoret, vers la fin de la même année, donnant même l'assurance que la souscription à la déposition de Nestorius ne serait pas exigée de ceux qui reviendraient à lui. Des relations cordiales semblent bien avoir régné pendant les dernières années de Jean entre Alexandrie et Antioche [4]. Jean mourut en 441 et eut pour successeur son neveu Domnus.

1. Lettre de Jean à Cyrille (*Coll. Vat.* 123 = *ACO* I, I, 4, p. 7-9).
2. Cf. Théodoret, *Lettres* C 24 et C 25.
3. Cf. *Cas.* 228, 230 et 231 (*ACO* I, 4, p. 166-169).
4. Cf. Théodoret, *Lettre* S 83 (*SC* 98, p. 216 et n. 5).

10. Mélèce de Néocésarée (lettre 24).

Évêque syrien du parti antiochien, dont le nom apparaît souvent dans les textes [1], Mélèce signe la sentence du contre-concile oriental d'Éphèse contre Cyrille et Memnon. Excommunié, à son tour, par Cyrille, il ne figure cependant pas parmi les évêques chassés et exilés ; nous ignorons la date de son accession au siège de Néocésarée. Cette ville serait à chercher non point au nord de l'Euphratésie, comme l'avait pensé V. Chapot à partir de Procope [2], mais aux extrémités des frontières de l'Euphratésie, au sud d'Europos, entre Barbalissos et Soura, donc fort en aval, dans une toute autre région [3]. Néocésarée n'apparaît dans l'histoire qu'au début du IVe siècle, mais nous savons qu'elle avait été représentée au concile de Nicée (325) et au synode d'Antioche (341) par l'évêque Paul, un héros de la persécution de Licinius [4].

11. Mocime (lettre 32) [5].

Nous ne savons rien sur cet intendant de l'Église de Hiérapolis, vraisemblablement un clerc. Dupin [6] identifiait, à tort selon nous, ce personnage avec le prêtre de même nom et d'origine mésopotamienne, qui écrivit à Antioche un traité contre Eutychès, à une date sensiblement plus tardive. De Mocime il n'est fait mention nulle part ailleurs dans la correspondance de Théodoret ; par

1. *Cas.* 96, 106, 107, 116 (*ACO* I, 4, p. 46, 58, 67).
2. V. CHAPOT, *La frontière de l'Euphrate*, p. 278 s. ; PROCOPE, *De aedif.* 2, 9, 18.
3. F. CUMONT, *Études...*, p. 278 s., suivi par HONIGMANN, art. « Syria », *PW* 4 A², c. 1696-1697, s'appuyant sur *Not. dign.* (*or.* 33, 26).
4. Cf. THÉODORET, *HE*, 1, 7, 5 (*GCS* 44, p. 31, l. 6 s.).
5. Sur Mocime : G. HOLE, art. « Mochimus », *DCB* 3, 1882, p. 928.
6. *Bibliothèque...* 1, éd. de 1722, p. 499.

contre, nous savons par la lettre d'André de Samosate [1] que l'église de Hiérapolis possédait au moins deux économes, sinon plus, puisque la lettre est adressée *ad oeconomos Deo amicissimi episcopi Alexandri*. On sait que l'économe (ou intendant) était un fonctionnaire ecclésiastique, sorte de commis de l'évêque [2].

12. Nestorius (lettres 23 et 35) [3].

D'origine persane [4], Nestorius était né, dans le dernier quart du IVe siècle, à Germanicie, ville située dans la partie septentrionale de l'Euphratésie, dont l'évêque, Jean, entretenait de bons rapports avec Théodoret [5] ; ce Jean n'assista pas aux débats d'Éphèse (431) bien qu'il fût déjà évêque de Germanicie [6]. Après avoir fait ses premières études à Germanicie, Nestorius reçut sa formation théologique à Antioche, où il connut peut-être le futur Jean d'Antioche et Théodoret. Moine au monastère d'Euprépios, près d'Antioche [7], puis ordonné prêtre et chargé d'interpréter les Écritures, la réputation qu'il s'acquit par sa prédication [8] lui valut d'être appelé, en avril 428, au siège de Constantinople, pour succéder à l'évêque Sisinnius décédé le 24 décembre 427.

Il manifeste alors sa volonté de lutter contre les hérésies et les juifs. Il prend comme thème de ses sermons, la

1. *Cas.* 194 (*ACO* I, 4, p. 139).
2. Cf. L. THOMASSIN, *Ancienne et nouvelle discipline de l'Église. touchant les bénéfices et les bénéficiers*, t. 3, I, 2, ch. I-XI, p. 638-684.
3. Sur Nestorius, voir F. LOOFS, art. « Nestorius », *Protest. Realencyclopädie* 13, 1903, p. 736-749 ; E. AMANN, art. « Nestorius », *DTC* 11, 1931, c. 76-157 ; CAMELOT, p. 1-75.
4. Cf. F. NAU, « La naissance de Nestorius », *Revue de l'Orient chrétien* 14, 1909, p. 424-426.
5. Cf. THÉODORET, *Lettres* S 125 et S 143.
6. Cf. *ACO* I, 4, p. 138, l. 26 ; p. 140, l. 36 s.
7. P. CANIVET, *Monachisme...*, p. 51 et n. 66.
8. GENNADE, *De uir. ill.* 53.

théologie de l'école d'Antioche, enseignant que le Christ est formé de deux personnes, une personne divine, le Logos, habitant une personne humaine, l'homme Jésus, d'où, en conséquence, l'impossibilité d'appeler Marie *Theotokos*, « Mère de Dieu » : une telle appellation, pensait-il, pouvait laisser supposer que la divinité du Christ avait son origine en Marie ; or, si Marie est la mère de quelqu'un qui est Dieu, puisqu'il est le Verbe incarné, c'est seulement parce qu'il a pris d'elle son humanité : dès lors le terme *Christotokos* était préférable à celui de *Theotokos*. Une telle position en matière christologique ne pouvait que faire naître un conflit avec Cyrille d'Alexandrie qui, voulant accentuer en face du dualisme antiochien l'union des natures, en venait à utiliser une formule d'allure monophysite telle que « une seule nature du Dieu-Verbe incarnée » et disait que c'est Dieu qui a souffert sur la croix.

Aussi Nestorius se voit-il mis par Cyrille en demeure, sous peine d'être retranché de l'Église, de souscrire aux douze anathématismes annexés à la lettre qu'il lui adresse en novembre 430[1]. Le 22 juin 431, le concile d'Éphèse prononce sa déposition et condamne sa doctrine ; reconduit quelques semaines plus tard, dans son monastère à Antioche, il est, en 436 (janvier-août ?) exilé à Pétra (Arabie), peut-être à la demande de son ancien ami, Jean d'Antioche[2], ensuite déporté dans la Grande Oasis, en Égypte, puis à Panopolis, puis à Éléphantine et de nouveau à Panopolis, où il mourut (451 ?)[3].

Des ouvrages de Nestorius il ne reste que des fragments (lettres et sermons) réunis par F. Loofs[4], et le *Livre*

1. *Coll. Vat.* 6 (*ACO* I, I, 1, p. 33-42).
2. Cf. E. Stein, *Histoire du Bas-Empire*, 1959, t. 1, p. 305.
3. Sur sa fin pénible, voir le récit, sans doute quelque peu romancé, dans *HL* 2[1], p. 383, n. 1.
4. *Nestoriana*, Halle 1905.

d'Héraclide de Damas [1], critique de la doctrine de Cyrille et des décisions du concile d'Éphèse, écrit pendant l'exil.

13. Théosèbe de Cios (lettre 17) [2].

Théosèbe était évêque de Cios (ou Kios) en Bithynie, dans le diocèse du Pont, au moment où Himérius était métropolite de Nicomédie, chef-lieu de la province. On ne sait presque rien de lui, sinon qu'il était un nestorien convaincu, très attaché au parti antiochien, et, à en juger par la lettre que lui adresse Théodoret au lendemain de l'Acte d'union signé en avril 433, s'imposait par sa vertu et son courage face à l'adversité. Il est l'un des quinze évêques qui n'acceptèrent pas l'Acte d'union et restèrent dissidents, opiniâtres dans le schisme [3]. Toutefois, malgré son attachement à la doctrine de Nestorius, le respect qu'inspirait sa personnalité lui valut d'échapper à l'exil et de mourir dans son Église, sans pour autant avoir consenti à la déposition de Nestorius ni accepté la communion avec ceux qui s'étaient joints à Cyrille.

14. Maître de la milice (lettre 25).

On peut hésiter sur le nom de ce maître de la milice ; en effet, la charge de *magister militiae per Orientem* a été exercée par Denys (*Dionysius*) de 428 à 431 au moins [4]. Mais en 433, la charge est exercée par Anatolius d'après le témoignage d'une lettre de Paul d'Émèse [5]. D'un autre

1. Texte syriaque édité par P. Bedjan, Paris 1910 ; traduction française par F. Nau, Paris 1910.

2. Sur Théosèbe : W. ENSSLIN, art. « Theosebius 6 », *PW* 5 A², c. 2248.

3. A. D'ALÈS, « Le symbole d'union de l'année 433 et la première école nestorienne », *RSR* 21, 1931, p. 257.

4. Cf. *Coll. Athen.* 81 (*ACO* I, I, 7, p. 119-121).

5. *Cas.* 195 (*ACO* I, 4, p. 139).

côté, Titus est qualifié de vicaire du maître de la milice Denys avec activité sur l'Orient et Anatolius ne réapparaît dans les sources qu'en 438 (*Nou. Theod.* 4) alors que Denys est cité comme maître de la milice dans les lettres de 434 [1] : à cette date, Denys ne semble donc plus être en Orient puisqu'il agit par l'intermédiaire d'un *uicarius*, fonction exceptionnelle pour le remplacement du *magister militiae*. C'est pourquoi la *PLRE* [2] estime que Denys n'est plus en fonction en Orient mais reste *magister militiae* (*uacans*). Le correspondant anonyme de Théodoret pourrait donc être aussi bien Denys qu'Anatolius, mais Théodoret rappelle leurs liens d'amitié : cela ne peut guère s'appliquer à Anatolius qui paraît alors pour la première fois en Orient, alors que Denys réside depuis longtemps dans cette région et a pu nouer des relations avec l'évêque de Cyr. Il est probable qu'Anatolius, nommé en 433, n'a pu pour une raison quelconque prendre effectivement possession de sa charge et que Denys a été prorogé nominalement comme maître de la milice d'Orient mais, n'étant plus sur place, a délégué son commandement à un *uicarius*. Après l'élection de Proclus au siège de Constantinople (12 avril 434), Denys sera l'auteur de deux lettres : la première [3] au vicaire Titus pour l'exécution du décret impérial obtenu par Jean d'Antioche contre les évêques récalcitrants ; la seconde [4] aux intéressés, qui devaient choisir entre la réconciliation avec Jean et la déposition.

Ce Denys doit être distingué d'un homonyme, comte d'Orient vers 445, dont Théodoret sollicite la clémence en faveur des contribuables de Cyr (lettre P 17), car les carrières civile et militaire sont nettement séparées à cette

1. *Cas.* 230, 231, 265, 268, 270 (*ACO* I, 4, p. 168-169, 196, 198-199).
2. *PLRE* II, Dionysius 13, p. 365-366.
3. *Cas.* 230 (*ACO* I, 4, p. 168-169) ; cf. *Cas.* 228 (*ibid.*, p. 166-167).
4. *Cas.* 231 (*ACO* I, 4, p. 169).

époque et la fonction de comte d'Orient est bien inférieure à celle de maître de la milice[1].

III. L'APPORT THÉOLOGIQUE

Le conflit dont ces lettres nous apportent des échos avait des origines authentiquement doctrinales, ou du moins les protagonistes, en toute bonne foi, justifiaient leurs différends personnels par des divergences d'idées importantes... quitte à brusquement s'apercevoir que leurs vues n'étaient pas aussi irréconciliables qu'ils l'avaient proclamé jusque-là. On ne peut dire cependant que cette section de la correspondance de Théodoret soit très riche en contenu théologique. Deux lettres seulement présentent des développements plus substantiels au sujet des doctrines propres de leur auteur, à l'époque où celui-ci oppose encore une fin de non-recevoir catégorique à toute formulation venue du camp alexandrin. Quatre autres à l'inverse indiquent, de façon assez rapide et sans fournir un véritable exposé dogmatique, les points sur lesquels Théodoret estime que Cyrille a capitulé et plus brièvement ceux sur lesquels lui-même consentirait à réaffirmer sa foi en des termes qui pourraient apaiser les inquiétudes de l'Alexandrin.

Des deux lettres de la première manière, l'une — la lettre 5, au peuple de Constantinople — part du Symbole de Nicée, c'est-à-dire d'une base indépendante, du moins au principe, de la polémique en cours. Néanmoins la

1. Sur Denys, voir O. Seek, art. « Dionysius 89 », *PW* 5, c. 915, *PLRE* II, p. 365-366. Sur les maîtres de la milice d'Orient : A. Demandt, art. « Magister militum », *PW* suppl. 12, c. 702-790, en particulier c. 741-742 pour la succession des maîtres de la milice d'Orient sous Théodose II.

controverse christologique a été durant toute sa première période — centrée autour des conciles d'Éphèse, le cyrillien et l'autre — marquée par un effort pour se contenter de tirer des conséquences des discussions triadologiques du siècle passé en se dispensant de toute nouvelle définition. Lors de l'échange épistolaire par lequel leur dispute a commencé, Nestorius comme Cyrille se réfèrent au Symbole de Nicée, prétendant chacun en donner l'exégèse la plus cohérente avec le texte : Nestorius dans la lettre portant le numéro 5 dans la correspondance de Cyrille [1] et ce dernier dans la lettre 17 [2]. Vers 438 encore, plusieurs auteurs se sentirent de nouveau obligés de commenter le même Symbole. Ainsi donc, dans sa lettre au peuple de Constantinople, Théodoret mentionne par deux fois le Concile et sa formule : d'abord pour souligner qu'elle exclut tout changement en Dieu, et partant tout théopaschisme. Ensuite pour indiquer qu'elle professe un seul Christ et un seul Fils, à la fois premier-né et monogène. Du point de vue strictement trinitaire, Théodoret énonce là une foi en une seule divinité en trois propriétés ou *subsistentiae*, les termes grecs ayant été évidemment *idiotêtes* et *hupostaseis*. On trouvait déjà [3] la même mention des propriétés dans le résumé trinitaire du *De theologia et oeconomia* [4] et tout de suite après, dans le même passage les hypostases sont opposées aux « noms » ou aux dénominations comme le réel au verbal. Pour ce qui est de la christologie, Théodoret se contente dans la

1. *PG* 77, 52 A-B.

2. *PG* 77, 115 A-B ; Cyrille a même déjà cité le Symbole in extenso dans sa « Lettre aux moines d'Égypte ». Cf. *PG* 77, 16 C.

3. D'après M. Richard, en effet, ce double traité, égaré, on le sait, parmi les œuvres de S. Cyrille, est bien antérieur au Concile d'Éphèse, quoiqu'ayant subi quelques retouches postérieures dans sa partie christologique (« L'activité littéraire de Théodoret... », surtout p. 98-99).

4. *PG* 77, 1188 B.

présente lettre d'affirmer que l'unité n'oppose aucun empêchement à la répartition entre deux natures de la passibilité et de l'impassabilité, non plus que des autres propriétés. Il ne précise ni comment la filiation par adoption et la filiation par nature ne font nombre, ni la mesure, pour lui certainement assez faible, où l'unique Christ s'identifie avec la seconde hypostase de la Trinité [1].

L'autre lettre importante — la lettre 4, aux moines d'Orient — prend comme point de départ de sa polémique non pas le texte universellement accepté du Symbole, mais la pomme de discorde même que Cyrille avait jetée dans le camp antiochien, soit les « chapitres » ou Anathématismes. Sur douze, cependant, Théodoret n'en attaque ici explicitement que quatre ; et encore assez brièvement, mais on peut se demander si cette brièveté n'accentue pas encore le caractère caricatural de la critique. Le premier anathématisme, donc, est accusé d'enseigner une Incarnation illusoire, parce qu'elle serait transformation du Verbe en chair ; le problème du *Theotokos*, posé là d'entrée de jeu par Cyrille, n'est pas mentionné ici, comme il l'était dans l'écrit de réfutation des Anathématismes publié par l'évêque de Cyr avant le concile, à la demande de Jean d'Antioche : comme Théodoret demande des aménagements plutôt qu'il ne refuse carrément le terme, il se réserve d'en parler en dehors de ce contexte de critique débridée [2]. Le deuxième et le troisième anathématismes

1. Dans la *Lettre* C 3 (*Athen.* 69), l'appel à Nicée est présent aussi, mais de manière beaucoup moins explicite : Théodoret et les autres délégués des Orientaux ont demandé (en vain) à l'empereur que « seule soit exposée la foi de Nicée », donc un enseignement débarrassé des coupables accrétions cyrilliennes, non pas forcément le texte même du Symbole.

2. Il ne relève pas non plus le terme d' « Emmanuel », que Cyrille emploie dans ce premier anathématisme et qui est une des pièces maîtresses de la christologie « verticale » des Alexandrins, puisqu'il indique que Dieu (en personne) est véritablement parmi les hommes. Théodoret donnera son explication en trois lignes, plus loin, noyant cette

enseigneraient un mélange des natures. Théodoret relève à ce propos la formule cyrillienne de l'union « selon l'hypostase », qui figure effectivement dans le second anathématisme, mais non l'interdiction de « diviser les hypostases » énoncée dans le troisième. Il ne réitère pas la critique lancée auparavant, qui lui faisait rejeter l'expresion « selon l'hypostase » comme étrangère à l'Écriture et aux Pères ; il dénonce simplement de nouveau les chapitres comme suggérant un mélange. Enfin, à propos du quatrième, ressurgit l'opposition qui a été mise au centre du débat par les Antiochiens et au sujet de laquelle, de fait, ils obtiendront le plus de concessions de la part de leur adversaire, soit le refus initial cyrillien de répartir les expressions scripturaires relatives au Christ. On remarquera toutefois que dans le quatrième anathématisme Cyrille avait répudié cette répartition d'abord entre deux personnages (*prosôpois*) ou hypostases, puis entre un homme et le Verbe Dieu. Dans sa lettre Théodoret supprime les deux premiers termes, *prosôpa* et hypostases, et réclame une répartition entre la nature divine et l'humanité, ce qui est substituer l'abstrait au concret et, par suite, imputer à Cyrille un refus beaucoup moins excusable. Dans la Lettre d'union dite *Laetentur caeli*, où pourtant l'apport antiochien est essentiellement dû à la plume de Théodoret, la formulation est encore un peu différente : la répartition, qu'acceptera Cyrille, se fait entre un *prosôpon* et deux natures, désignées aussitôt après par les mots abstraits de « divinité » et d' « humanité », bien utiles pour écarter une équivoque, puisque « nature » (*physis*) pouvait aussi avoir un sens bien plus concret.

On retrouve d'ailleurs presque équivalemment dans la

appellation parmi les autres et glosant : « Dieu avec nous, Dieu dans notre nature ». Il y revient encore plus brièvement, à propos du *Theotokos* : « Il n'est pas jusqu'au nom d'Emmanuel qui ne proclame l'union des deux natures. »

lettre aux moines tout le passage suivant de *Laetentur caeli* :

« Nous confessons notre Seigneur Jésus-Christ, le Fils monogène de Dieu, Dieu parfait et homme parfait, doté d'une âme rationnelle et d'un corps, engendré du Père avant les siècles selon la divinité, mais dans les derniers jours, le même, pour nous et pour notre salut, de la Vierge Marie, selon l'humanité ; consubstantiel au Père, le même, selon la divinité, et consubstantiel à nous selon l'humanité. Il s'est produit en effet une union de deux natures ; c'est pourquoi nons confessons un seul Christ, un seul Fils, un seul Seigneur [1]. »

La profession de foi que Théodoret émet dans notre lettre, une fois qu'il a épanché sa bile en assimilant « l'Égyptien » à un quarteron des hérétiques les plus chevronnés et en l'accusant du théopaschisme le plus brutal [2], ne se distingue que par quelques détails de celle-là ; mais il se pourrait que ces détails soient significatifs. D'une part l'identification de « notre Seigneur Jésus-Christ » avec « le Fils monogène de Dieu » est absente de notre lettre [3]. D'autre part les deux mots « le même » ne

1. *PG* 77, 176 D-177 A.

2. Il semblerait en revanche que Théodoret ait renoncé à reprocher à Cyrille un véritable apollinarisme ; cela, même s'il qualifie l'opinion de son adversaire d'« enfantée par l'innovation d'Apollinaire » et s'il dépense un certain espace à prouver par des citations scripturaires que « notre Seigneur Jésus-Christ » a pris une âme raisonnable, autrement dit, que son humanité est « parfaite », complète.

3. Dans une autre confession de foi, plus courte, que contient encore notre lettre, Théodoret affirme un peu plus explicitement l'unité de sujet, mais ne désigne tout de même celui-ci que par l'expression un peu imprécise « l'Unique » : « Nous confessons pour vrai Dieu et vrai homme notre Seigneur Jésus-Christ, sans diviser l'Unique en deux personnages, mais en croyant que deux natures se sont unies sans confusion. » Comme autres affirmations de l'unité, on peut relever encore la protestation : « des deux natures nous ne faisons pas deux Christs », et la mention : « nous adorons l'unique Christ et ne lui portons qu'une seule adoration ».

s'y trouvent qu'une seule fois : à propos de la double consubstantialité ; ils sont absents à l'endroit où *Laetentur caeli* les emploie pour la première fois : pour spécifier que « le même » a été engendré du Père et de la Vierge [1].

De plus la lettre d'union poursuit aussitôt par l'affirmation du *Theotokos*, tandis que notre lettre, on l'a déjà relevé, ne traite de cette question qu'en tout dernier lieu. La raison en est obvie : Théodoret en fait une ultime application de ce principe de division et de répartition des « traits » divins et humains qu'il s'est longuement efforcé d'établir dans les pages précédentes, après avoir montré que les Écritures appelaient alternativement le Christ Dieu et homme [2] et que les hérétiques, au contraire, ne respectaient pas cet équilibre. Cependant, comme Théodoret a déjà montré par quelles erreurs Arius, Eunome, Apollinaire, diminuaient la divinité du Christ en lui attribuant des traits trop humains, cette seconde attaque, plus prolongée, contre les hétérodoxes (sauf pour la brochette Sabellius-Paul de Samosate, qui n'avait pas été mentionnée plus haut) se concentre plutôt sur leurs doctrines de l'Incarnation. Les uns — Marcion, Manès, Valentin — nient la réalité de l'humanité, les autres — Arius, Eunome, Apollinaire — compromettent sa perfection, c'est-à-dire son intégrité. Au cours de cette dénonciation, Théodoret donne une brève formulation du mystère de l'Incarnation qui pourrait revêtir une certaine portée doctrinale, si elle

1. Les deux traits sont présents, en revanche, dans la lettre où Jean d'Antioche propose la paix à Cyrille (*PG* 77, 172 C-D = *ACO* I, ɪ, 4, p. 8-9). Quant à la lettre des Orientaux à l'empereur Théodose II, origine encore plus lointaine de *Laetentur caeli* et également rédigée par Théodoret, elle contient le premier trait (« le Fils de Dieu, le Monogène »), mais pas le second : cf. *ACO* I, ɪ, 7, p. 79-80.

2. En somme l'exposé sur les appellations va de la première à la deuxième confession, puis, à partir de celle-ci, après la nouvelle diatribe contre les hérétiques, vient la répartition des traits. En gros trois pages contre deux.

ne ressemblait à un *obiter dictum*. Il affirme que selon l'enseignement des apôtres, « un homme parfait a été assumé par un Dieu parfait ». Et d'appuyer son dire sur deux demi-versets de l'*Épître aux Philippiens*, dont il donne une exégèse rapide (*morphê* y signifie « nature »). On pourrait voir là une juxtaposition de deux réalités concrètes, le Dieu et l'homme [1].

Vient alors la répartition des traits, humains et divins, du Christ. Juste avant de s'occuper du *Theotokos*, Théodoret montre que ce Christ pouvait être traité à la fois de monogène et de premier-né ; en vertu d'un exact parallélisme, la Vierge peut être appelée et mère de Dieu et mère de l'homme. L'évêque de Cyr ne fait état nulle part de la solution de compromis qu'avait proposée Nestorius et qui était restée, semble-t-il, son apanage : parler de *Christotokos*, « mère du Christ », ce qui aurait pu, à tout prendre, référer la maternité au *prosôpon*, tout en laissant à déterminer le degré de consistance de celui-ci. Théodoret, en fait, ne reconnaît possible qu'une référence aux natures : il n'y a aucune indication nette qu'il voie dans *Theotokos* un de ces noms « qui conviennent à l'union ». Faut-il penser qu'il le considère comme une appellation bonne pour les prédicateurs, qui parlent pompeusement et composent des hymnes, dont devraient s'abstenir ceux qui ont prétention de parler dogmatiquement ? Tout de même pas, peut-être, vu la mention, peu auparavant, de l'union opérée dans le sein de la Vierge dès la conception. Mais la justification qui en résulte n'est pas trop claire et cette allusion ironique à des orateurs amis de l'imprécision pourrait faire penser que Théodoret considère l'appellation

1. Cf. T. Sagi-Bunic, « *Deus perfectus et homo perfectus* » *a concilio Ephesino ad Chalcedonense*, Rome Fribourg-en-Brisgau 1965, p. 39-40, qui met bien en relief la portée de cette formule, et aussi le fait que Théodoret se garde à peu près toujours de compléter Ph 2, 6-7 par Jn 1, 14 (cf. p. 154-155, n. 205).

de Mère de Dieu comme un abus de langage, auquel seul son emploi par des Pères autorisés doit valoir l'indulgence.

En somme, le ton de la lettre confirme pleinement la thèse défendue jadis par M. Richard [1] contre le P. Peeters : Théodoret n'a nul besoin d'apologie face à des milieux monastiques qui n'éprouvent à son égard ni hostilité ni méfiance, qui ne lui en veulent ni du refroidissement de ses rapports avec Jean d'Antioche ni de ses positions christologiques encore passablement dualistes [2]. Il ne se préoccupe nullement de parer quelque accusation d'avoir professé une dualité de fils, comme il le fera dans un opuscule joint à la lettre aux moines dans la tradition manuscrite, mais qui doit être bien postérieur [3]. Et il défend sans réticences la légitimité de l'*Anthrôpotokos* parallèlement à celle du *Theotokos*. Or il en est exactement de même dans un dernier chapitre, probablement rajouté vers la même époque au *Traité sur la théologie et l'économie* : « Confessons le Christ enfanté par la Vierge à la fois comme Dieu et comme homme ; en effet, à cause de cela, la Sainte Vierge est appelée et Mère de Dieu et mère de l'homme par les maîtres de la piété ; l'un parce qu'elle a enfanté celui qui par nature ressemblait à un esclave, l'autre vu que la forme d'esclave possédait aussi unie à elle la forme de Dieu [4]. » On n'en est

1. « Théodoret, Jean d'Antioche... ». T. Sagi-Bunic, *loc. cit.*, fait de cette lettre le premier commentaire — fort autorisé, puisqu'il est du principal rédacteur — de la profession de foi des Antiochiens, qui se retrouvera, moyennant quelques modifications (plus les additions cyrilliennes), dans la lettre *Laetentur caeli*.

2. Les régions où vivent ses correspondants ne deviendront-elles pas en bonne partie « nestoriennes », soit passagèrement, comme Édesse, soit définitivement, comme l'Euphratésie ?

3. Cf. M. Richard, « Un écrit de Théodoret sur l'unité du Christ... » : il s'agirait d'une apologie personnelle adressée en 449 à Eusèbe d'Ancyre.

4. *PG* 75, 1477 A. Dans ce traité, toutefois, ne sont pas explicitées les mêmes réserves que dans la lettre C 4.

pas au temps où Théodoret se fera reprocher de n'avoir pas respecté ce parallélisme et s'en défendra dans sa lettre S 16 [1], sur un ton qui suggère d'ailleurs qu'il s'agit d'un silence diplomatique plutôt que d'un changement de conviction doctrinale. C'est sans doute prendre une vue un peu trop négative de sa théologie que de dire qu'il « n'avait pas encore esquissé le moindre mouvement vers les doctrines qui venaient de triompher à Éphèse [2] ». On dira plutôt qu'il s'en tient à ses formulations les plus anciennes partout où il n'a pas conscience, comme dans le cas du *Theotokos*, de se heurter à un nouveau problème [3].

On remarquera en outre que si le *Theotokos* est largement discuté et l'union des natures au moins nettement énoncée, la question de l'attribution des souffrances du Christ, qui deviendra un des trois nœuds du débat entre Alexandrins et Antiochiens (témoins le *Quod Vnus sit Christus* de Cyrille et l'*Eranistês* de Théodoret lui-même), n'est abordée que sous la forme d'une dénonciation répétée du théopaschisme de l'Égyptien [4]. En revanche l'auteur de la Lettre fait encore à Cyrille un reproche plus précis, mais qui sort du domaine de la christologie : l'Alexandrin aurait soutenu que « le Saint-Esprit ne procède pas du Père, mais tire son existence du Fils ». La

1. Cf. la traduction du passage essentiel de cette lettre dans M. Richard, « Un écrit de Théodoret sur l'Unité du Christ... », p. 35-36. En tant que porte-parole de l'épiscopat oriental, Théodoret emploie déjà le *Theotokos* sans tentative de rééquilibrage dans la lettre à Théodose (*ACO* I, I, 7, p. 70, l. 10 et 21).

2. A. d'Alès, « La lettre de Théodoret... », p. 421.

3. L'*Expositio rectae confessionis* (égarée parmi les œuvres de Justin et écrite avant le concile d'Éphèse et même avant l'ouverture de l'affaire nestorienne) nous fournit une contre-épreuve : le chapitre 10, où est dépeint le rôle de la Vierge dans l'Incarnation, ne fait allusion à aucune des deux appellations.

4. Il est peut-être significatif que 1 P 4, 1, qui faisait allusion à la souffrance du Christ *sarki*, « par la chair » ou « dans la chair », n'apparaisse nulle part dans notre lettre, ni d'ailleurs dans les autres pièces de cette correspondance.

même accusation avait déjà été formulée par Théodoret dans sa critique du neuvième anathématisme (donc un de ceux qui ne sont pas mentionnés explicitement ici) [1]. Vu l'apparente similarité de cet énoncé avec des thèses qui ont considérablement agité et divisé les Églises, le grief de Théodoret a été examiné de la façon la plus utile non seulement pour la solution de ce problème précis, mais pour l'appréciation de toute sa controverse avec Cyrille [2]. On a montré d'une part qu'on ne pouvait pas plus faire de Théodoret une défenseur conscient de la procession du Saint-Esprit à partir du Père seul, qu'invoquer Cyrille en faveur de la procession à partir du Père et du Fils. Ensuite il s'est avéré que le reproche de Théodoret, quelle qu'en soit la portée véritable, n'atteignait pas la pensée de Cyrille, lequel ne s'est d'ailleurs jamais soucié d'y répondre. Enfin on peut constater que Théodoret lui-même a renoncé à ce grief dès que son parti-pris de lecture défavorable des textes cyrilliens s'est évanoui devant les résolutions d'irénisme et d'indulgence formées des deux côtés de la barrière qui avait momentanément séparé les Églises.

Telle est en effet la dernière des concessions faites par Cyrille que Théodoret enregistre dans sa lettre à Jean d'Antioche (C 21), l'une de celles qui datent de l'époque où la paix entre les églises pointe à l'horizon. La comparaison de ces phrases avec celles de l'Épître *Laetentur caeli* relatives au Saint-Esprit montre cependant que l'évêque de Cyr tire passablement à son sens la formulation plus flottante de Cyrille [3].

1. Cf. *ACO* I, I, 6, p. 133-134.
2. Cf. A. DE HALLEUX, « Cyrille, Théodoret et le *Filioque* », p. 597-625.
3. Cyrille disait : « L'Esprit de Dieu le Père, qui procède de lui, n'est cependant pas étranger au Fils selon la raison d'essence » (cf. *ACO* I, I, 4, p. 19, l. 25-26). Théodoret traduit cela comme suit : « (Cyrille dans sa lettre a déclaré que) l'Esprit-Saint n'est pas issu du Fils ou n'existe pas par le fait du Fils, mais qu'il procède du Père, tout en étant propre au Fils, puisqu'il est dit consubstantiel aussi à lui. »

En christologie également, Théodoret se montre très éclectique dans sa reproduction des énoncés de son adversaire de la veille. Dans trois des lettres dont on peut faire état ici, celle à Jean d'Antioche déjà citée ainsi que celles adressées à Théosèbe de Cios (C 17) et à Alexandre de Hiérapolis (C 14), il escamote pratiquement l'aspect unitaire. Il est en effet entièrement braqué sur la distinction des natures et le refus d'attribuer en quelque façon que ce soit les souffrances à la nature divine [1]. Dans la lettre à André de Samosate encore (C 10), il nomme parmi les hérétiques jadis énumérés dans la lettre aux moines d'Orient (C 4) seulement le trio Arius, Eunome, Apollinaire, parce qu'ils représentent selon lui les thèses du théopaschisme et du mélange des natures ; ce pour noter avec soulagement que Cyrille anathématise maintenant de telles idées. Il semble avoir perdu de vue les griefs de volatiliser l'humanité du Christ ou de l'amputer de son âme et ne mentionne donc plus les tenants vrais ou supposés de ces opinions [2]. En fin de lettre seulement, il précise qu'il est disposé à réitérer l'anathème contre ceux « qui divisent en deux fils l'Unique, Notre Seigneur Jésus-Christ, et nient sa divinité ». Cela à condition bien sûr de ne pas faire de Nestorius le bouc émissaire chargé de ces hérésies. Pour ce qui est du troisième nœud des problè-

1. Voici par exemple la façon dont il résume la confession de foi christologique extorquée à Cyrille dans la lettre à Alexandre de Hiérapolis (un « dur », il est vrai, qu'il fallait tenter d'apaiser) : « Même chez les hérétiques on respectait l'idée que Dieu le Verbe est inconvertible, impassible et immuable et qu'il ne s'est opéré ni mixture ni confusion ni mélange dans l'union de Dieu Verbe avec la chair. »

2. Ce manque d'intérêt presque total à l'endroit de la psychologie du Christ se laisse remarquer encore dans des œuvres plus tardives et contraste avec les préoccupations de Théodore. Ne serait-ce pas ce qui a rendu l'évêque de Cyr beaucoup plus facile à réintégrer dans les gros bataillons de l'orthodoxie que celui de Mopsueste, qui posait tant de questions gênantes ?

mes, celui que représentait l'appellation de *Theotokos*, inutile de préciser que Théodoret n'en souffle mot : n'était-ce pas en effet le point sur lequel il était le plus difficile de ne pas reconnaître que les Antiochiens avaient fait des concessions ?

IV. MANUSCRITS ET ÉDITIONS

Sur les trente-six lettres que nous ont conservées les collections conciliaires, quatre proviennent des *Actes grecs*, les lettres portant les numéros 150, 151, 169 [1] et 171 de Migne (*PG* 83), et trente-deux existent en traduction latine dans la *Collectio Casinensis* ou *Synodicon Rustici Diaconi* [2].

a. La collection Casinensis

La *Collectio Casinensis*, où se distinguent deux parties, occupe deux volumes (I, 3 et I, 4) dans l'édition des *Acta Conciliorum Oecumenicorum* de Schwartz : la première partie reproduit, avec quelques retouches, une collection antérieure appelée *Turonensis*, réalisée avant 553 [3] ; la seconde fait partie du *Synodicon* constitué à Constantinople dans la deuxième moitié du VIe siècle par le diacre romain Rusticus, neveu du pape Vigile, afin de démontrer l'illégitimité de la condamnation des Trois-Chapitres par le

1. Le texte grec de cette lettre (C 3) a été édité pour la première fois par E. SCHWARTZ dans *Neue Aktenstücke...*, p. 23-24, et dans *ACO* I, I, 7, p. 79-80.

2. La lettre 171 de Migne existe également dans la collection *Casinensis*.

3. Description dans F. MAASSEN, *Geschichte der Quellen... der Canonischen Rechts*, Graz 1870-1871, t. 1, p. 721-727 et E. SCHWARTZ, *ACO* I, 3, p. IX-XII.

concile de 553 et défendre la mémoire de Théodoret [1]. C'est dans la bibliothèque du couvent des Acémètes à Constantinople que Rusticus avait découvert le dossier de pièces conciliaires rassemblé et annoté par l'ami de Nestorius, le comte Irénée, sous le titre de *Tragoedia*, dont le but était d'innocenter Nestorius.

Deux manuscrits contiennent le texte de la *Collectio Casinensis* : le Codex *Vaticanus 1319*, XIIIe s. (*V*), et le Codex *Casinensis 2*, XIIe s. (*M*), dérivés tous deux du même original et tout à fait semblables entre eux. Par suite de la disparition, dans le manuscrit du Vatican [2], de tous les feuillets qui faisaient suite au folio 91^v^ — disparition qui pourrait s'expliquer, selon Schwartz, par le souci d'un lecteur qui aurait refusé de voir conservés tant de documents relatifs à l'erreur de Nestorius —, nous ne disposons, en définitive, pour la deuxième partie de la collection (*Cas.* 77-312), à laquelle appartiennent nos lettres, que d'un seul manuscrit, celui du monastère de Monte Cassino [3]. C'est un in-folio de 474 pages sur parchemin, avec titres en rouge et caractères latins du XIIe siècle, écrit sans doute dans le couvent même, œuvre de plusieurs copistes d'inégale valeur.

Les pièces qui composent ce manuscrit ont été éditées pour la première fois par le belge Christian Lupus, de l'ordre des Augustins : *Ad Ephesinum concilium variorum patrum epistolae*, Louvain 1682. Malgré les défauts de cette édition, Baluze, n'ayant pu obtenir communication

1. Sur Rusticus, voir E. SCHWARTZ, *ACO* I, 4, p. VIII-X ; sur ses sources, *ibid.*, p. X-XVI.

2. Le ms. *Vaticanus 1319* a été décrit par C. H. TURNER dans *JThS* 6, p. 85 s.

3. Description dans *Bibliotheca Casinensis seu codicum manuscriptorum qui in Tabulario Casinensi asseruantur, series* I, Monte Cassino 1873, p. 491, puis dans *Codicum Casinensium manuscriptorum Catalogus*, t. 1, Monte Cassino 1915-1923, p. 4 s.

du manuscrit [1], se borna à reproduire l'édition de Lupus dans sa *Nova Collectio conciliorum*, Paris 1683, sous le titre de *Synodicon adversus Tragoediam Irenaei*, non toutefois sans opérer quelques corrections et ajouter un grand nombre de notes. C'est cette édition que, sans mettre à profit la recension que le cardinal Tamburini avait mise à sa disposition, Mansi réimprima dans sa *Sacrorum conciliorum nova et amplissima Collectio*, t. 5, c. 731-1002 (*PG* 84, 551-864). Enfin E. Schwartz en a donné une édition critique dans ses *ACO* (I, 4) : *Collectionis Casinensis siue synodici a Rustico diacono compositi pars altera*, 1922-1923.

b. Les collections grecques

Sur les quatre lettres provenant des Actes grecs, deux appartiennent à la *Collectio Atheniensis* : C 3 = Migne 169 (*PG* 83, 1473-1476) = *Athen.* 69 (*ACO* I, I, 7, p. 79-80) et C 21 = Migne 171 (*PG* 83, 1484-1485) = *Athen.* 128 (*ACO* I, I, 7, p. 163-164) ; une troisième appartient à la *Collectio Vaticana* : C 1 = Migne 150 (*PG* 83, 1413-1416) = *Vat.* 167 (*ACO* I, I, 6, p. 107-108). Il faut faire un sort particulier à la lettre 151 aux moines, qui est entrée dans une collection de lettres d'auteurs divers, étrangère aux collections des actes conciliaires.

Lettre C 3 = *Athen.* 69. Deux manuscrits nous en ont transmis le texte : l'un est le Codex *Atheniensis societatis archaeologicae christianae 9*, bombycin, XIIIe s. (*A*), seul témoin complet de la collection athénienne, découvert par A. Ehrard dans la bibliothèque de la Société archéologique chrétienne [2] ; trois folios manquent au début, très peu à

1. Envoyé entre temps à Rome, d'où nous ignorons la date de son retour au Mont-Cassin.

2. Cf. N. A. Bees, Κατάλογος τῶν χειρογράφων κωδίκων τῆς Χριστιανικῆς Ἀρχαιολογικῆς Ἑταιρείας Ἀθηνῶν. Μέρος α′, dans le

l'intérieur, davantage à la fin ; en outre, l'angle de la partie inférieure des vingt premiers folios a été déchiré. La teneur de l'original grec se voit confirmée par sa concordance avec le texte parallèle de deux traductions latines indépendantes, la première rédigée en 565 (*Cas.* 119 = *ACO* I, 4, p. 69-70), la seconde, d'une date sans doute plus tardive, connue seulement par une édition de 1542 (*Collectio Winteriana* 22 = *ACO* I, 5, p. 377-378). L'autre témoin grec est le Codex *Vallicellianus F 22*, papier, XVe s. (*J*). La lettre de Théodoret se trouve au folio 52^v. Parmi les pièces diverses des Actes d'Éphèse et de Chalcédoine qu'il contient, sont fournies surtout celles qui concernent la dispute et la paix entre Cyrille et les Orientaux [1]. Il saute aux yeux que la collection du ms. *J* a une étroite parenté avec celle du ms. *A*, sans qu'il en soit toutefois la copie.

Lettre C 21 = *Athen.* 128. Trois manuscrits contiennent le texte de cette lettre : le ms. *A*, dont il a déjà été question pour la lettre *Athen.* 69 ; un manuscrit de la Bibliothèque Vaticane, le *Vaticanus 1431*, XIe s. (*olim Rossanensis*), auquel E. Schwartz, dans l'étude qu'il lui a consacrée [2], a donné le sigle *R* ; enfin un manuscrit de la Bibliothèque Nationale de Paris, le *Parisinus 1115* (*Reg. 2951*), de 1276, désigné par le sigle *X*. Le *Vaticanus 1431*, d'abord propriété personnelle du cardinal Sirletto, bibliothécaire de la Vaticane au XVIe siècle, fut acheté ensuite par le cardinal Colonna, avant de parvenir à la Bibliothèque Vaticane. Parmi les pièces diverses contenues dans ce

Δελτίον τῆς Χριστ. 'Αρχ. Ἑταιρείας 'Αθηνῶν 6, 1906, p. 56 s. ; E. SCHWARTZ, *Neue Aktenstücke...*, p. 3 s.

1. Sur ce manuscrit, où se devine la main de plusieurs copistes, voir E. MARTINI, *Catalogo dei manoscritti greci esistenti nelle biblioteche italiane*, t. 2, Milan 1906, p. 148 s. (n° 87).

2. E. SCHWARTZ, *Codex Vaticanus 1431...*, p. 28 s.

manuscrit, il faut citer tout particulièrement le Florilège en deux parties de Cyrille, œuvre de deux copistes différents (fol. 299ʳ-309ᵛ et 310ʳ-322ᵛ), dont a parlé H. Lietzman [1]. Le *Parisinus 1115*, achevé le 14 mars 1276 [2], a été écrit à partir d'un manuscrit découvert dans la vieille bibliothèque d'une église de Rome et daté de 759. Les additions [3] qui furent par la suite apportées à ce manuscrit ne sont pas antérieures au XIVᵉ siècle : parmi elles se trouve la lettre de Théodoret au folio 4ᵛ.

Éditée pour la première fois, en 1661, à Rome, par Leo Allatius, d'après le *Vaticanus 1431* (*R*), dans les *Vindiciae Synodi Ephesinae* (p. 137), ensuite par J. B. Cotelier, à partir du *Parisinus* 1115 (X_1), dans *Ecclesiae graeca monumenta* (I, 48), enfin par Garnier dans son *Auctarium Theodoreti* (p. 93) et reproduite dans Migne (*PG* 83, 1484), cette lettre *Athen.* 128 n'est en fait que la première partie de la lettre traduite en latin par Rusticus, qui figure sous le nº 183 dans la *Collectio Casinensis*. Une autre traduction latine partielle existe dans les Actes du Vᵉ concile [4].

Lettre C 1 = *Vat.* 167. Cette lettre se lit dans la *Collectio Vaticana*, la plus considérable des trois collections grecques que nous possédons [5]. Elle figure en tête de la réfutation par Théodoret du premier anathématisme de

1. H. Lietzmann, *Apollinaris von Laodicea und seine Schule* (*TU* 1), Tübingen 1904, p. 96 s. Sur ce manuscrit, voir H.-G. Opitz, *Untersuchungen zur Ueberlieferung der Schriften des Athanasius*, Berlin-Leipzig 1935, p. 80 s. ; Canart et Peri, *Sussidi Bibliographici...* (*Studi e Testi* 261), Città del Vaticano 1971, p. 591 ; G. M. de Durand, Introduction à Cyrille d'Alexandrie, *Deux dialogues christologiques* (*SC* 97), p. 159 s.

2. Souscription publiée par T. Schermann, *Die Geschichte der dogmatischen Florigien vom V-VIII Jahrhundert* (*TU* 28, 1), Leipzig 1904, p. 6.

3. Schwartz les désigne par X_1.

4. *ACO* IV, 1, p. 134-135.

5. La collection est publiée au complet dans *ACO* I, I, 1-6 (1927-1928).

Cyrille. Plusieurs manuscrits nous en ont transmis le texte. D'abord le *Vaticanus 830* (*V*), le seul qui contienne la *Collectio Vaticana* en son entier. C'est un manuscrit en papier, daté de 1446-1447, d'une écriture soignée, où l'on ne relève que quelques erreurs d'orthographe [1]. À ce manuscrit viennent s'ajouter, pour cette lettre, les manuscrits suivants :

a) le Codex *Laurentianus VI 12*, XIVᵉ s. (*l*), bombycin, qui contient aux folios 105ʳ-128ʳ l'Apologie des XII anathématismes de Cyrille contre Théodoret [2].

b) le *Parisinus 1308*, dont la souscription (fol. 167ʳ), due à une autre main, indique la date : 1388-1389. La lettre de Théodoret placée en tête de sa réfutation des anathématismes de Cyrille se lit au fol. 99ʳ. C'est de ce manuscrit, auquel Schwartz a donné le sigle *Z*, que dérive le *Codex Parisinus 882* [3], dont s'est servi Jean Aubert pour son édition des *Scholies sur l'Incarnation*.

c) le Codex *Mosquensis, Bibliothèque Synodale 394*, Xᵉ s. Ce manuscrit, selon la souscription d'Aréthas [4], est l'œuvre d'un diacre nommé Stylianus et fut achevé en avril 932. Il ne contient pas d'autre texte que l'Apologie de Cyrille contre Théodoret. Il est désigné dans les *ACO* par le sigle *Y* [5].

1. Cf. R. DEVREESSE, *Codices Vaticani Graeci* III, 1950, p. 378-379 ; CANART et PERI, p. 497 s.

2. Cf. A. M. BANDINI, *Catalogus codicum manuscriptorum Bibliothecae Mediceae Laurentianae* I, 1764, p. 117 s.

3. Cf. H. OMONT, *Inventaire sommaire des manuscrits grecs de la Bibliothèque Nationale* I, 1886, p. 165 et 295.

4. Cf. E. MAAS, « Observationes palaeographicae », *Mélanges Graux*, Paris 1884, p. 757.

5. Voir C. F. DE MATTHAEI, *Accurata codicum graecorum mss. bibliothecarum Mosquensium sanctissimae synodi notitia...* I, Leipzig 1805, p. 290 s., n. XXXII fol. ; Archimandrite VLADIMIR, *Catalogue systématique des manuscrits de la Bibliothèque Synodale* I, *Les manuscrits grecs*, Moscou 1894, p. 296 s., n. 231.

d) le Codex *Basiliensis A III 4*, XIIIe s. (*b*), dont il sera parlé en détail ci-dessous à propos de la lettre aux moines d'Orient. L'*Apologia Cyrilli contra Theodoretum*, qui contient la lettre de Théodoret, se lit aux fol. 562^{r}-595^{v} [1].

Enfin la lettre C 1 existe aussi en traduction latine, intégralement dans la *Collectio Sichardiana* [2], fragmentairement dans la *Collectio Palatina* [3].

Lettre C 4 = MIGNE 151. La lettre aux moines d'Orient, suivie de l'opuscule sur l'unité du Christ après l'Incarnation (*PG* 83, 1433-1441), figure dans trois manuscrits : le *Basiliensis A III 4* (XIIIe s.), le *Vindobonensis theol. graecus 2* (XVe s.) [4] et le *Vaticanus Ottobonianus graecus 456* (XVe s.) [5].

Le second de ces manuscrits fut apporté à Vienne par Ogier de Busbecke, diplomate et humaniste, qui l'avait acquis à Constantinople : son texte est reproduit dans les éditions de Bongiovanni (Venise 1759), de Galland [6] et de Schulze et Noesselt [7]. Mansi donna dans sa Collection des conciles, on ne sait à partir de quelle source, un texte un peu différent dont Noesselt a introduit les variantes dans son édition.

1. Cf. *ACO* I, I, 6, P. III.
2. *Coll. Sich.* 4 (*ACO* I, 5, p. 251-252). Voir p. 66.
3. *Coll. Pal.* 40 (*ACO* I, 5, p. 143, l. 22-25).
4. Description dans O. DE NESSEL, *Catalogus sive Recensio Speciales omnium Codicum Manuscriptorum... Vindobonensis* I, Vienne 1690, p. 2 s.
5. Cf. E. FERON et F. BATTAGLINI, *Codices manuscripti graeci Ottoboniani Bibliothecae Vaticanae*, Rome 1893, p. 253. Il existe une version syriaque de la lettre aux moines. Cf. W. WRIGHT, *Catalogue of Syriac Manuscripts in the British Museum* II, Londres 1871, ms. DCCCC, fol. 57^{r}-62^{r} ; texte et traduction allemande dans J. FLEMMING, *Akten der Ephesinischen Synode...*, p. 91-105.
6. *Bibliotheca Veterum Patrum*, t. 9, Venise 1773, p. 405-418.
7. *Theodoreti Opera*, t. 4, Halle 1769, p. 1291-1306. Cette édition est reprise dans *PG* 83, 1416-1433.

Les trois manuscrits contiennent la même collection de textes théologiques, dans laquelle il est possible de distinguer deux parties différentes : la première comprend surtout des traités d'Athanase et quelques écrits relatifs à l'arianisme ; la seconde débute par les *Glaphyra* de Cyrille et s'achève par son Apologie contre Théodoret. D'après Wallis [1], suivi par Opitz [2], on peut admettre que les deux manuscrits *Vindobonensis* et *Ottobonianus* sont des copies du *Basiliensis*, la copie n'ayant pu se faire toutefois qu'avant que celui-ci n'ait été amputé du début des *Glaphyra*, puisque ce traité est complet dans le *Vindobonensis* alors qu'il commence mutilé dans le *Basiliensis*. Seul donc le manuscrit de Bâle (*b*) fait autorité. Selon H. Omont [3], ce manuscrit aurait appartenu au cardinal Jean de Raguse († 1443) qui légua sa bibliothèque aux Dominicains de Bâle [4].

Notre lettre occupe dans le manuscrit les fol. 555r-559v, venant après le traité de Jean Damascène contre l'hérésie des nestoriens (*PG* 95, 183-224) et suivie immédiatement de l'opuscule sur l'unité du Christ après l'Incarnation (fol. 559v-561v), de Théodoret (*PG* 83, 1433-1441). La lecture que nous avons pu faire personnellement de ce texte sur reproduction photographique nous a permis, croyons-nous, d'apporter quelques améliorations au texte de Migne (*PG* 83, 1416-1433), qui reprend celui de Schulze et Noesselt [5].

1. Cf. *JThS* 3, 1902, p. 252.
2. G. Opitz, *Untersuchungen zur Ueberlieferung der Schriften des Athanasius*, Berlin 1935, p. 28.
3. *Zentralblatt für Bibliotheckwesen* 3, 1886, p. 400.
4. Sur l'histoire du manuscrit, voir Opitz, *ibid.*, p. 28.
5. L'apparat critique de cette lettre relève les écarts entre *b*, l'édition de Migne (Mi) et la présente édition (Az).

c. Les autres collections latines

Les lettres des collections grecques et huit lettres de la collection *Casinensis*[1] nous sont également parvenues, totalement ou partiellement, dans d'autres traductions latines provenant des collections suivantes :

a) La *Collectio Palatina, siue qui fertur Marius Mercator*, contenue dans le ms. *Vaticanus Palatinus 234* (IXᵉ s.)[2], dont Schwartz fait le plus grand éloge[3]. Les lettres *Cas.* 150, 155, 160, 187, 208, 227, 236 et *Vat.* 167 s'y retrouvent, totalement ou partiellement, aux nᵒˢ 43-49 et 40[4].

b) La *Collectio Sichardiana*, ainsi appelée du nom de son premier éditeur, Jean Sichard (1528)[5]. La lettre *Vat.* 167 s'y retrouve au nᵒ 4[6].

c) La *Collectio Winteriana*, éditée par Robert Winter (1542) sous le titre : *Synodicae constitutiones cum generales tum prouinciales, variis de rebus, quae Concilium Christianum attinent Cyrillo Alexandrino, Theodorito et ceteris autoribus*[7]. La lettre *Athen.* 69 s'y retrouve au nᵒ 22[8].

d) La collection des Actes du Vᵉ concile œcuménique (553), qui reproduit quelques-uns des textes de Théodoret lus au cours de la cinquième session, qui aboutit à la

1. *Cas.* 108, 150, 155, 160, 187, 208, 227, 236.
2. Cf. H. Stevenson, *Codice Palatini latini Bibliothecae Vaticanae*, Rome 1886, p. 54 s.
3. Sur cette collection, voir *ACO* I, 5, *Pars prior*, p. I-V.
4. *ACO* I, 5, p. 170-172 et 143. La présente édition donne le texte et la traduction des lettres *Pal.* 43-49 à la suite des lettres correspondantes de la collection *Casinensis*.
5. Sur cette collection, voir *ACO* I, 5, *Pars altera*, p. I-IV.
6. *ACO* I, 5, p. 251-252. Texte et traduction *infra*, p. 66 s.
7. Sur cette collection, voir *ACO* I, 5, *Pars altera*, p. XVII-XVIII.
8. *ACO* I, 5, p. 377-378.

condamnation de l'évêque de Cyr [1]. On y trouve le texte intégral de la lettre *Cas.* 208, des extraits de la Lettre aux moines (Migne 151) et des lettres *Cas.* 108 et *Athen.* 128 (= *Cas.* 183) [2], quatre brèves citations tirées des lettres *Cas.* 155, 160 et 187 [3].

d. La présente édition

Les lettres de Théodoret provenant des collections conciliaires sont classées par ordre chronologique et chaque lettre reçoit un numéro correspondant à cet ordre [4].

À l'exception de la lettre C 4 [5], le texte retenu pour les lettres est celui de l'édition critique de E. Schwartz : *Acta Conciliorum Oecumenicorum.* t. I. *Concilium Vniuersale Ephesenum*, Berlin-Leipzig 1922-1930. Nous renvoyons donc pour l'établissement du texte à l'apparat critique de cette édition. Dans un certain nombre de cas — au total peu nombreux — il arrive cependant que nous avons pensé devoir nous écarter du texte établi par E. Schwartz. Une note de la traduction signale alors cet écart et en donne la raison.

Il n'existait jusqu'ici, à notre connaissance, aucune traduction française de cette correspondance, à l'exception des trois lettres traduites par le P. Festugière [6]. Ce qui n'a

1. Cf. *HL* 3¹, p. 126 s. À la suite de Schwartz, nous y renvoyons par le sigle Σ.
2. *ACO* IV, 1, 131-135.
3. *ACO* I, 2, p. 129.
4. On renvoie aux lettres de Théodoret provenant des collections conciliaires par ce numéro précédé de la lettere C ; à celles de la collection Sakkélion (manuscrit de Patmos) par le numéro qui leur est attribué en *SC* 40, précédé de la lettre P ; à celles de la collection Sirmond par le numéro qui leur est attribué en *SC* 98 et 111, précédé de la lettre S.
5. Voir ci-dessus p. 56, n. 5.
6. C 27 (dans *Antioche...*, p. 420) ; C 3 et C 21 (dans *Éphèse...*, p. 598 et 649).

pas été sans nous créer parfois quelque embarras. Nous nous sommes efforcé avant tout de donner de ces lettres, souvent difficiles, une traduction à la fois exacte et lisible.

Dans les notes, notre principal souci a été de fournir au lecteur tout ce qui nous a paru nécessaire à une bonne intelligence des textes. Pour cela nous nous sommes attaché particulièrement à résoudre les problèmes de chronologie et d'identification à la fois des destinataires des lettres, et d'autres personnages, assez nombreux, que Théodoret est amené à citer ; nous sommes bien conscient de n'avoir pu les résoudre tous avec une parfaite certitude. D'autres notes nous ont semblé utiles pour éclairer certains passages dans lesquels les aspects théologiques sont au premier plan. Par là nous avons essayé de montrer que ces lettres, qui se situent à un moment bien précis de l'histoire de l'Église, gardent aujourd'hui encore leur intérêt parce qu'elles sont au cœur du mystère chrétien.

Au Père G. M. de Durand, du couvent des Dominicains de Montpellier, nous tenons à dire ici notre plus vive gratitude pour l'aide qu'il a bien voulu nous apporter tout au long de notre travail et pour l'amabilité avec laquelle il a su nous faire bénéficier de son immense culture. Nous lui devons la rédaction du ch. III : l'apport théologique.

Nos remerciements vont aussi à Monsieur Roland Delmaire, professeur à l'Université de Lille 3 Charles de Gaulle, qui a bien voulu relire ces lettres avec l'œil exercé de l'historien spécialiste des institutions du Bas-Empire. Notre traduction des termes techniques a largement bénéficié de ses remarques et nous lui devons également une liste de corrections et de compléments, qu'on trouvera à la fin du présent volume, concernant la traduction de ce vocabulaire des institutions impériales dans les trois précédents volumes de cette *Correspondance* (*SC* 40, 98, 111).

Notre reconnaissance ira aussi à Monsieur Michel Lestienne qui a accepté d'être le réviseur dévoué de notre manuscrit auquel il a apporté maintes améliorations. Nous remercions enfin Monsieur Jean-Noël Guinot qui, dès le début de notre entreprise, a manifesté pour elle le plus grand intérêt.

TEXTE ET TRADUCTION

1a (*Coll. Vat.* 167)

Ἐπιστολὴ Θεοδωρήτου

1b Λίαν ἤλγησα τοῖς ἀναθεματισμοῖς ἐντυχών, οὓς ἀπέστειλας, ἀνατρέψαι τούτους ἡμῖν ἐγγράφως κελεύσας καὶ τὴν αἱρετικὴν αὐτῶν ἔννοιαν γυμνὴν ἅπασι καταστῆσαι. Ἤλγησα δὲ ὅτι ἀνὴρ ποιμαίνειν λαχὼν καὶ ποίμνην τοσαύτην πεπιστευμένος καὶ θεραπεύειν τὰ ἀσθενῆ τῶν προβάτων προστεταγμένος νοσεῖ μὲν αὐτὸς καὶ λίαν σφοδρῶς, ἀναπιμπλάναι δὲ πειρᾶται τῆς νόσου τὰ θρέμματα καὶ τῶν ἀγρίων θηρῶν χαλεπώτερον τὰ ποιμαινόμενα διατίθησιν. Οἳ μὲν γὰρ τὰ ἐσκεδασμένα καὶ τῆς ποίμνης κεχωρισμένα διασπῶσιν ἁρπάζοντες· ὃ δὲ ἐν μέσῳ ταύτης τυγχάνων καὶ σωτὴρ εἶναι καὶ φύλαξ νενομισμένος λαθραίαν τὴν βλάβην τοῖς πειθομένοις ἐνίησι. Τὸ μὲν γὰρ

1. Date : début 431. Sur Jean, évêque d'Antioche, voir Introd., p. 32. ~ Traduction latine (*Coll. Sichardiana* 4 = *ACO* I, 5, p. 251-252) ci-dessous (1b).

2. La lettre sert de préface à la réfutation par Théodoret des douze anathématismes de Cyrille contre Nestorius, de nov. 430, que l'évêque de Cyr avait entreprise à la demande de Jean (*Reprehensio duodecim capitum seu anathematismorum Cyrilli*). Exposé du point de vue antiochien et défense de l'orthodoxie de Nestorius, l'écrit, condamné par le Ve concile œcuménique (553) ne se lit plus qu'à travers la réponse de Cyrille : *Epistula ad Euoptium aduersus impugnationem duodecim capitum a Theodoreto editam* (*PG* 76, 385-452 ; *ACO* I, I, 6, p. 107-146 ; anathématismes dans *PG* 77, 105-112 ; *ACO* I, I, 1, p. 33-42). Sur les circonstances qui avaient amené Cyrille à écrire les anathématismes, cf. CAMELOT, p. 25-43 (trad., p. 198-207).

3. Cyrille, qui avait succédé à son oncle Théophile sur le siège d'Alexandrie (17 oct. 412).

1a

À Jean d'Antioche

Lettre de Théodoret [1]

J'ai beaucoup souffert à la lecture des anathématismes que tu m'as envoyés, en nous demandant de les réfuter par écrit et de découvrir à tous leur sens hérétique [2]. J'ai souffert qu'un homme qui a reçu la mission de pasteur [3], à qui un troupeau aussi important [4] a été confié et à qui on a donné pour tâche de soigner celles des brebis qui étaient affaiblies, d'une part soit lui-même atteint si violemment par le mal et, d'autre part, s'efforce de le communiquer à ses ouailles et traite le troupeau dont il est le pasteur plus durement que ne feraient les bêtes sauvages : car celles-ci ravissent pour les mettre en pièces les brebis dispersées qui se sont écartées du troupeau, tandis que lui qui vit au milieu du troupeau dont il est considéré comme le sauveur et le gardien, inocule secrètement son mal à ceux qui lui obéissent [5]. Se garder, en effet, d'un ennemi qui fait une

4. Allusion à l'importance du siège d'Alexandrie, la plus illustre des métropoles orientales, dont l'évêque de Cyr ne pouvait oublier le rôle qu'elle avait joué dans l'histoire de la pensée chrétienne : dès lors, la responsabilité de celui qui en occupait le siège épiscopal au moment de la crise nestorienne ne lui en paraissait que plus grande.

5. Dans le souci d'accentuer en face du dualisme antiochien l'union des deux natures dans le Christ, Cyrille en venait à utiliser une formule telle que μία φύσις τοῦ θεοῦ λόγου σεσαρκωμένη (« une seule nature du Dieu Verbe incarnée ») qui ne pouvait que le faire soupçonner de monophysisme par les Antiochiens. Sur le conflit entre les deux christologies, antiochienne et alexandrine, cf. J. Mahé, « Les anathématismes de S. Cyrille d'Alexandrie et les évêques orientaux du patriarcat d'Antioche » ; Camelot, p. 14-24.

προφανῶς πολεμοῦν δυνατὸν καὶ φυλάξασθαι· τὸ δ' ἐν σχήματι φιλίας τὴν ἐπιβουλὴν προσφέρον ἀφύλακτον εὑρίσκει τὸ πολεμούμενον καὶ ῥᾳδίαν αὐτῷ τὴν βλάβην ἐντίθησι. Διὸ καὶ τῶν ἔξωθεν πολεμούντων οἱ ἔνδοθεν προδιδόντες εἰσὶ χαλεπώτεροι. Τοῦτό με μειζόνως ἠνίασεν τὸ ἐν εὐσεβείας ὀνόματι καὶ σχήματι καὶ ἐν ποιμένος ἀξιώματι τυγχάνοντα τὰς αἱρετικὰς καὶ βλασφήμους ῥῆξαι φωνὰς καὶ τὴν πάλαι σβεσθεῖσαν Ἀπολιναρίου ὁμοῦ καὶ δυσσεβῆ διδασκαλίαν ἀνανεώσασθαι, πρὸς δὲ τούτοις τὸ μὴ μόνον ταῦτα πρεσβεῦσαι, ἀλλὰ καὶ τοὺς οὐ πειθομένους αὐτῷ συμβλασφημεῖν ἀναθεματίσαι τολμῆσαι, εἴπερ ἀληθῶς αὐτοῦ ταῦτα τὰ γεννήματα καὶ οὐ τῶν ἐχθρῶν τις τῆς ἀληθείας ὡς ἐξ ἐκείνου ταῦτα συντεθεικὼς ἔρριψεν ἐν μέσῳ κατὰ τὸ μυθευόμενον ἐκεῖνο μῆλον, τῆς ἔριδος εἰς ὕψος ἐγείρων τὴν φλόγα.

Ἐγὼ τοίνυν, εἴτε ἐκεῖνος εἴτε ἄλλος τις ὡς ἐξ ἐκείνου ταῦτα συντέθεικεν, τῷ φωτὶ τοῦ παναγίου πνεύματος συνεργῷ πρὸς τὴν ἔρευναν τῆς αἱρετικῆς κακοδοξίας χρησάμενος, κατὰ τὸ μέτρον τῆς δοθείσης μοι παρὰ τοῦ θεοῦ δυνάμεως διήλεγξα ταῦτα ὡς οἷόν τε ἦν, καὶ τὰς εὐαγγελικὰς αὐτοῖς καὶ ἀποστολικὰς ἀντέθηκα διδασκαλίας καὶ τὸ ἀλλόκοτον τοῦ δόγματος ἔδειξα καὶ ὅσην ἔχει διαφωνίαν πρὸς τὰ θεῖα διδάγματα, πεποίηκα φανερόν, παρεξετάσας αὐτὰ τοῖς τοῦ θείου πνεύματος λόγοις καὶ δείξας ὅπως ἐστὶν ἀσύμφωνα καὶ τῶν θείων ἀλλότρια. Πρὸς δὲ τὴν τοῦ ἀναθεματισμοῦ τόλμαν τοσοῦτον ἐρῶ ὅτι Παῦλος ὁ μεγαλοφωνότατος τῆς ἀληθείας κῆρυξ τοὺς παραφθείραντας τὰ εὐαγγελικὰ καὶ ἀποστολικὰ διδάγματα

1. S'il est vrai que l'hérésie d'Apollinaire avait été depuis longtemps condamnée par plusieurs conciles du IVe siècle et notamment par celui de Constantinople (381), sa pensée n'avait pas encore perdu toute influence au début du Ve (cf. P. GALTIER, « Saint Cyrille et Apollinaire »; sur la pensée d'Apollinaire, voir H. DE RIEDMATTEN, « La christologie d'Apollinaire de Laodicée », *Studia Patristica* 2 (*TU* 64), Berlin 1957, p. 208-234.

2. Allusion à la pomme que la Discorde (Éris) jeta, d'après la fable, au milieu des convives, aux noces de Thétis et de Pélée, et qui fut la

guerre ouverte est chose possible, mais si c'est sous le couvert de l'amitié qu'il prépare ses pièges, il trouve l'adversaire sans défense et lui porte sans peine ses coups. Aussi ceux qui trahissent de l'intérieur sont-ils plus terribles que ceux qui combattent de l'extérieur. Mais ce qui m'a encore plus affligé, c'est que sous le nom et l'apparence de piété, un homme revêtu de la dignité de pasteur ait fait éclater des paroles hérétiques et des blasphèmes et qu'il ait redonné vie à l'enseignement aussi stupide qu'impie d'Apollinaire, depuis longtemps éteint [1]. Et c'est aussi le fait que non seulement il se soit fait l'ambassadeur de telles opinions, mais encore qu'il ait osé jeter l'anathème sur ceux qui refusaient de blasphémer avec lui, si toutefois cette œuvre est vraiment la sienne et si ce n'est pas un des ennemis de la vérité qui, l'ayant composée sous son nom, l'a jetée sur le tapis, comme la pomme dont parle la fable [2], en faisant monter la flamme de la Discorde.

Pour moi donc — que ce soit lui ou quelque autre qui l'ait composée comme étant de lui —, grâce au secours que j'ai trouvé dans les lumières de l'Esprit très saint pour démasquer les opinions fausses et hérétiques, dans la mesure des moyens que Dieu m'a accordés, je les ai réfutées autant qu'il était possible; je leur ai opposé les enseignements de l'Évangile et des apôtres, j'ai mis en évidence l'étrangeté d'une telle doctrine et j'ai fait voir combien il y a désaccord entre elle et les divins enseignements, la confrontant avec les paroles de l'Esprit divin et montrant combien elle est différente et étrangère aux enseignements de Dieu. Contre l'audace de l'anathème je dirai seulement que Paul, ce sublime héraut de la vérité, jeta l'anathème sur ceux qui altéraient les enseignements de l'Évangile et des apôtres, osant même s'attaquer aux

première cause de la guerre de Troie. Cyrille fait une allusion amère à cette référence littéraire dans sa lettre à Evoptius, la jugeant tout à fait inopportune (*ACO* I, I, p. 111, l. 12-20).

ἀνεθεμάτισεν, καὶ τῶν ἀγγέλων κατατολμήσας[a], οὐ τοὺς ἐμμένοντας τοῖς δοθεῖσιν ὅροις ὑπὸ τῶν θεολόγων ἀνδρῶν· τούτους γὰρ καὶ εὐλογίαις ὠχύρωσεν, εἰπών· « Ὅσοι τῷ κανόνι τούτῳ στοιχήσουσιν, εἰρήνη ἐπ' αὐτοὺς καὶ ἔλεος καὶ ἐπὶ τὸν Ἰσραὴλ τοῦ θεοῦ[b]. » Δρεπέσθω τοίνυν ὁ τῶν λόγων τούτων πατὴρ ἐκ τῆς ἀποστολικῆς ἀρᾶς τῶν οἰκείων πόνων τὰ ἐπίχειρα καὶ τῶν αἱρετικῶν σπερμάτων τὰ δράγματα· ἡμεῖς δὲ τῇ τῶν ἁγίων πατέρων ἐμμενοῦμεν διδασκαλίᾳ.

Ὑπέταξα δὲ καὶ τὰς γεγενημένας ἀντιρρήσεις τῇδέ μου τῇ ἐπιστολῇ, ἵνα ἀναγνοὺς δοκιμάσῃς εἰ δυνατῶς τῶν αἱρετικῶν προβλημάτων τὴν λύσιν ἐποιησάμεθα. Ἕκαστον δὲ τῶν ἀναθεματισμῶν καθ' ἑαυτὸν τεθεικώς, προσήγαγον τὴν ἀντίρρησιν, ὅπως ἂν ῥᾳδία τοῖς ἐντυχάνουσιν ἡ
1b κατανόησις γένηται καὶ σαφὴς τῶν δογμάτων ὁ ἔλεγχος.

1b (*Coll. Sich.* 4)

Incipit sancti Theodoriti episcopi Cyrri ciuitatis ad sanctum Iohannem episcopum Antiochenum epistula in qua ostendit se scripsisse contra capitula beati Cyrilli

Valde dolui, dum anathemata legissem quae direxisti, destruere ea nobis ex scripto praecipiens et haereticum

a. Cf. Ga 1, 8 b. Ga 6, 16

1. Cyrille.

anges[a], mais n'agit pas de la même façon à l'égard de ceux qui restaient fidèles aux règles fixées par les hommes que Dieu inspire, car ceux-là il les fortifia même de ses bénédictions en disant : « Sur ceux qui se conduiront selon cette règle, paix et miséricorde, ainsi que sur l'Israël de Dieu[b]. » Que celui qui est le père de tels discours[1] recueille donc de la malédiction de l'Apôtre le fruit de ses peines et les gerbes venues des semences de l'hérésie ; quant à nous, c'est à l'enseignement des saints Pères[2] que nous resterons fidèle.

J'ai joint à ma lettre que voici les réponses que j'ai faites aux anathématismes, afin qu'en les lisant tu puisses juger si nous avons fait une réfutation suffisante des propositions hérétiques : prenant séparément chaque anathématisme, je lui ai apporté la réplique pour faciliter l'intelligence aux lecteurs et rendre claire la réfutation des doctrines.

1b

À Jean d'Antioche

Ici commence la lettre de saint Théodoret,
évêque de la ville de Cyr, à saint Jean, évêque d'Antioche,
dans laquelle il indique qu'il a écrit
contre les chapitres du bienheureux Cyrille

J'ai beaucoup souffert à la lecture des anathématismes que tu m'as adressés, en nous demandant de les réfuter par écrit et de découvrir à tous leur sens hérétique. J'ai

2. Avant tout les Pères de Nicée, dont la doctrine a fait autorité tout au long de la période patristique.

eorum sensum nudum omnibus intimare. Dolui autem quia uir pascendi sortitus officium, cui grex tantus est creditus, et oues infirmas curare praeceptus languet quidem ipse et uehementer, inplere autem et oues nititur aegritudine et agrestibus bestiis saeuius ea quae sunt pascenda, discerpit. Illae namque ea quae sunt dispersa et a grege diuisa, rapientes dilacerant ; hic autem in medio eius existens et saluator esse deputatus et custos latentem laesionem introducit oboedientibus. Quod enim aperte rebellat, obseruari facile est ; quod uero sub amicitiarum figura insidias parat, inuenit id contra quod pugnat incautum eique infert facile laesionem. Vnde et ab obsidentibus hostibus interiores saeuiores sunt proditores. Hoc ergo magis contristat, quia sub pietatis nomine atque figura et sub pastoris dignitate consistens haereticas et blasphemas uoces erumpit et dudum extinctam Apollinaris inanem simul impiamque doctrinam renouat, super haec autem non solum talia adlegare, sed et non consentientes suis blasphemiis anathematizare praesumpsit, si tamen ipsius ista sunt germina et non inimicorum quispiam ueritatis tamquam ex illo haec conponens proiecit in medium secundum illam fabulam melon Discordiae in altum flammas exaltans.

Ego itaque <siue> ille siue alius <quis>quam quasi ex illo nomine ista composuit, cooperatione sancti Spiritus ad perscrutationem haereticae prauitatis utens, secundum mensuram datae mihi a Deo uirtutis, ut potui, haec redargui et euangelicas eis apostolicasque obieci doctrinas

souffert qu'un homme qui a reçu la fonction de pasteur, à qui un si grand troupeau a été confié et que l'on a chargé de soigner les brebis malades, soit assurément lui-même malade, et violemment, s'efforce même de communiquer le mal à ses brebis et déchire le troupeau dont il est le berger plus cruellement que ne feraient les bêtes sauvages. Car celles-ci ravissent pour les mettre en pièces les brebis dispersées qui se sont écartées du troupeau, tandis que lui, qui vit au milieu du troupeau, lui qui en est considéré comme le sauveur et le gardien, inflige une blessure cachée à ceux qui lui obéissent. Se garder, en effet, d'un ennemi qui mène une guerre ouverte, est chose facile, mais si c'est sous le masque de l'amitié qu'il prépare ses embûches, il trouve celui qu'il combat sans défense et lui porte sans peine une blessure. Voilà pourquoi ceux qui trahissent de l'intérieur sont plus cruels que les ennemis qui assiègent de l'extérieur. Ce qui m'afflige donc davantage, c'est que sous le nom et l'image de la piété et se prétendant revêtu de la dignité de pasteur, il donne libre cours à des paroles hérétiques et à des blasphèmes et redonne vie à l'enseignement aussi stupide qu'impie d'Apollinaire, depuis longtemps éteint, et, en outre, que non seulement il ait osé faire valoir de telles sottises mais qu'il ait eu aussi l'audace de jeter l'anathème sur ceux qui ne consentaient pas à ses blasphèmes, si toutefois cette production est bien de lui et si ce n'est pas l'œuvre de quelque ennemi de la vérité qui, la rédigeant sous son nom, l'aurait jeté sur le tapis, comme la pomme dont parle la fable, en faisant monter la flamme de la Discorde.

Pour moi donc — que ce soit lui ou quelqu'un d'autre qui ait composé cette œuvre comme étant de lui —, grâce au secours de l'Esprit-Saint pour démasquer les opinions de la perversion hérétique, dans la mesure des moyens que Dieu m'a octroyés, je l'ai réfutée autant que je l'ai pu, je lui ai opposé les enseignements évangéliques et apostoliques, et j'ai montré à l'évidence la discordance qui

et dogmatis dissonantiam et quantam habeat discordiam ad sacra dogmata, demonstraui, examinans ea rationibus Spiritus sancti et ostendens dissona et eloquiis diuinis extranea. Contra praesumptionem itaque anathematis tantum dico quia Paulus magniloquentissimus ueritatis praeco conrumpentes euangelicas apostolicasque doctrinas anathemauit, etiam in angelos loqui praesumens[a], non eos qui perseuerant in datis terminis a deiloquis uiris ; illos enim etiam benedictionibus muniit dicens : « Quicumque in hac regula perdurauerint, pax super eos et super Israhel Dei[b]. » Capiat igitur horum sermonum pater et ex apostolica maledictione laborum suorum fructus et haereticorum seminum manipulos ; nos autem in sanctorum patrum doctrina perseueramus.

Subdidi autem et contradictiones quas feci, huic epistulae meae, ut legens probes si haereticarum propositionum destructionem ualide fecimus. Vnumquodque namque capitulum secundum se ponens intuli contradictionem, ut facilis legentibus intellectus fiat dogma<tumque> clara probatio.

a. Cf. Ga 1, 8 b. Ga 6, 16

régnait entre les deux et combien il y avait désaccord avec les divins enseignements, menant l'examen à la lumière de l'Esprit-Saint et montrant qu'une telle doctrine était différente et étrangère à la parole de Dieu. C'est pourquoi contre l'audace de l'anathème, je dis seulement que Paul, ce sublime héraut de la vérité, jeta l'anathème sur ceux qui altéraient les enseignements de l'Évangile et des apôtres, osant même s'attaquer aux anges [a], mais n'agit pas de même à l'égard de ceux qui s'en tiennent aux limites fixées par les hommes que Dieu inspire, car ceux-là il les fortifia même de ses bénédictions en disant : « Sur ceux qui se conduiront selon cette règle, paix et miséricorde, ainsi que sur l'Israël de Dieu [b]. » Que le père de tels discours recueille donc le fruit de ses peines et les gerbes issues des semences hérétiques ; quant à nous, c'est à l'enseignement des saints Pères que nous restons fidèle.

J'ai joint à ma lettre que voici les réponses que j'ai faites, afin qu'en les lisant tu puisses juger si nous avons fait une réfutation suffisante des propositions hérétiques : prenant chacun des chapitres séparément, je lui ai apporté la réplique pour en faciliter l'intelligence aux lecteurs et rendre clair l'examen des doctrines.

2a (*Coll. Cas.* 108)

Epistula Theodoreti episcopi Cyrri ad Andream episcopum Samosatenorum

2b Ab Epheso scribens tuam sanctitatem saluto et infirmitatem beatifico, quam Dei tibi dilectio praestitit, ut auditu potius quam experimento disceres quae hic mala commissa sunt, mala superantia omnem uerbi ueritatem omnemque uincentia conscriptorum narrationem et lacrimis digna perennibus et continuis luctibus. Periclitatur enim ecclesiasticum corpus scindi, quin potius olim sectiones recepit, nisi sapiens medicus diuisa et putria membra reiungat pace ac salute corroboret.

Insanit contra Deum rursus Aegyptus et repugnat contra Moysem et Aaron seruos ipsius et pars maxima Israhelis consentit inimicis ; pauci uero ualde sunt salui ac sustinent pro pietate certamina. Conculcata est reuerentia

1. Sur André de Samosate cf. *SC* 40, Introd., p. 31-32. Empêché par la maladie d'assister au concile d'Éphèse (431), il reçoit de Théodoret une lettre qui l'informe de la situation des Églises après les événements douloureux qui se sont déroulés depuis le début du concile. Le contenu de la lettre permet de la situer à la fin de juillet ou au début d'août 431 ; l'évêque de Cyr y parle en effet de la scission de l'Église : elle est donc à la fois postérieure à la condamnation de Nestorius (22 juin), à la déposition de Cyrille et de Memnon par l'assemblée des évêques orientaux (26 juin) ainsi qu'à l'excommunication de Jean d'Antioche et de ceux de son parti (16 et 17 juillet), et antérieure à la Conférence de Chalcédoine qui ne commencera que vers la mi-août et dont il n'est pas fait mention ici. ~ On trouvera ci-dessous (2b) une autre traduction

2a

À André de Samosate

Lettre de Théodoret, évêque de Cyr,
à André, évêque de Samosate [1]

D'Éphèse j'écris pour saluer Ta Sainteté et bénir la maladie que l'amour de Dieu t'a procurée, afin que tu puisses apprendre par ouï-dire plutôt que par expérience les méfaits qui ont été commis ici, méfaits qui dépassent tout ce qu'on peut dire de vrai, sont au-dessus de tous les récits des historiens et méritent des larmes continuelles et des lamentations incessantes. Le corps de l'Église, en effet, court le risque d'être scindé en deux, ou plutôt la scission est déjà consommée, si le sage médecin ne réunit à nouveau par sa paix les membres disjoints et pourris, et ne les fortifie en leur redonnant la santé.

L'Égypte [2] déraisonne à nouveau contre Dieu et lutte contre Moïse et Aaron ses serviteurs, tandis que la majorité d'Israël est d'accord avec l'ennemi ; bien peu nombreux, par contre, sont les hommes sains et qui supportent les

latine partielle de cette lettre que, non sans raison, Héfélé (*HL* 3[1], p. 128, n. 1) jugeait « fort peu respectueuse pour les Pères du concile d'Éphèse et leur œuvre » (Actes du Ve concile = *ACO* IV, 1, p. 133-134).

2. *Aegyptus*, « l'Égypte », pour « les Égyptiens », c'est-à-dire les partisans de Cyrille, que Théodoret désigne souvent par le mot *Aegyptius* avec une intention péjorative. Le terme Israël, amené par l'évocation des noms de Moïse et d'Aaron, désigne ici le peuple chrétien, alors favorable en majorité au parti de Cyrille. Enfin il faut entendre par Moïse et Aaron, Nestorius et Jean d'Antioche, vrais défenseurs de l'orthodoxie selon Théodoret.

pietatis, damnati ministrant et damnatores sedent gementes in domo; qui cum damnatis communione priuati sunt, ipsos condemnatos se putant a condemnatione soluisse. Talem synodum ludo fecerunt Aegyptiaci, Palaestini et cum Ponticis Asiani cumque istis et Occidens; hunc enim languorem maxima iam pars mundi recepit. Qui mimorum risus sic depompauerunt inpietatis tempore pietatem? Quis umquam comoediae scriptor talem fabulam finxit? Quis denique tragoediae digne poeta huiusmodi lamenta conscribat? tanta ac talia mala intra Dei ecclesiam concreuerunt, immo uero eorum quae commissa sunt,
|2b breuiter narraui particulam; alia enim nec dici sine periculo possunt.

Oret igitur sanctitas tua et Christum Dominum deprecetur exurgere et hanc maris reprimere tempestatem[a] ac desideratam imperare tranquillitatem, ut, hoc impetrantes gratuitum donum, clamemus cum sancto Dauid : « Secundum multitudinem dolorum meorum in corde meo consolationes tuae multae laetificauerunt animam meam[b]. »

a. Cf. Mt 8, 26 b. Ps 93, 19

---

1. Memnon, évêque d'Éphèse et ennemi des Orientaux, avait en effet interdit à ces derniers tout accès aux lieux de culte dans sa ville; voir sur ce point la réponse de l'évêque de Cyr à la question de l'empereur au cours de l'audience que celui-ci lui avait accordée (lettre C 3, à Alexandre de Hiérapolis).

2. Sur le nombre des évêques présents au concile qui condamna Nestorius, cf. *FM* 4, p. 180, n. 3 et 4; E. Schwartz, « *De episcoporum catalogis concilii Ephesini primi* », *Miscellanea Ehrle*, Rome 1924, II,

combats pour la foi. On a foulé aux pieds le respect de cette foi, ceux qui ont été condamnés exercent leur ministère, et ceux qui les ont condamnés restent dans leur maison à gémir [1]. Quant à ceux qui ont été privés de la communion en même temps que ceux qui ont été condamnés, ils s'imaginent avoir libéré de leur condamnation ceux-là mêmes qui ont été condamnés. Voilà le concile que, par dérision, ont réuni les gens d'Égypte, ceux de Palestine et, avec eux ceux du Pont, ceux d'Asie et, avec eux, l'Occident lui-même, car c'est un mal que déjà la plus grande partie de la terre a contracté [2]. Quels mimes ont, au temps de l'impiété, pris à ce point en risée la piété ? Quel auteur comique a jamais imaginé pareille comédie ? Quel tragique, enfin, pourrait peindre comme il le mérite un drame aussi lamentable, si graves et affreux sont les maux qui ont grandi au sein de l'Église de Dieu ? Et encore, des forfaits commis n'ai-je raconté ici, et brièvement, qu'une infime partie, car, pour le reste, on ne peut même pas en parler sans danger.

Que Ta Sainteté prie donc et supplie le Christ notre Seigneur, de se dresser pour apaiser cette tempête et imposer le calme souhaité [a], afin qu'obtenant ce don gratuit, nous puissions nous écrier avec le saint David : « Dans l'excès des soucis qui envahissent mon cœur, l'excès de tes consolations a réjoui mon âme [b]. »

p. 56-62 ; Jouassard, « Marie à travers la patristique », p. 128, n. 30. Les partisans de Cyrille n'obéissaient sans doute pas tous aux mêmes mobiles : la venue à Éphèse de Juvénal de Jérusalem était surtout dictée par le désir de se rendre indépendant de la suprématie d'Antioche ; de son côté, Memnon d'Éphèse, irrité par les prétentions de Constantinople, n'avait pas hésité à s'allier au patriarche d'Alexandrie ; sur l'extension du pouvoir de l'évêque de Constantinople, cf. G. Dagron, *Naissance d'une capitale*, Paris 1974, p. 461-484. L'Occident était représenté au concile par trois délégués du pape Célestin, qui approuvèrent l'œuvre du concile.

2b (Σ 104)

Item epistola Theodoreti ad episcopum Andream Samosatenum scripta ab Epheso

Ab Epheso scribens saluto tuam sanctitatem, quam beatifico quidem infirmitatis, amabilem autem Deo existimo, quoniam auditu, non experimento, cognouit mala quae hic facta sunt, mala omnem rationis uim superantia et historicam uincentia narrationem continuisque lacrimis et perpetuis fletibus digna. Periclitatur enim ecclesiae corpus disrumpi, magis id autem iam incisionem suscepit, nisi ille sapiens medicus diuisa et putrefacta membra reficeret et coniungeret.

Insanit iterum Aegyptus aduersus Deum et bellat cum Moyse et Aaron et famulis eius et plurima pars Israel aduersariis consentit ; nimis autem pauci sunt sani qui et pro pietate labores sponte sustinent. Deculcata sunt pietatis uenerabilia. Illi qui depositi sunt, sacerdotalia ministeria peragunt et, qui deposuerunt, domi sedent gementes ; illi qui cum depositis excommunicati sunt, depositos liberauerunt depositione, sicut arbitrati sunt. Talem ludunt synodum Aegyptii et Palaestini et Pontici et Asiani et cum his Occasus ; plurima enim pars orbis terrarum morbum suscepit. Quales mimi ridiculorum in tempore impietatis, sic pietatem in comoedia deluserunt ? Qualis uero comoediae scriptor talem unquam fabulam

2b

À André de Samosate

Pareillement : lettre de Théodoret
à l'évêque André de Samosate, écrite d'Éphèse

D'Éphèse j'écris pour saluer Ta Sainteté : je la déclare bienheureuse pour sa maladie et je l'estime aimée de Dieu, car c'est par ouï-dire et non par expérience qu'elle a connu les méfaits qui ont été commis ici, méfaits qui dépassent l'entendement, surpassent les possibilités du récit historique et méritent des larmes continuelles et des gémissements sans fin. Le corps de l'Église, en effet, court le risque de se briser, bien plus, il a déjà reçu le coup qui le divise, à moins que le sage médecin ne soigne et ne réunisse les membres disjoints et putréfiés.

L'Égypte déraisonne à nouveau contre Dieu et combat contre Moïse et Aaron et contre les serviteurs de Dieu, et la majorité d'Israël est d'accord avec l'adversaire ; bien peu nombreux, par contre, sont ceux qui gardent la raison et supportent de leur propre gré les épreuves pour la foi. On foule aux pieds ce que la foi comporte de vénérable. Ceux qui ont été déposés exercent les ministères sacerdotaux ; ceux qui les ont déposés demeurent dans leurs maisons à gémir. Ceux qui ont été exclus de la communion en même temps que ceux qui ont été déposés ont relevé de la déposition ceux qui ont été déposés, comme ils l'entendaient. Voilà le concile que, par dérision, ont réuni les gens d'Égypte, ceux de Palestine, du Pont et d'Asie, et avec eux l'Occident ; le monde entier a, en effet, dans sa majorité, contracté la maladie. Quels bouffons, au temps de l'impiété, ont ridiculisé de la sorte la piété dans une comédie ? Quel auteur comique aurait jamais fait jouer

recitauerit ? Qualis autem tragoediae poeta digne fletus eorum conscripserit ? Tanta et talia Dei ecclesiae mala insultauerunt, magis autem breuissimam particulam narraui eorum quae praesumpta sunt.

pareille pièce ? Quel poète tragique aurait décrit comme ils le méritent leurs gémissements ? Des maux graves et affreux ont frappé l'Église de Dieu, d'autant que je n'ai raconté qu'une infime partie de ce que l'on a osé faire.

3a (*Coll. Athen.* 69)

Ἐπιστολὴ Θεοδωρήτου ἐπισκόπου Κύρου πρὸς Ἀλέξανδρον τὸν Ἱεραπόλεως γραφεῖσα ἀπὸ Χαλκηδόνος

|3b Οὐ κατελίπομεν εἶδος, οὐκ ἐπιεικείας, οὐ τραχύτητος, οὐ παρακλήσεως, οὐ καταβοήσεως, ᾧ οὐκ ἐχρησάμεθα ἐπὶ τοῦ εὐσεβεστάτου βασιλέως καὶ τοῦ λαμπροῦ κονσιστορίου διαμαρτυρόμενοι ἐνώπιον τοῦ Θεοῦ τοῦ τὰ πάντα ἐφορῶντος καὶ τοῦ Κυρίου ἡμῶν Ἰησοῦ Χριστοῦ τοῦ μέλλοντος κρίνειν ἐν δικαιοσύνῃ[a] τὴν οἰκουμένην καὶ τοῦ ἁγίου Πνεύματος καὶ τῶν ἐκλεκτῶν αὐτοῦ ἀγγέλων μὴ παροφθῆναι διαφθειρομένην τὴν πίστιν ὑπὸ τῶν τὰ αἱρετικὰ κεφάλαια δεξαμένων καὶ τούτοις καθυπογράψαι τετολμηκότων, ἀλλὰ κελεῦσαι μόνον τὴν ἐν Νικαίᾳ ἐκτεθῆναι καὶ ἐκβληθῆναι τὴν ἐπεισαχθεῖσαν αἵρεσιν ἐπὶ λύμῃ καὶ διαφθορᾷ τῆς εὐσεβείας. Καὶ μέχρι τῆς σήμερον ἡμέρας οὐδὲν ἀνύσαι ἠδυνήθημεν, τῇδε κἀκεῖσε τῶν ἀκροατῶν

a. Cf. Ac 17, 31

---

1. Date : sept.-oct. 431, au moment où se déroulait la Conférence de Chalcédoine à laquelle l'empereur Théodose, désireux d'obtenir un accord entre le parti de Cyrille et celui de Jean d'Antioche, avait, au lendemain du concile d'Éphèse, invité les délégués des deux partis. Théodoret représentait au sein de la délégation antiochienne son métropolitain Alexandre de Hiérapolis : il lui expose ici la situation de la minorité orientale, alors fort difficile en raison de l'attitude de l'empereur de plus en plus favorable à la tendance antinestorienne ; la peine et l'irritation que manifeste l'évêque de Cyr témoignent de la désillusion des Orientaux qui avaient mis d'abord beaucoup d'espoir dans cette rencontre (cf. *Athen.* 65 = *ACO* I, I, 7, p. 76). Au moment où l'évêque de Cyr écrit, les légats orientaux ont été reçus par l'empereur, sans doute

3a

À Alexandre de Hiérapolis

Lettre de Théodoret, évêque de Cyr, à Alexandre de Hiérapolis, écrite de Chalcédoine [1]

Nous n'avons laissé de côté aucune forme ni de caresse, ni de rudoiement, ni d'exhortation, ni d'invective ; il n'en est aucune dont nous n'ayons usé devant le très pieux empereur et l'illustre consistoire [2], les conjurant en présence de Dieu qui voit tout, de Notre Seigneur Jésus-Christ qui viendra juger le monde en justice [a], du Saint-Esprit et de ses anges élus, de ne pas rester indifférents au spectacle de la foi que corrompent ceux qui ont accepté les chapitres hérétiques [3] et ont osé y souscrire, mais d'ordonner que seule soit exposée la foi de Nicée et que soit rejetée l'hérésie qui a été introduite pour la ruine et la perte de la piété. Cependant nous n'avons pu, jusqu'à ce jour, aboutir à aucun résultat, parce que les auditeurs sont ballottés

le 11 sept. 431 (sur cette date cf. *HL* 2[1], p. 362, n. 4). ~ Traduction latine (*Cas.* 119) ci-dessous(3b).

2. Le mot « consistoire » désigne le lieu de réunion du conseil impérial et, par extension, à partir des fils de Constantin, ce conseil lui-même (*CIL* VI, 32051). Il est composé des principaux « ministres » (maître des offices, questeur du palais, comte des Largesses sacrées et comte de la *res priuata*), des hauts fonctionnaires convoqués par ordre de l'empereur (préfets, maîtres de la milice) et de conseillers portant le titre de comte du consistoire. Il donne son avis sur toutes les questions importantes de politique intérieure et extérieure, reçoit les légations et ambassades, sert de cour de justice et de cadre aux nominations des dignitaires. Voir R. Delmaire, *Les institutions du Bas-Empire romain de Constantin à Justinien*. I. *Institutions civiles palatines*, p. 29-45.

3. Formule usuelle chez Théodoret pour désigner les anathématismes de Cyrille.

περιφερομένων καὶ νῦν μὲν ἐπαινούντων τὰ ἡμέτερα, νῦν δὲ μεταπειθομένων. Ἀλλ' ὅμως οὐδὲν ἡμᾶς τούτων μετέπεισε τῆς προκειμένης ἐνστάσεως ἐκστῆναι, ἀλλ' ἐχόμεθα τούτου, σὺν Θεῷ δὲ εἰρήσθω· πεπείκαμεν γὰρ μεθ' ὅρκου τὸν εὐσεβέστατον ἡμῶν βασιλέα ὡς ἀδύνατον Κύριλλον καὶ Μέμνονα δι' ἡμῶν ἀποκαταστῆναι καὶ ὡς ἀμήχανον ἡμᾶς κοινωνῆσαι τοῖς ἄλλοις, μὴ ἐκβαλοῦσι πρότερον τὰ αἱρετικὰ κεφάλαια. Ἡμεῖς μὲν οὖν τοῦτον ἔχομεν τὸν σκοπόν· σπουδὴ δέ ἐστι τοῖς « τὰ ἑαυτῶν ζητοῦσιν, οὐχὶ δὲ τὰ Χριστοῦ Ἰησοῦ[b] », ἀποκαταστῆσαι αὐτοὺς καὶ παρὰ γνώμην ἡμετέραν. Ἀλλ' οὐδὲν ἡμῖν τούτου μέλει· ὁ γὰρ Θεὸς τὴν ἡμετέραν πρόθεσιν ἀπαιτεῖ καὶ τὴν δύναμιν ἐξετάζει καὶ τῶν παρὰ γνώμην γινομένων οὐκ εἰσπράττεται δίκας.

Περὶ δὲ τοῦ φίλου ἴστω σου ἡ ἁγιότης ὡς εἴ ποτε αὐτοῦ μνήμην ἐποισάμεθα ἢ ἐπὶ τοῦ εὐσεβεστάτου βασιλέως ἢ ἐπὶ τοῦ λαμπροῦ κονσιστορίου, καθοσιώσεως ἐκρίθημεν· τοσαύτη ἐστὶ τῶν ἔσω πρὸς αὐτὸν ἡ ἀπέχθεια. Καὶ τὸ πάντων χαλεπώτατον ὅτι αὐτὸς ὁ εὐσεβέστατος βασιλεὺς πάντων μάλιστα ἀποστρέφεται τὸ ὄνομα, φανερῶς ἡμῖν λέγων ὅτι περὶ τούτου μηδείς μοι μηδὲν λεγέτω· τύπον γὰρ ἅπαξ τὰ κατ' αὐτὸν ἔλαβεν. Ἀλλ' ὅμως εἰ ἐνταῦθα ἐσμέν, οὐ παυσόμεθα πάσῃ δυνάμει καὶ τούτου τοῦ μέρους φροντίζοντες, εἰδότες τὴν γενομένην εἰς αὐτὸν ὑπὸ τῶν ἀθέων ἀδικίαν. Σπουδάζομεν δὲ καὶ ἡμεῖς ἀπαλλαγῆναι

b. Ph 2, 21

---

1. Cyrille d'Alexandrie et Memnon d'Éphèse, déposés le 26 juin 431 par l'assemblée des évêques orientaux, qui avait jugé à la fois non conforme à la tradition des Pères la doctrine exposée dans les anathématismes et injuste la condamnation de Nestorius prononcée à Éphèse avant l'arrivée des antiochiens, ne pouvaient être réintégrés dans la communion de l'Église, selon Théodoret, que s'ils consentaient à reconnaître leur double erreur.

d'un côté et de l'autre, et tantôt louent nos positions, tantôt se laissent persuader en sens contraire. Néanmoins rien de cela n'a pu nous persuader d'abandonner notre résistance, mais nous y demeurons attachés — que Dieu nous permette de parler ainsi. Nous avons essayé de convaincre avec serment notre très pieux empereur qu'il était impossible que, par nous, Cyrille et Memnon soient rétablis dans leurs fonctions et que nous ne pouvions entrer en communion avec les autres si, d'abord, ils ne rejetaient pas les chapitres hérétiques [1]. Tel est donc bien le but que nous poursuivons, mais « ceux qui recherchent leurs propres intérêts, non ceux de Jésus-Christ [b] » s'appliquent à les rétablir, même contre notre vouloir. Mais de cela nous n'avons cure, car Dieu réclame notre intention, il éprouve notre pouvoir mais ne tire pas vengeance de ce qui s'accomplit contre notre vouloir.

Quant à notre ami [2], que Ta Sainteté sache que chaque fois que nous avons fait mention de lui soit devant le très pieux empereur soit devant l'illustre consistoire, nous avons été accusés d'impiété, tant ceux qui siègent dans ce conseil lui sont hostiles. Et le pire, c'est que le très pieux empereur lui-même, plus que tous, a de l'aversion pour son nom, nous disant ouvertement : « Que personne ne me parle de cet homme, son cas a été réglé une fois pour toutes [3]. » Cependant, puisque nous sommes ici, nous ne cesserons pas de prendre soin aussi de cette affaire de toutes nos forces, sachant l'injustice qui a été commise à son égard par les athées. Nous avons hâte, quant à nous, et

2. Nestorius, auquel les Orientaux, jugeant injuste sa déposition, conservaient leur amitié.

3. Le refus affiché par l'empereur de remettre en cause la sanction prise contre l'archevêque de Constantinople ne pouvait que pousser Théodoret, qui connaissait l'attachement d'Alexandre à la personne de Nestorius, à le rassurer pleinement sur l'intention de la délégation orientale de poursuivre la lutte en faveur de Nestorius.

ἐντεῦθεν καὶ τὴν ὑμετέραν ἀπαλλάξαι θεοσέβειαν· οὐδὲν γάρ ἐστιν ἐλπίσαι χρηστὸν ἐντεῦθεν τῷ πάντας πληροφορηθῆναι τῷ χρυσῷ καὶ φιλονεικεῖν αὐτοὺς τοὺς κριτὰς μίαν εἶναι φύσιν θεότητος καὶ ἀνθρωπότητος. Ὁ δὲ λαὸς ἅπας σὺν Θεῷ ὑγιαίνει καὶ ἀπαύστως πρὸς ἡμᾶς ἐξέρχεται, ἠρξάμεθα δὲ αὐτοῖς καὶ διαλέγεσθαι καὶ ἐπετελέσαμεν συνάξεις μεγίστας καὶ τέταρτον αὐτοῖς διελέχθην εὐχαῖς τῆς σῆς θεοσεβείας περὶ τῆς πίστεως καὶ μετὰ τοσαύτης ἤκουσαν ἡδονῆς, ὡς μέχρις ὥρας ἑβδόμης μὴ ἀποστῆναι, ἀλλ' ἀνέχεσθαι τῆς τοῦ ἡλίου θερμότητος. Ἐν γὰρ τῇ αὐλῇ μεγίστῃ οὔσῃ καὶ τέσσαρας ἐχούσῃ στοὰς πλῆθος ἠθροίσθη καὶ ἡμεῖς ἄνωθεν ἐκ τῶν διστέγων τὰς διαλέξεις ἐποιησάμεθα. Ὁ δὲ κλῆρος ἅπας μετὰ τῶν καλῶν μοναζόντων σφόδρα ἡμῖν πολεμεῖ, ὡς καὶ γενέσθαι μίαν συμβολήν, ἡνίκα ἀπὸ Ῥουφινιανῶν μετὰ τὴν συντυχίαν τοῦ εὐσεβεστάτου βασιλέως ἐπανήειμεν, καὶ πολλοὺς τραυματισθῆναι καὶ τῶν μεθ' ἡμῶν λαικῶν καὶ τῶν ψευδομοναζόντων.

1. Sur les largesses de Cyrille à la cour de Constantinople, cf. P. Batiffol, « Les présents de saint Cyrille à la cour de Constantinople », dans *Études de liturgie et d'archéologie chrétienne*, Paris 1919, p. 159-179. Le P. Garnier faisait remarquer (*PL* 48, 828, n. a) que de son côté, Nestorius, mauvais stratège, s'était vanté de la faveur avec laquelle la famille impériale recevait ses « nouvelles lumières sur le dogme », à quoi Tillemont rétorque que « saint Cyrille n'avait pas besoin d'apprendre de lui (Nestorius) la disposition de la cour quelle qu'elle fût ». ~ Sur l'opposition entre la christologie dualiste d'Antioche et la christologie unitaire de Cyrille, voir Camelot, p. 25-43.

2. L'empereur maintenait en effet à distance sur la rive asiatique du Bosphore la délégation orientale, fort mécontente de se voir ainsi interdite l'entrée à Constantinople (cf. *Athen.* 64 = *ACO* I, i, 7, p. 75, l. 37-39 ; 65 = *ibid.* 76, l. 38-40).

3. Sur l'intérêt archéologique de ce passage, cf. H.-I. Marrou, « Un témoignage littéraire sur la Basilica discoperta », *Rivista di storia e letteratura religiosa* 2, 1966, p. 80-83 = *Patristique et Humanisme* (*Patr. Sorb.* 9), p. 233-236. Le dispositif décrit par Théodoret rappelle

de nous éloigner de ce lieu et de libérer aussi Votre Piété, car il n'y a rien de bon à espérer d'ici, du fait que l'or a donné satisfaction à tous et que les juges eux-mêmes soutiennent à l'envi qu'il n'y a qu'une seule nature de la déité et de l'humanité [1].

Cependant, grâce à Dieu, le peuple tout entier est sain et débarque sans cesse pour venir vers nous [2] ; nous avons commencé de leur prêcher, nous avons réuni de très vastes assemblées de culte et, grâce aux prières de Ta Piété, voici la quatrième fois que j'ai tenu devant eux des discours sur la foi ; et ils m'ont écouté avec tant de plaisir que jusqu'à la septième heure ils ne se sont pas retirés mais ont supporté la chaleur du soleil. La foule, en effet, s'est massée dans la cour, qui est très grande et comporte quatre portiques, et c'est d'en haut, depuis l'étage supérieur, que nous leur avons adressé la parole [3]. En revanche, le clergé tout entier, allié aux « bons » moines, nous fait une dure guerre au point qu'il y a eu une bataille, alors que nous revenions de Rufinianes [4] après l'audience du très pieux empereur, et que les blessés furent nombreux tant du côté des laïcs qui étaient avec nous que du côté des faux moines.

celui qu'avait signalé E. Dyggve à propos de l'une des basiliques fouillées par lui à Salone (« Nova basilica discoperta u Solinu », *Peristil* 11, 1967, p. 57-61) et que A. Prandi suggère comme l'un des antécédents possibles de la basilique chrétienne à partir de la *domus profana* (A. Prandi, *Il Complesso monumentale della basilica celimontana dei SS. Giovanni et Paolo*, Roma 1953, p. 435-449). ~ Théodoret parle souvent de ses succès oratoires, à Antioche ou ailleurs ; il nous reste de lui un fragment d'une homélie prononcée à Chalcédoine (cf. *Athen.* 71 = *ACO* I, I, 7, p. 82-83) avec la même allusion à l'empressement du peuple de Constantinople à traverser le Bosphore pour entendre la parole des Orientaux (l. 14-18).

4. Sur la rive orientale du Bosphore. Sur Rufinianes, cf. R. Janin, « La banlieue asiatique de Constantinople. IV, Rufinianes », *Échos d'Orient* 22, 1923, p. 182-190. C'est en ce lieu que s'était tenu en 403 le concile du Chêne qui, sous la direction de Théophile d'Alexandrie, oncle de Cyrille, avait prononcé sa sentence contre Jean Chrysostome. À Chalcédoine comme à Éphèse, les Orientaux se heurtaient à l'hostilité du clergé et des moines conduits par leur abbé Hypatius.

Ἔγνω δὲ ὁ εὐσεβέστατος βασιλεὺς ὡς πλῆθος ἀθροίζεται πρὸς ἡμᾶς, καὶ μόνοις ἡμῖν συντυχὼν ἔφη· Ἔγνων ὅτι παρασυνάγετε. Εἶπον δὲ αὐτῷ· Ἐπειδὴ ἔδωκας παρρησίαν, μετὰ συγγνώμης ἄκουσον. Δίκαιον τοὺς μὲν αἱρετικοὺς καὶ ἀκοινωνήτους ἐκκλησιάζειν, ἡμᾶς δὲ τοὺς ὑπὲρ τῆς πίστεως ἀγωνιζομένους καὶ διὰ τοῦτο ἐκείνους ἀκοινωνήτους πεποιηκότας μὴ εἰσιέναι εἰς ἐκκλησίαν; Ὁ δὲ ἔφη· Κἀγὼ τί ποιήσω; Ἀπεκρινάμην τοίνυν αὐτῷ· Ὁ ἐποίησεν ὁ μάγιστρός σου κόμης ὢν λαργιτιόνων ἐν Ἐφέσῳ. Εὑρὼν γὰρ ἐκείνους μὲν συναγομένους, ἡμᾶς δὲ μὴ συναγομένους, ἐπέσχεν αὐτοὺς λέγων ὡς ἐὰν μὴ εἰρηνεύσητε, οὐ μὴ συγχωρήσω ἑνὶ μέρει συναχθῆναι. Καὶ ἐχρῆν καὶ τὴν σὴν εὐσέβειαν προστάξαι ἐνταῦθα τῷ ἐπισκόπῳ μὴ συγχωρῆσαι μήτε ἐκείνοις μήτε ἡμῖν συναχθῆναι, ἕως ἂν συμβῶμεν, ἵνα ἡ δικαία σου ψῆφος γνώριμος ἅπασι γένηται. Πρὸς ταῦτα ἔφη ὅτι ἐγὼ προστάσσειν ἐπισκόπῳ οὐ δύναμαι. Ἀπεκρινάμην τοίνυν ἐγώ· Οὐκοῦν μηδὲ ἡμῖν ἐπιτάξῃς, καὶ λαμβάνομεν ἐκκλησίαν καὶ συναγόμεθα καὶ γνώσεταί σου ἡ εὐσέβεια ὡς πολλῷ πλείους οἱ μεθ' ἡμῶν ὑπὲρ τοὺς μετ' αὐτῶν. Πρὸς δὲ τούτοις εἴπαμεν αὐτῷ ὅτι ἡ ἡμετέρα σύναξις οὔτε

1. Irrégulières parce que tenues sans la permission de l'autorité ecclésiastique du lieu, l'évêque de Chalcédoine Eulalius, cyrillien convaincu, dont le nom apparaît plusieurs fois dans les documents de l'époque (par exemple parmi les signataires de la lettre, datée du 13 août 431, des députés cyrilliens au concile d'Éphèse : *ACO* I, 3, p. 140, l. 6) : c'est lui qui avait interdit aux Orientaux l'accès à tout lieu de culte, d'où l'obligation pour ceux-ci d'avoir recours à un local de fortune, celui-là même dont l'évêque de Cyr décrit plus haut le dispositif.

2. Il s'agit de Jean, comte des Largesses sacrées, qui succéda à Candidien en qualité de commissaire impérial, porteur de la *sacra* envoyée au concile par l'empereur pour l'inviter à faire la paix (*ACO* I, 3, p. 31 s.). La date de son arrivée à Éphèse doit se situer dans les premiers jours d'août (cf. *HL* 2^{1}, p. 348, n. 3). C'est à juste titre que Théodoret loue ici le comportement de ce haut fonctionnaire qui avait, dans des heures difficiles, montré une grande autorité et que l'évêque de Cyr ose donner en exemple à l'empereur. Sur Jean et son activité à Éphèse, voir

Le très pieux empereur a appris qu'une grande foule se réunit à nous et, au cours d'une audience privée, il nous dit : « J'ai su que vous tenez des assemblées irrégulières[1]. » Je lui dis : « Puisque tu me donnes la liberté de parole, écoute avec indulgence. Est-il juste que les hérétiques, qui ont été retranchés de la communion, exercent librement le culte, et que nous qui luttons pour la foi et qui, pour cette raison, les avons excommuniés, nous ne puissions avoir accès à l'église ? » Il dit : « Que puis-je faire, moi ? » Je lui répondis donc : « Ce qu'a fait ton maître des offices, comte des largesses sacrées lorsqu'il était à Éphèse[2]. Ayant en effet découvert que ceux-là tenaient assemblée, mais nous point, il mit fin à leur activité en déclarant : ‘ Si la paix ne se fait pas entre vous, je ne permettrai pas à un seul parti de tenir assemblée. ’ Il faudrait que Ta Piété aussi ordonne à l'évêque d'ici de ne permettre ni à ceux-là ni à nous de tenir assemblée jusqu'à ce que nous ayons fait la paix, afin que ta juste décision soit connue de tous. » À cela il répondit : « Je ne peux pas, moi, donner un ordre à un évêque. » Je répliquai donc : « Dans ce cas, à nous non plus ne donne pas d'ordre ; nous prendrons une église, nous y tiendrons assemblée et Ta Piété se rendra compte qu'il y a beaucoup plus de monde de notre côté que du leur. » Nous lui avons dit en outre que notre assemblée ne comporte ni lecture des saintes

FM 4, p. 186-187. ~ Sur le comte des Largesses sacrées, puis maître des offices Jean, voir *PLRE* II, « Iohannes 12 » ; R. DELMAIRE, *Les responsables des finances impériales au Bas-Empire romain (IVe-VIe siècle). Études prosopographiques* (*Latomus* 203), Bruxelles 1989, p. 215-216. Il fut *comes rei priuatae* entre 426 et 429, comte des Largesses sacrées depuis au moins le 30 mai 429 et il porte encore ce titre quand il est envoyé à Éphèse mais il est promu maître des offices avant le 11 septembre et gardera cette charge jusqu'au 22 février 433. Il mourut avant 450.

ἀνάγνωσιν ἔσχε τῶν ἁγίων γραφῶν οὔτε προσφοράν, μόνας δὲ λιτὰς ὑπὲρ τῆς πίστεως καὶ τοῦ ὑμετέρου κράτους καὶ τὰς περὶ τῆς εὐσεβείας διαλέξεις. Ἀπεδέξατο οὖν καὶ τέως οὐκ ἐκώλυσε τοῦτο γίνεσθαι. Αὔξονται οὖν αἱ συνάξεις, τοῦ πλήθους περῶντος πρὸς ἡμᾶς καὶ μεθ' ἡδονῆς ἁπάσης τῆς διδασκαλίας ἀκούοντος.

Εὐξάσθω τοίνυν ἡ ὑμετέρα θεοσέβεια τέλος λαβεῖν τὴν ὑπόθεσιν τῷ Θεῷ ἀρέσκον· ἡμεῖς γὰρ καθ' ἑκάστην ἡμέραν ἐν κινδύνῳ ἐσμέν, καὶ τὰς ἐφόδους τῶν μοναζόντων καὶ τῶν κληρικῶν ὑφορώμενοι καὶ τῶν κρατούντων τὴν 3b εὐκολίαν ὁρῶντες.

3b (*Coll. Cas.* 119)

Epistula Theodoreti episcopi <Cyrri> ad Alexandrum Hierapolitanum episcopum, quam ponit Irinaeus

Neque blandimenti neque asperitatis ullam speciem reliquimus nec deprecationis nec contradictionis, qua usi non sumus apud piissimum principem et consistorium clarum, obtestantes in conspectu Dei, qui cuncta desuper cernit, et Domini nostri Iesu Christi, qui futurus est orbem terrarum cum iustitia iudicare [a], et Spiritus sancti et electorum eius angelorum, ut non despiceretur quod corrumpitur fides ab his qui illa capitula haeretica suscepe-

a. Cf. Ac 17, 31

---

1. H.-I. Marrou [*art. cit.* (*p. 84, n. 3*), p. 235] note avec raison qu'il ne s'agit donc pas d'une liturgie eucharistique (sens technique du mot

Écritures ni offrande de l'eucharistie, mais « seulement des prières pour la foi et pour Votre Majesté et des entretiens sur la piété [1] ». Il donna donc son approbation à ces mesures et ne s'est point jusqu'à ce jour opposé à ce que cela ait lieu. Aussi les assemblées réunissent-elles de plus en plus de monde, la foule faisant la traversée pour nous rejoindre et écoutant avec le plus grand plaisir notre enseignement.

Que Votre Piété prie donc afin que l'affaire trouve un terme qui plaise à Dieu ; car, quant à nous, nous vivons dans un péril quotidien, nous défiant des attaques des moines et des clercs et voyant l'humeur changeante des puissants.

3b

À Alexandre de Hiérapolis

Lettre de Théodoret, évêque de Cyr,
à Alexandre, évêque de Hiérapolis, citée par Irénée

Nous n'avons laissé de côté aucune forme de caresse, d'âpreté, de prière ou de réplique, il n'en est aucune dont nous n'ayons usé auprès du très pieux empereur et de l'illustre consistoire, les conjurant sous le regard de Dieu qui voit tout d'en haut, de Notre Seigneur Jésus-Christ qui viendra juger le monde avec justice [a], de l'Esprit-Saint et des anges élus, de ne pas rester indifférents au spectacle de la foi que corrompent ceux qui ont accepté les chapitres hérétiques et qui ont osé y

σύναξις) mais seulement d'une assemblée religieuse au sens général du terme : moyen pour l'évêque de Cyr de « minimiser aux yeux de l'empereur sa hardiesse ».

runt et in eis subscribere praesumpserunt, sed ut Nicaena fides exponi tantummodo iuberetur et expelleretur quae superinducta est haeresis ad exterminium corruptionemque pietatis ; et usque hodie nihil perducere ualuimus ad effectum, eo quod huc et illuc circumferantur auditores et nunc quidem quae nostra sunt, laudent, nunc uero in contrarium persuadantur. Sed tamen nihil horum nos dissuasit quod ab instantia proposita cessaremus, sed in ipsa nunc usque persistimus. Hoc ergo, quod Deo fauente sit dictum, peregimus, ut cum iuramento imperatori piissimo diceremus quia impossibile est ut nos Cyrillum et Memnonem in episcoporum restituamus officio et fieri non potest ut communicemus reliquis, nisi capitula haeretica ante summouerent. Nos igitur hanc habemus intentionem ; festinatio uero est <his> qui ea « quae sua sunt, quaerunt, non quae Iesu Christi[b] », et extra nostram illos restituere uoluntatem. Sed nihil horum pertinet nobis ; Deus enim nostrum propositum exigit perscrutaturque uirtutem et eorum quae contra uoluntatem fiunt, non exigit ultionem.

De illo uero amico hoc cognoscat sanctitas uestra, quia quoties eius fecimus mentionem, siue coram piissimo principe siue coram consistorio claro, fecisse adiucati sumus iniuriam ; tanta est eorum qui intus sunt aduersitas contra eum, et, quod est omnium pessimum, quia et ipse piissimus imperator nomen eius plus quam ceteri auersatur, nobis manifeste dicens quia « de hoc nullus mihi [manifeste] aliquid dicat ; typum namque iam semel ea quae ad illum pertinent, susceperunt. » Verumtamen <si> hic sumus, <sumus> non cessaturi tota uirtute curam de ista quoque gerere parte, scientes iniquitatem

b. Ph 2, 21

souscrire, mais d'ordonner que seule soit enseignée la foi de Nicée et que soit chassée l'hérésie qui a été introduite après coup pour détruire et corrompre la foi ; cependant nous n'avons pu jusqu'ici aboutir à aucun résultat, parce que nos auditeurs sont ballottés d'un côté et de l'autre, et tantôt louent notre enseignement, tantôt se laissent persuader en sens contraire. Mais rien de cela ne nous a fait renoncer à poursuivre notre but et nous avons, au contraire, jusqu'ici persévéré dans notre obstination. Nous n'avons donc cessé — que Dieu bénisse nos paroles ! — de dire avec serment au très pieux empereur qu'il était impossible que nous rétablissions Cyrille et Memnon dans leur fonction d'évêques et que nous ne pouvions entrer en communion avec les autres si, au préalable, ils ne repoussaient pas les chapitres hérétiques. Voilà donc notre intention ; par contre, « ceux qui ont en vue leurs intérêts personnels, non ceux de Jésus-Christ [b] », ont hâte de les rétablir, même contre notre vouloir. Mais rien de cela ne nous concerne, car si Dieu réclame notre intention et scrute notre force, il ne demande pas vengeance de ce qui s'accomplit contre notre vouloir.

Quant à notre ami, que Votre Sainteté sache que chaque fois que nous avons fait mention de son nom, soit devant le très pieux empereur, soit devant l'illustre consistoire, on a jugé que nous avions commmis un outrage, tant ceux qui siègent dans ce conseil lui sont hostiles et, ce qu'il y a de pire, c'est que le très pieux empereur lui-même a pour son nom plus d'aversion que tous les autres, nous disant ouvertement : « Que personne ne me parle de cet homme, car il a été décidé une fois pour toutes à son sujet. » Néanmoins, puisque nous sommes ici, nous ne cesserons pas de nous occuper, de toutes nos forces, de cette affaire aussi, sachant l'injustice qui a été commise contre lui par

quae in eum commissa est ab his <qui> sine Deo sunt. Festinamus uero ut et nos hinc liberemur et uestra inde religiositas seruetur. Nihil namque hinc suauius sperare possibile est, eo quod auro cunctis sit satisfactum et iudices ipsi contendant quia una sit deitatis humanitatisque natura.

Populus uero, fauente Deo, saluus est omnis et ad nos incessanter egreditur. Coepimus namque et alloqui eos et collectas celebrauimus maximas et per orationes tuae religiositatis quarta iam uice feci ad eos de fide sermones, et cum tanta uoluptate audierunt, ut usque ad horam septimam minime recessissent, sed patienter sustinuissent solis ardorem. In atrio enim, quod est maximum et quattuor porticus habet, multitudo conuenit, et nos de superioribus locis habitationum sermonem habuimus. Clerus uero uniuersus cum bonis illis monachis nos ualde impugnat, ita ut et una uice pugna commissa sit, quando a Rufinianis post collocutionem reuertebamur piissimi principis, et multi fuerint uulnerati tam laicorum qui erant nobiscum, quam monachorum quoque falsorum.

Agnouit autem piisimus imperator quod multitudo congregaretur ad nos, et solis nobis colloquens ait : « Agnoui quia collectas extraordinarias facitis. » Ego uero dixi ei : « Quoniam dedisti fiduciam, cum uenia audi. Numquid iustum est ut illi <qui> quidem haeretici et excommunicati sunt, ecclesiastica ministeria peragant, nos uero, qui pro fide certamen habemus et propter hoc eos communione priuauimus, in ecclesiam non intremus ? » Ille inquit : « Et ego quid faciam ? » Respondi ergo ei : « Quod fecit is qui nunc magister est, quando erat comes

ceux qui se sont écartés de Dieu. Mais nous avons hâte de nous éloigner de ce lieu et de libérer aussi Votre Piété. Car on ne saurait attendre d'ici rien de plus doux, puisqu'avec de l'or on a donné satisfaction à tous et que les juges eux-mêmes soutiennent que la divinité et l'humanité ne sont qu'une seule nature.

Par contre, grâce à Dieu, le peuple tout entier garde sa santé et débarque sans cesse pour venir vers nous. Nous avons, en effet, commencé de lui adresser la parole, nous avons réuni de très vastes assemblées de culte et, grâce aux prières de Ta Piété, voici déjà la quatrième fois que j'ai, devant lui, tenu des discussions sur la foi, et ils m'ont écouté avec un si grand plaisir qu'ils ne se sont pas retirés jusqu'à la septième heure, ayant supporté patiemment l'ardeur du soleil. C'est, en effet, sur une place très vaste et pourvue de quatre portiques que la foule s'était rassemblée et que depuis les étages supérieurs des maisons, nous lui avons adressé la parole. En revanche, le clergé tout entier, allié aux « bons » moines, nous fait une dure guerre, au point qu'une fois une lutte s'est même engagée, alors que nous revenions de Rufinianes, après un entretien avec le très pieux empereur, et que les blessés furent nombreux tant du côté des laïcs, qui étaient avec nous, que de celui des faux moines.

Cependant le très pieux empereur, ayant appris qu'une grande foule se rassemblait autour de nous, nous dit, au cours d'une conversation privée : « J'ai su que vous teniez des assemblées irrégulières. » Je lui dis pour ma part : « Puisque tu m'as donné la liberté de parler, fais-moi la grâce de m'écouter. Est-il juste que ceux qui sont hérétiques et ont été retranchés de la communion continuent d'exercer leurs ministères ecclésiastiques, et que nous qui luttons pour la foi et qui, pour cette raison même, les avons excommuniés, nous ne puissions avoir accès à aucune église ? » Il me dit : « Pour moi, que puis-je faire ? » Je lui ai alors répondu : « Ce que fit, lorsqu'il vint

largitionum tuus, dum uenisset ad Ephesum. Inueniens enim quod illi missas quidem facerent, <nos uero> minime, compescuit eos dicens quia ‘ <Nisi> inter uos pax fuerit facta, uni parti collectam celebrare non sinam ’. Et oportebat pietas tua episcopo praesentis loci praeciperet ut nec nobis nec illis missas tenere concederet, donec conueniremus ad pacem, ut iustum decretum tuum innotesceret uniuersis. » Ad haec respondens dixit : « Ego episcopis imperare non possum. » Respondi igitur ego : « Ergo nec nobis imperes aliquid, et accipimus ecclesiam celebramusque collectam, et cognoscet pietas tua quia multo plures nobiscum sunt quam cum illis. » Super haec uero diximus ei quia « collecta nostra nec lectionem sanctarum scripturarum habuit nec oblationem, solas uero litanias pro fide et pro uestro imperio fecimus et pro religione pia sermones ». Approbauit ergo et nunc usque id non prohibuit fieri. Crescunt igitur subinde collectae transnauigante ad nos multitudine populi cumque omni uoluntate audiente doctrinas.

Oret igitur religiositas uestra ut finem Deo placitum causa suscipiat ; nos enim per singulos dies in periculo sumus, de seditioso impetu super nos monachorum <et> clericorum suspecti facilitatemque potentissimorum uidentes.

à Éphèse, celui qui est aujourd'hui ton maître des offices, à l'époque où il était comte des largesses. Apprenant que ceux-là tenaient des assemblées de culte, et nous point, il mit fin à leur activité en déclarant : ‘ Si la paix ne se fait pas entre vous, je ne permettrai pas qu'un seul parti tienne des réunions ’ ; il faudrait aussi que Ta Piété ordonne à l'évêque de ce lieu de ne permettre ni à eux ni à nous de tenir des assemblées de culte jusqu'à ce que nous soyons parvenus à faire la paix, afin que ta juste sentence devienne connue de tous. » À cela il répondit : « Je ne saurais, pour ma part, donner un ordre à des évêques. » Je répliquai alors : « Dans ce cas, à nous non plus, ne donne aucun ordre, mais prenons plutôt une église et tenons une assemblée : Ta Piété verra qu'il y a beaucoup plus de monde de notre côté que du leur. » À cela nous lui avons ajouté que « notre assemblée ne comporte ni lecture des saintes Écritures ni offrande de l'eucharistie, mais seulement des prières pour la foi et pour Votre Majesté et des entretiens pour la sainte religion ». Il donna donc son approbation et ne s'est point opposé jusqu'à ce jour à ce qu'il en soit ainsi. Aussi nos assemblées réunissent-elles de plus en plus de monde, car la foule fait la traversée pour nous rejoindre et elle écoute nos enseignements avec le plus grand plaisir.

Que Votre Piété prie donc afin que l'affaire trouve un terme qui plaise à Dieu ; car, pour nous, le péril est quotidien, craignant une attaque séditieuse des moines et des clercs contre nous et voyant l'humeur complaisante des puissants.

4 (*Ms. Basiliensis III A 4*)

555r Θεοδωρήτου πρὸς τοὺς ἐν τῇ Εὐφρατησίᾳ καὶ Ὀσροηνῇ καὶ Συρίᾳ καὶ Φοινίκῃ καὶ Κιλικίᾳ μονάζοντας

Ὁρῶν τὴν ἐν τῷ παρόντι καιρῷ τῆς ἐκκλησίας κατάστασιν καὶ τὴν ἔναγχος ἐπαναστᾶσαν τῇ ἱερᾷ νηῒ ζάλην, καὶ τὰς σφοδρὰς καταιγίδας καὶ τῶν κυμάτων τὴν προσβολὴν καὶ τὴν βαθεῖαν σκοτομήνην, καὶ πρὸς τούτοις τῶν πλωτήρων τὴν ἔριν καὶ τῶν ἐρέττειν λαχόντων τὴν μάχην καὶ τὴν τῶν κυβερνητῶν μέθην καὶ ἁπαξαπλῶς τὴν τῶν κακῶν ἀωρίαν, τῶν Ἰερεμίου θρήνων ἀναμιμνήσκομαι, καὶ μετ᾽ ἐκείνου βοῶ· « Τὴν κοιλίαν μου τὴν κοιλίαν μου ἐγὼ ἀλγῶ καὶ τὰ αἰσθητήρια τῆς καρδίας μου, μαιμάσσει ἡ ψυχή μου σπαράσσεται καὶ ἡ καρδία μου[a] » καὶ πηγὰς δακρύων ἐπιζητῶ ἵνα ταῖς λιβάσι τῶν ὀφθαλμῶν τὸ πολὺ τῆς ἀθυμίας ἀποσκευάσωμαι νέφος. Δέον γὰρ ἐν οὕτως ἀγρίῳ χειμῶνι καὶ τοὺς κυβερνήτας ἐγρηγορέναι καὶ τῷ κλύδωνι μάχεσθαι καὶ τῆς τοῦ σκάφους σωτηρίας φροντίζειν καὶ τοὺς ναύτας τῆς κατ᾽ ἀλλήλων ἔριδος ἀποστάντας εὐχῇ καὶ τέχνῃ τὰ δεινὰ διαλύειν καὶ τοὺς πλωτῆρας ἡσυχῇ

1 εὐφρατησίᾳ Az Mi : -τισίᾳ b || 12 μαιμάσσει Az Mi : με μάσσε b.

---

a. Jr 4, 19

---

1. Date : hiver 431-432. Après l'échec des pourparlers de Chalcédoine et l'accession de Maximien au siège de Constantinople (25 oct. 431, selon

4

Aux moines

De Théodoret aux moines d'Euphratésie, d'Osroène, de Syrie, de Phénicie et de Cilicie[1]

Quand je vois la situation actuelle de l'Église, la tempête qui s'est récemment levée contre le vaisseau sacré, la force de l'ouragan, la violence des flots, l'obscurité profonde et, en outre, les disputes de ceux qui naviguent, les querelles des hommes chargés de manœuvrer les rames, l'ivresse des pilotes et, en un mot, l'ensemble de ces maux intempestifs, je me rappelle les lamentations de Jérémie et je m'écrie avec lui : « Mes entrailles ! Mes entrailles ! Pouvoirs de sentir de mon cœur ! Je souffre ; mon âme est en grande émotion, mon cœur est déchiré[a] » et, en versant des fontaines de pleurs, je cherche par les larmes de mes yeux, à chasser le nuage épais de mon abattement. Car dans une tempête aussi furieuse il faudrait que les pilotes veillent, se dressent contre l'orage, songent à sauver le vaisseau, que les matelots, cessant leurs mutuelles discordes, écartent le danger par la prière et leur habileté, que les passagers

Socrate, *HE* VII, 37, 19), Théodoret, rentré dans son diocèse, écrit à ses amis moines de l'Euphratésie et des contrées environnantes pour les mettre au courant des événements d'Éphèse. Cette lettre est sans doute le seul texte complet qui nous reste de la phase violente d'hostilité contre Cyrille et ses anathématismes (puisque ses deux grands écrits polémiques contre eux, la *Reprehensio XII anathematismorum* et le *Pentalogos*, sont largement perdus).

καθῆσθαι καὶ μήτε ἀλλήλλοις μήτε τοῖς κυβερνήταις ζυγομαχεῖν, τὸν δὲ τῆς θαλάττης ἱκετεύειν Δεσπότην, ἵνα νεύματι μεταβάλῃ τὰ σκυθρωπά. Τούτων μὲν οὐδεὶς οὐδὲν ἐθέλει ποιεῖν· ὡς ἐν νυκτομαχίᾳ δὲ ἀλλήλους ἀγνοήσαντες καὶ τοὺς ἐναντίους καταλιπόντες, καθ' ἡμῶν αὐτῶν πάντα δαπανῶμεν τὰ βέλη καὶ τοὺς ὁμοφύλους ὡς πολεμίους τιτρώσκομεν, οἱ δὲ πλησίον ἑστῶτες γελῶσιν ἡμῶν τὴν μέθην καὶ τοῖς ἡμετέροις ἐπεντρυφῶσι κακοῖς καὶ χαίρουσιν ὑπ' ἀλλήλων ἡμᾶς ὁρῶντες δαπανωμένους· αἴτιοι δὲ τούτων οἱ τὴν ἀποστολικὴν διαφθεῖραι πίστιν φιλονεικήσαντες καὶ τοῖς εὐαγγελικοῖς δόγμασιν ἀλλόκοτον διδασκαλίαν ἐπιθεῖναι τολμήσαντες· καὶ τὰ δυσσεβῆ κεφάλαια, ἃ μετὰ ἀναθεματισμῶν εἰς τὴν βασιλίδα πόλιν ἐξέπεμψαν, δεξάμενοι καὶ ταῖς οἰκείαις ὑπογραφαῖς, ὡς ᾠήθησαν, βεβαιώσαντες ἃ σαφῶς ἐκ τῆς πικρᾶς Ἀπολιναρίου βεβλάστηκε ῥίζης. Μετέχει δὲ καὶ τῆς Ἀρείου καὶ Εὐνομίου δυσσεβείας· εἰ δέ τις ἀκριβῶς κατιδεῖν ἐθελήσειεν, οὐδὲ τῆς Οὐαλεντίνου καὶ Μαρκίωνος ἄμοιρα δυσσεβείας τυγχάνει.

Ἐν μὲν γὰρ τῷ πρώτῳ κεφαλαίῳ τὴν ὑπὲρ ἡμῶν γεγενημένην οἰκονομίαν ἐκβάλλει· οὐκ ἀνειληφέναι τὸν Θεὸν Λόγον φύσιν ἀνθρωπείαν, ἀλλ' αὐτὸν εἰς σάρκα μεταβληθῆναι διδάσκων· καὶ δοκήσει καὶ φαντασίᾳ τὴν

30 ἀλλόκοτον Az Mi : -κοταν b.

---

1. Sur les moqueries des païens et des juifs à l'égard des chrétiens divisés, voir aussi la lettre C 5 (p. 132, l. 25 s.).

2. Les douze anathématismes, joints à la troisième lettre de Cyrille à Nestorius de nov. 430 (*PG* 77, 105-112 ; *ACO* I, I, 1, p. 33-42 ; trad. dans Camelot, p. 198-207), auxquels l'archevêque de Constantinople était tenu de souscrire. Des formules de la théologie alexandrine telles qu'*union selon l'hypostase* et *union physique* qui s'y trouvaient utilisées (anath. 2 et 3) expliquent que Théodoret ait pu voir là les signes d'une doctrine différente (ἀλλόκοτον) des croyances traditionnelles et qu'il ait parlé de la nouveauté (καινοτομία) de l'hérésie opposée à l'antique

restent calmes et, au lieu de se disputer avec leurs compagnons ou avec les matelots, il serait de leur devoir de supplier le Maître de la mer de changer d'un signe leur tristesse. Cependant personne ne veut rien faire de tout cela : comme dans un combat nocturne nous nous ignorons les uns les autres, nous abandonnons nos ennemis pour dépenser contre nous-mêmes tous nos traits et blesser les nôtres, de la même façon que s'ils luttaient contre nous, tandis que nos voisins rient de notre ivresse, font leurs délices de nos malheurs et se réjouissent de nous voir nous détruire mutuellement [1]. Or les responsables de cette situation sont ceux qui se sont efforcés de corrompre la foi des apôtres et ont osé ajouter à la doctrine de l'Évangile un enseignement différent, ce sont ceux qui ont accepté les chapitres impies [2] que ceux-ci ont envoyés dans la capitale, accompagnés d'anathèmes, et qui ont cru, dans leur pensée, confirmer par leur signature des idées qui manifestement sont nées de l'amère racine d'Apollinaire. Ces idées participent aussi de l'impiété d'Arius et d'Eunome et, pour qui voudrait les examiner avec soin, ne sont pas non plus étrangères à l'impiété de Valentin et de Marcion.

Dans le premier chapitre, en effet [3], l'auteur rejette l'économie qui a été opérée en notre faveur, puisqu'il enseigne que le Verbe n'a point assumé la nature humaine, mais qu'il s'est transformé en chair, et prétend que

tradition apostolique. Sur ce thème, voir la lettre C 3 (*Athen.* 69, p. 80, l. 13 : τὴν ἐπεισαχθεῖσαν αἵρεσιν = *Cas.* 119, p. 50, l. 13 : *superinducta haeresis*).

3. L'exorde achevé, Théodoret assimile, dans un premier temps, les thèses de Cyrille — dont il cite approximativement quatre anathématismes — à quatre groupes d'hérésies qui sont quatre déviations touchant la théologie : a) Marcion, Manès et Valentin pour le docétisme (réduction de l'humanité du Christ à une pure apparence) ; b) Apollinaire pour le monophysisme (confusion entre l'humanité et la divinité) ; c) Arius et Eunome pour l'anoméisme (abaissement de la divinité du Christ au-dessous de celle du Père) ; d) Macédonius pour avoir enseigné que l'Esprit procède du Fils et non du Père.

τοῦ Σωτῆρος ἡμῶν ἐνανθρώπησιν, ἀλλ' οὐκ ἀληθείᾳ γεγενῆσθαι δογματίζων. Ταῦτα δὲ τῆς Μαρκίωνος καὶ τοῦ 555v Μάνεντος καὶ Οὐαλεντίνου δυσσεβείας ὑπάρχει γεννήματα.

Ἐν δὲ τῷ δευτέρῳ καὶ τρίτῳ κεφαλαίῳ, ὥσπερ ἐπιλαθόμενος ὧν ἐν προοιμίοις ἐξέθετο, τὴν καθ' ὑπόστασιν ἕνωσιν εἰσάγει καὶ σύνοδον καθ' ἕνωσιν φυσικήν, κρᾶσίν τινα καὶ σύγχυσιν διὰ τούτων τῶν ὀνομάτων γεγενῆσθαι διδάσκων τῆς τε θείας φύσεως καὶ τῆς τοῦ δούλου μορφῆς. Τοῦτο τῆς αἱρετικῆς Ἀπολιναρίου καινοτομίας ἐστὶ κύημα. Ἐν δὲ τῷ τετάρτῳ κεφαλαίῳ ἀπαγορεύει τῶν εὐαγγελικῶν καὶ ἀποστολικῶν φωνῶν τὴν διαίρεσιν, καὶ οὐκ ἐᾷ κατὰ τὰς τῶν ὀρθοδόξων πατέρων διδασκαλίας τὰς μὲν θεοπρεπεῖς φωνὰς περὶ τῆς θείας ἐκλαμβάνεσθαι φύσεως, τὰς δὲ ταπεινὰς καὶ ἀνθρωπίνως εἰρημένας τῇ ἀναληφθείσῃ προσάπτειν ἀνθρωπότητι· καὶ ἐντεῦθεν τοίνυν ἔστιν εὑρεῖν τοὺς εὐφρονοῦντας τὴν τῆς ἀσεβείας συγγένειαν. Ἄρειος γὰρ καὶ Εὐνόμιος κτίσμα καὶ ἐξ οὐκ ὄντων καὶ δοῦλον τὸν μονογενῆ Υἱὸν τοῦ Θεοῦ εἶναι φάσκοντες, τὰ ταπεινῶς ὑπὸ τοῦ Δεσπότου Χριστοῦ καὶ ἀνθρωπίνως εἰρημένα τῇ θεότητι αὐτοῦ προσάψαι τετολμήκασι· τὸ ἑτεροούσιον ἐντεῦθεν καὶ τὸ ἀνόμοιον κατασκευάζοντες. Πρὸς τούτοις, ἵνα συνελὼν εἴπω, αὐτὴν τὴν ἀπαθῆ καὶ ἄτρεπτον τοῦ Χριστοῦ θεότητα καὶ παθεῖν, καὶ σταυρωθῆναι καὶ ἀποθανεῖν καὶ ταφῆναι διαγορεύει. Τοῦτο δὲ καὶ τῆς Ἀρείου καὶ Εὐνομίου μανίας ἐπέκεινα·

50 τε Az Mi : δὲ b.

---

1. Sur l'emploi de ce mot par Cyrille, cf. M. RICHARD, « L'introduction du mot ' Hypostase '... » : le mot apparaît pour la première fois (en dehors de son emploi en matière trinitaire), sous la forme ici présente καθ' ὑπόστασιν, dans la seconde et la troisième lettre à Nestorius (janv.-fév. et nov. 430) : *ACO* I, I, 1, p. 25-28; 33-42. Les critiques provoquées par la divulgation des anathématismes obligèrent Cyrille à préciser le sens de ses formules dans trois écrits rédigés dans le courant de 431 : *Aduersus orientales episcopos* (*ACO* I, I, 7, p. 33-65); *Contra Theodoretum* (I, I, 6, p. 107-146); *Explicatio duodecim capitum* (I, I, 5, p. 15-25). Dans ses

l'incarnation de notre Sauveur n'a été qu'une apparence et une illusion et nullement une réalité. Or ces opinions sont le fruit de l'impiété de Marcion, de Manès et de Valentin.

Dans le second et dans le troisième chapitre, comme s'il avait oublié ce qu'il a dit au début, l'auteur introduit l'union selon l'hypostase [1] et la réunion par l'union naturelle, enseignant par ces mots qu'il y a eu mélange et confusion, pour ainsi dire, entre la nature divine et la forme de l'esclave : opinion enfantée par l'innovation d'Apollinaire [2]. Dans le quatrième chapitre, il refuse de distinguer parmi les termes qu'emploient l'Évangile et les apôtres, et n'admet pas que, selon l'enseignement des Pères orthodoxes, d'une part on entende de la nature divine les mots qui conviennent à Dieu, et, d'autre part, on applique à l'humanité assumée les termes vils et dits selon le langage humain; et par là il est facile à des esprits sains de voir d'où sort cette impiété. C'est, en effet, Arius et Eunome qui, prétendant que le Fils monogène de Dieu est une simple créature tirée du néant et un esclave, ont osé appliquer à la divinité du Christ tout ce que notre Maître le Christ avait dit humblement de son humanité, à partir de quoi ils ont échaffaudé la différence de substance et l'inégalité. Avec cela et pour faire bref, il [3] prêche que la divinité du Christ elle-même, qui est impassible et immuable, a souffert, a été crucifiée, est morte et a été ensevelie — opinion qui, à coup sûr, dépasse les folies d'Arius et d'Eunome, puisque ceux-là mêmes qui ont osé

ouvrages postérieurs le mot hypostase ne se rencontre plus que sporadiquement.

2. Plus subtile que la pensée d'Arius et d'Eunome, cités peu après, était celle d'Apollinaire, dont Théodoret réfute la doctrine dans *Haer. fab.* IV (*PG* 83, 425 D-428 A) et *Éran.* (*PG* 83, 106 AB). Sur Apollinaire et la critique que Théodoret fait de sa doctrine, cf. THÉODORET, *Correspondance* III (*SC* 111), p. 182, n. 1 ; *supra*, p. 64, n. 1.

3. Cyrille.

οὐδὲ γὰρ οἱ κτίσμα τολμῶντες ἀποκαλεῖν τὸν ποιητὴν τῶν ὅλων καὶ Δημιουργὸν εἰς ταύτην ἐξώκειλαν τὴν ἀσέβειαν.

Βλασφημεῖ δὲ καὶ εἰς τὸ ἅγιον Πνεῦμα· οὐκ ἐκ τοῦ Πατρὸς αὐτὸ λέγων ἐκπορεύεσθαι, κατὰ τὴν τοῦ Κυρίου φωνήν[b], ἀλλ' ἐξ Υἱοῦ τὴν ὕπαρξιν ἔχειν. Καὶ τοῦτο δὲ τῶν Ἀπολιναρίου σπερμάτων ὁ καρπός· γειτνιάζει δὲ καὶ τῇ Μακεδονίου πονηρᾷ γεωργίᾳ. Τοιαῦτα τοῦ Αἰγυπτίου τὰ κυήματα, πονηροῦ πατρὸς ἀληθῶς ἔγγονα πονηρότερα. Ταῦτα δὲ δέον ἢ ἀμβλωθρίδια ποιῆσαι κυοφορούμενα ἢ εὐθὺς τεχθέντα διαφθεῖραι τοὺς τῶν ψυχῶν τὴν ἰατρείαν ἐγκεχειρισμένους, ὡς ὀλέθρια καὶ τῆς ἡμετέρας φύσεως δηλητήρια, ἐκτρέφουσιν οἱ γεννάδαι, καὶ πολλῆς ἀξιοῦσι σπουδῆς ἐπ' ὀλέθρῳ σφῶν αὐτῶν καὶ τῶν τὰς ἀκοὰς αὐτοῖς ὑπέχειν ἀνεχομένων.

Ἡμεῖς δὲ τὸν πατρῷον κλῆρον ἄσυλον φυλάττειν σπουδάζομεν, καὶ ἣν παρελάβομεν πίστιν μεθ' ἧς καὶ ἐβαπτίσθημεν καὶ βαπτίζομεν, ἀνέπαφον καὶ ἀκήρατον διατηροῦμεν· καὶ ὁμολογοῦμεν τὸν Κύριον ἡμῶν Ἰησοῦν

b. Jn 15, 26

1. Théodoret s'en prend ici au 9e anathématisme (non explicitement cité) qui portait anathème à qui dirait le Seigneur glorifié par l'Esprit comme par une force étrangère, au lieu de reconnaître comme lui étant propre (ἴδιον) l'Esprit par lequel il accomplissait les signes de la divinité. En fait Cyrille ne dit nulle part que l'Esprit procède du Fils, se bornant à déclarer qu'il est l'Esprit *propre* du Fils, qui le possède substantiellement en lui. Sur la pneumatologie de Cyrille, plus soucieux de la nature de l'Esprit que de ses rapports avec les autres personnes de la Trinité, cf. P. Galtier, « Le Saint-Esprit dans l'Incarnation du Verbe d'après S. Cyrille d'Alexandrie », dans *Problemi scelti di Teologia contemporanea*, Rome 1954, p. 383-392 ; N. Charlier, « La doctrine sur le Saint-Esprit dans le Thesaurus de S. Cyrille », *Studia Patristica* 2 (*TU* 64), Berlin 1957, p. 187-193 ; A. de Halleux, « Cyrille, Théodoret et le *Filioque* », *RHE* 74, 1979, p. 597-625 ; G. M. de Durand, Introduction à Cyrille d'Alexandrie, *Dialogues sur la Trinité* (*SC* 231), p. 65-68.

traiter de créature l'auteur et le créateur de toutes choses n'en sont jamais venus à une telle impiété.

Il blasphème par ailleurs aussi contre le Saint-Esprit, quand il dit qu'il ne procède pas du Père, suivant la parole de Notre Seigneur[b], mais tire son existence du Fils[1]. Et si c'est là un fruit des semences d'Apollinaire, il n'est pas très éloigné non plus du triste labeur de Macedonius. Tels sont les fruits de l'Égyptien[2], fils véritablement plus pervers encore d'un père pervers ! Ces doctrines, que ceux dont la mission est de soigner les âmes auraient dû faire avorter tandis qu'elles se trouvaient encore dans le sein qui les avait conçues, ou qu'ils auraient dû détruire dès leur naissance, comme doctrines perverses et fatales à notre nature, au contraire, ces nobles personnages[3] les entretiennent et les entourent des plus grands soins, pour leur propre perte et pour la perte de ceux qui consentent à leur prêter l'oreille.

Quant à nous[4], nous mettons notre zèle à conserver intact l'héritage des Pères et à garder à l'abri de toute souillure et de tout dommage la foi que nous avons reçue, au nom de laquelle nous avons été baptisé et nous baptisons : nous confessons notre Seigneur Jésus-Christ

2. Désignation péjorative de Cyrille.

3. Ironique.

4. Par contraste, Théodoret réaffirme rapidement sa position de base, à savoir : a) la réalité de l'humanité et de la divinité ; b) l'union sans confusion des deux natures ; c) la parfaite divinité de Jésus-Christ, avant d'étaler son dossier scripturaire, en commençant par le point *c* et en remontant directement au point *a*. Toutefois il dit que le Christ est « appelé » homme (ἄνθρωπος... προσαγορεύεται) plutôt qu'il n'affirme ici qu'il *est* homme : cette affirmation viendra plus loin (p. 110, l. 180), en conclusion des deux longs paragraphes consacrés le premier à la divinité du Christ, le second à son humanité. Malgré l'abondance des citations (plus de 15) qui servent de fondement à ses affirmations théologiques, Théodoret ne prétend ni dans un cas ni dans l'autre, fournir un dossier exhaustif.

Χριστὸν Θεὸν τέλειον καὶ ἄνθρωπον τέλειον, ἐκ ψυχῆς λογικῆς καὶ σώματος πρὸ αἰώνων μὲν ἐκ τοῦ Πατρὸς γεννηθέντα κατὰ τὴν θεότητα, ἐπ' ἐσχάτων δὲ τῶν ἡμερῶν δι' ἡμᾶς καὶ διὰ τὴν ἡμέτεραν σωτηρίαν ἐκ Μαρίας τῆς
556r Παρθένου· τὸν αὐτὸν ὁμοούσιον τῷ Πατρὶ κατὰ τὴν θεότητα καὶ ὁμοούσιον ἡμῖν κατὰ τὴν ἀνθρωπότητα. Δύο γὰρ φύσεων ἕνωσις γέγονε. Διὸ ἕνα Χριστόν, ἕνα Υἱόν, ἕνα Κύριον ὁμολογοῦμεν· οὔτε γὰρ τὴν ἕνωσιν λύομεν, καὶ ἀσύγχυτον αὐτὴν γεγενῆσθαι πιστεύομεν, τῷ Κυρίῳ πειθόμενοι λέγοντι τοῖς Ἰουδαίοις· « Λύσατε τὸν ναὸν τοῦτον, καὶ ἐν τρισὶν ἡμέραις ἐγερῶ αὐτόν[c]. » Εἰ δὲ κρᾶσις ἐγεγόνει καὶ σύγχυσις, καὶ μία φύσις ἐξ ἀμφοῖν ἀπετελέσθη, ἐχρῆν εἰπεῖν· Λύσατε μέ, καὶ ἐν τρισὶν ἡμέραις ἐγερθήσομαι. Νῦν δὲ δεικνὺς ὡς ἄλλο μὲν ὁ Θεὸς κατὰ τὴν φύσιν, ἄλλο δὲ ὁ ναός, εἷς δὲ Χριστὸς ἀμφότερα, « Λύσατε, φησί, τὸν ναὸν τοῦτον, καὶ ἐν τρισὶν ἡμέραις ἐγερῶ αὐτόν », σαφῶς διδάσκων ὡς ὅτι οὐχ ὁ Θεὸς ἦν ὁ λυόμενος, ἀλλ' ὁ ναός. Καὶ τοῦ μὲν ἡ φύσις τὴν λύσιν ὑπεδέχετο, τοῦ δὲ ἡ δύναμις ἤγειρε τὸν λυόμενον. Θεὸν δὲ καὶ ἄνθρωπον τὸν Χριστὸν ὁμολογοῦμεν ταῖς θείαις ἀκολουθοῦντες γραφαῖς.

Ὅτι μὲν γὰρ Θεὸς ὁ Κύριος ἡμῶν Ἰησοῦς Χριστὸς ὁ μακάριος Ἰωάννης ὁ εὐαγγελιστὴς βοᾷ· « Ἐν ἀρχῇ ἦν ὁ Λόγος, καὶ ὁ Λόγος ἦν πρὸς τὸν Θεόν, καὶ Θεὸς ἦν ὁ Λόγος· οὗτος ἦν ἐν ἀρχῇ πρὸς τὸν Θεόν· πάντα δι' αὐτοῦ ἐγένετο καὶ χωρὶς αὐτοῦ ἐγένετο οὐδὲ ἓν ὁ γέγονε[d]. » Καὶ πάλιν· « Ἦν τὸ φῶς τὸ ἀληθινόν, ὃ φωτίζει πάντα ἄνθρωπον ἐρχόμενον εἰς τὸν κόσμον[e]. » Καὶ αὐτὸς ὁ Κύριος διαρρήδην διδάσκει λέγων· « Ὁ ἑωρακὼς ἐμὲ ἑώρακε τὸν Πατέρα μου[f]. » Καὶ « Ἐγὼ καὶ ὁ Πάτηρ ἕν ἐσμεν· κἀγὼ ἐν τῷ Πατρί, καὶ ὁ Πάτηρ ἐν ἐμοί[g]. » Καὶ ὁ

107 ὁ κύριος Az b : κύριος Mi.

---

c. Jn 2, 19 d. Jn 1, 1-3 e. Jn 1, 9 f. Jn 14, 9
g. Jn 10, 30.38

Dieu parfait et homme parfait, composé d'une âme raisonnable et d'un corps, né du Père avant les siècles selon la divinité, mais qui, à la fin des temps, pour nous et pour notre salut, est né de la Vierge Marie, le même consubstantiel au Père par sa divinité et consubstantiel à nous par son humanité, puisqu'il y eut union des deux natures. Aussi, un seul Christ, un seul Fils, un seul Seigneur, voilà ce que nous confessons; car nous ne détruisons pas l'union, mais nous croyons qu'elle s'est opérée sans mélange, soumis en cela au Seigneur qui disait aux juifs : « Détruisez ce temple et je le relèverai en trois jour[c]. » S'il y avait eu mélange et confusion et si les deux natures n'en avaient plus formé qu'une, il aurait dû dire : « Détruisez-moi et en trois jours je ressusciterai. » Mais comme il veut montrer qu'autre est le Dieu selon la nature, et autre le temple, mais que les deux sont un seul Christ, « détruisez ce temple, dit-il, et en trois jour je le relèverai », afin d'enseigner ainsi clairement que ce n'était point le Dieu qui était détruit mais son temple, que la nature de celui-ci était compatible avec la dissolution, tandis que la puissance de l'autre ressuscitait celui qui était dissous. Quand nous confessons le Christ Dieu et homme à la fois, nous ne faisons que suivre les divines Écritures.

En effet, que notre Seigneur Jésus-Christ soit Dieu, le bienheureux évangéliste Jean le proclame : « Au commencement était le Verbe, et le Verbe était auprès de Dieu, et le Verbe était Dieu. Il était au commencement auprès de Dieu; par lui tout a été fait, et sans lui rien de ce qui a été fait n'a été fait[d]. » Et encore : « Il était la vraie lumière, qui éclaire tout homme en venant en ce monde[e]. » Le Seigneur lui-même l'enseigne expressément, quand il dit : « Celui qui me voit, voit mon Père[f] », et « Moi et mon Père, nous ne faisons qu'un; je suis dans le Père et le Père est en moi[g]. » Le bienheureux Paul,

μακάριος Παῦλος ἐν μὲν τῇ πρὸς Ἑβραίους φησίν· « Ὁ ὢν ἀπαύγασμα τῆς δόξης καὶ χαρακτὴρ τῆς ὑποστάσεως αὐτοῦ, φέρων τε τὰ πάντα τῷ ῥήματι τῆς δυνάμεως αὐτοῦ[h]. » Ἐν δὲ τῇ πρὸς Φιλιππησίους· « Τοῦτο φρονείσθω ἐν ὑμῖν, φησίν, ὃ καὶ ἐν Χριστῷ Ἰησοῦ, ὃς ἐν μορφῇ Θεοῦ ὑπάρχων, οὐχ ἁρπαγμὸν ἡγήσατο τὸ εἶναι ἴσα Θεῷ, ἀλλ' ἑαυτὸν ἐκένωσε, μορφὴν δούλου λαβών[i]. » Ἐν δὲ τῇ πρὸς Ῥωμαίους· « Ὧν οἱ πατέρες καὶ ἐξ ὧν ὁ Χριστὸς τὸ κατὰ σάρκα, ὁ ὢν ἐπὶ πάντων Θεὸς εὐλογητὸς εἰς τοὺς αἰῶνας. Ἀμήν[j]. » Ἐν δὲ τῇ πρὸς Τίτον· « Προσδεχόμενοι τὴν μακαρίαν ἐλπίδα καὶ ἐπιφάνειαν τῆς δόξης τοῦ μεγάλου Θεοῦ καὶ Σωτῆρος ἡμῶν Ἰησοῦ Χριστοῦ[k]. » Καὶ Ἠσαΐας δὲ βοᾷ ὅτι « Παιδίον ἐγεννήθη ἡμῖν, υἱὸς καὶ ἐδόθη ἡμῖν οὗ ἡ ἀρχὴ ἐπὶ τοῦ ὤμου αὐτοῦ καὶ καλεῖται τὸ ὄνομα αὐτοῦ μεγάλης βουλῆς ἄγγελος, θαυμαστός σύμβουλος, Θεὸς ἰσχυρός, ἐξουσιαστής, ἄρχων εἰρήνης, πατὴρ τοῦ μέλλοντος αἰῶνος[l]. » Καὶ πάλιν· « Ὀπίσω σου, φησίν, ἀκολουθήσουσι δεδεμένοι χειροπέδαις καὶ ἐν σοὶ προσεύξονται, ὅτι ἐν σοὶ Θεός ἐστι, καὶ οὐκ ἔστι Θεὸς πλὴν σοῦ.
556v Σὺ γὰρ εἶ Θεός, καὶ οὐκ ἤδεισαν, Θεὸς τοῦ Ἰσραὴλ Σωτήρ[m]. » Καὶ τὸ Ἐμμανουὴλ δὲ ὄνομα Θεοῦ καὶ ἀνθρώπου τυγχάνει σημαντικόν, ἑρμηνεύεται γάρ, κατὰ τὴν τοῦ εὐαγγελίου διδασκαλίαν, μεθ' ἡμῶν ὁ Θεός, τουτέστιν ἐν ἀνθρώπῳ Θεός, ἐν τῇ ἡμετέρᾳ φύσει Θεός[n]. Καὶ ὁ θεῖος δὲ Ἱερεμίας προθεσπίζει λέγων· « Οὗτος ὁ

122 ἁρπαγμὸν Az b : -παγὴν Mi || 123 ἐκένωσε Az Mi : ἐκεννωσε b || 124 ὧν¹ Az Mi : ἐν ᾧ b || 126 τίτον Az Mi : τιμόθεον b.

h. He 1, 3 i. Ph 2, 5-6 j. Rm 9, 5 k. Ti 2, 13
l. Is 9, 5 m. Is 45, 14-15 n. Cf. Mt 1, 23

1. Sur l'attribution de ce texte de Baruch à Jérémie, cf. P. M. Bogaert, « Le nom de Baruch dans la littérature pseudépigraphi-

de son côté, dit dans sa *Lettre aux Hébreux* : « Celui qui est le rayonnement de sa gloire, l'empreinte de sa substance, et qui soutient l'univers par la parole de sa puissance [h]. » Dans la *Lettre aux Philippiens* : « Ayez en vous les mêmes sentiments dont était animé le Christ Jésus, lui qui, bien que de condition divine, n'a pas considéré comme une proie à saisir d'être l'égal de Dieu, mais s'est anéanti lui-même, en prenant la condition d'esclave [i]. » Dans celle aux *Romains* : « ... à qui appartiennent les patriarches, de qui est issu le Christ selon la chair, lequel est au-dessus de toutes choses, Dieu, béni éternellement. Amen [j]. » Dans celle à *Tite* : « En attendant la bienheureuse espérance et la manifestation de la gloire de notre grand Dieu et Sauveur Jésus-Christ [k]. » Et Isaïe s'écrie de son côté : « Un petit enfant nous est né, un fils nous a été donné ; sur ses épaules repose le pouvoir, on lui donne le nom d'ange du grand conseil, d'admirable conseiller, de Dieu fort, de roi, de prince de la paix, de père du siècle à venir [l]. » Il dit encore : « Ils marcheront à ta suite, ils passeront enchaînés et te diront en suppliant : Dieu est en toi, et il n'y en a pas d'autre en dehors de toi. Tu es, en effet, véritablement Dieu, et ils ne le savaient pas, Dieu d'Israël, ô Sauveur [m] ! » Le nom d'Emmanuel, d'autre part, révèle Dieu et l'homme, car il veut dire, selon l'enseignement de l'Évangile, Dieu avec nous, c'est-à-dire Dieu dans l'homme, Dieu dans notre nature [n]. Et le divin Jérémie déclare [1] en prophétisant : « C'est lui notre Dieu,

que : l'*Apocalypse syriaque* et le livre deutérocanonique », dans *La littérature juive entre Tenach et Mischna* (*Recherches Bibliques* 9), Leiden 1974, p. 56-72. Ce mode de référence à Baruch sous le nom de Jérémie s'est pratiqué chez les Pères grecs les plus anciens et dans l'Église latine jusqu'au VIIIe siècle. Le fait s'explique sans doute par le fait que Baruch étant le secrétaire de Jérémie, on a pu attribuer au second ce qui appartient en réalité au premier.

Θεὸς ἡμῶν, οὐ λογισθήσεται ἕτερος πρὸς αὐτόν· ἐξεῦρε πᾶσαν ὁδὸν ἐπιστήμης καὶ ἔδωκεν αὐτὴν Ἰακὼϐ τῷ παιδὶ αὐτοῦ, καὶ Ἰσραὴλ τῷ ἠγαπημένῳ ὑπ' αὐτοῦ. Μετὰ ταῦτα ἐπὶ τῆς γῆς ὤφθη, καὶ τοῖς ἀνθρώποις συνανεστράφη[o]. » Καὶ ἄλλας δ' ἄν τις μυρίας εὕροι φωνὰς ἔκ τε τῶν θείων εὐαγγελίων καὶ τῶν ἀποστολικῶν συγγραμμάτων καὶ ἐκ τῶν προφητικῶν θεσπισμάτων, δεικνυούσας ὅτι Θεὸς ἀληθινὸς ὁ Κύριος ἡμῶν Ἰησοῦς Χριστός.

Ὅτι δὲ καὶ ἄνθρωπος μετὰ τὴν ἐνανθρώπησιν προσαγορεύεται, διδάσκει μὲν αὐτὸς ὁ Κύριος Ἰουδαίοις διαλεγόμενος καὶ βοῶν· « Τί με ζητεῖτε ἀποκτεῖναι, ἄνθρωπον ὅστις τὴν ἀλήθειαν ὑμῖν λελάληκα[p]; » Καὶ ὁ μακάριος Παῦλος ἐν τῇ πρὸς Κορινθίους προτέρᾳ λέγων· « Ἐπειδὴ γὰρ δι' ἀνθρώπου ὁ θάνατος καὶ δι' ἀνθρώπου ἀνάστασις νεκρῶν[q]. » Καὶ δεικνὺς περὶ τίνος λέγει, ἑρμηνεύει τὸ εἰρημένον, οὑτωσὶ λέγων· « Ὥσπερ γὰρ ἐν τῷ Ἀδὰμ ἀποθνήσκουσιν, οὕτω καὶ ἐν τῷ Χριστῷ πάντες ζωοποιηθήσονται[r]. » Καὶ Τιμοθέῳ δὲ γράφων ὁμοίως φησίν· « Εἷς Θεός, εἷς καὶ μεσίτης Θεοῦ καὶ ἀνθρώπων, ἄνθρωπος Χριστὸς Ἰησοῦς[s]. » Καὶ ἐν ταῖς Πράξεσιν, ἐν Ἀθήναις δημηγορῶν· « Τοὺς μὲν οὖν χρόνους τῆς ἀγνοίας ὑπεριδὼν ὁ Θεός, φησί, τὰ νῦν παραγγέλλει πᾶσι πανταχοῦ μετανοεῖν καθότι ἔστησεν ἡμέραν, ἐν ᾗ μέλλει κρίνειν τὴν οἰκουμένην ἐν δικαιοσύνῃ, ἐν ἀνδρὶ ᾧ ὥρισε, πίστιν παρασχὼν πᾶσιν ἀναστήσας αὐτὸν ἐκ νεκρῶν[t]. » Καὶ ὁ μακάριος Πέτρος Ἰουδαίοις διαλεγόμενος· « Ἄνδρες, φησίν, Ἰσραηλῖται, ἀκούσατε τοὺς λόγους τούτους· Ἰησοῦν τὸν Ναζωραῖον, ἄνδρα ἀπὸ τοῦ Θεοῦ ἀποδεδειγμένον εἰς ὑμᾶς σημείοις καὶ τέρασι καὶ δυνάμεσιν, οἷς ἐποίησεν ὁ Θεὸς δι' αὐτοῦ[u]. » Καὶ ὁ προφήτης δὲ Ἡσαίας τοῦ Δεσπότου Χριστοῦ τὰ πάθη προαγορεύων, ὃν πρὸ βραχέων ὠνόμασε Θεόν, τοῦτον ἄνθρωπον ἀποκαλεῖ λέγων· « Ἀν-

o. Ba 38, 36-38 p. Jn 7, 19; 8, 40 q. 1 Co 15, 21
r. 1 Co. 15, 22 s. 1 Tm 2, 5 t. Ac 17, 30-31 u. Ac 2, 22

et nul autre ne lui est comparable. Il a trouvé toutes les voies de la sagesse, et il l'a donnée à Jacob,son serviteur, et à Israël, son bien-aimé. Après cela il est apparu sur la terre, et il a vécu parmi les hommes[o]. » On pourrait trouver mille autres paroles tirées des divins évangiles, des écrits des apôtres et des paroles des prophètes, qui montrent que Notre Seigneur Jésus-Christ est véritablement Dieu.

Que, d'autre part, le Christ est aussi appelé homme après l'incarnation, le Seigneur lui-même nous l'apprend en parlant aux juifs, quand il s'écrie : « Pourquoi cherchez-vous à me faire mourir, moi, l'homme qui vous a dit la vérité[p] ? » Et de même, le bienheureux Paul, quand il dit dans la *Première lettre aux Corintiens* : « Puisque par un homme est venue la mort, c'est par un homme aussi que vient la résurrection des morts[q]. » Et afin de faire voir de qui il parle, il explique ce qu'il a dit en ces termes : « Car comme tous meurent en Adam, de même aussi tous seront vivifiés dans le Christ[r]. » Écrivant par ailleurs à Timothée, il dit de la même façon : « Un seul est Dieu, un seul aussi médiateur entre Dieu et les hommes, le Christ Jésus homme[s]. » Et dans les *Actes*, quand il parle aux Athéniens : « Dieu, dit-il, ne tenant pas compte des temps d'ignorance, annonce maintenant aux hommes qu'ils aient tous, en tous lieux, à se repentir, parce qu'il a fixé un jour où il doit juger le monde avec justice, par un homme qu'il y a destiné, fournissant à tous une garantie en le ressuscitant d'entre les morts[t]. » Le bienheureux Pierre, discourant devant les juifs, déclare : « Israélites, écoutez ces paroles : Jésus le Nazôréen, cet homme que Dieu avait accrédité auprès de vous en opérant par lui des miracles, des prodiges et des signes au milieu de vous[u]. » Et le prophète Isaïe, annonçant les souffrances du Christ notre Maître, auquel peu auparavant il a donné le nom de Dieu, l'appelle homme en disant : « Homme de

θρωπος ἐν πληγῇ ὢν καὶ εἰδὼς φέρειν μαλακίαν· οὗτος τὰς ἀνομίας ἡμῶν φέρει καὶ ὑπὲρ ἡμῶν ὀδυνᾶται[v].» Καὶ ἄλλας δ' ἂν ὁμοφώνους μαρτυρίας συλλέξας ἐκ τῆς ἁγίας γραφῆς, ἐνέθηκα ἂν τῇ ἐπιστολῇ, εἰ μὴ τὴν ὑμετέραν θεοσέβειαν ἠπιστάμην βίον ἔχειν τὴν τῶν θείων λογίων μελέτην, κατὰ τὸν ἐν Ψαλμοῖς μακαριζόμενον ἄνθρωπον[w]. Τῇ ὑμετέρᾳ τοίνυν φιλοπονίᾳ καταλιπὼν τὴν τῶν μαρτυριῶν συλλογὴν ἐπὶ τὰ προκείμενα βαδιοῦμαι.

Θεὸν τοίνυν ἀληθινὸν καὶ ἄνθρωπον ἀληθινὸν τὸν Κύριον ἡμῶν Ἰησοῦν Χριστὸν ὁμολογοῦμεν, οὐκ εἰς δύο πρόσωπα διαιροῦντες τὸν ἕνα, ἀλλὰ δύο φύσεις ἀσυγχύτως ἡνῶσθαι πιστεύομεν. Οὕτω γὰρ καὶ τὴν πολυσχεδῆ τῶν αἱρετικῶν
557r βλασφημίαν ῥᾳδίως διελέγξαι δυνησόμεθα· πολλὴ καὶ ποικίλη τῶν ἐπαναστάντων τῇ ἀληθείᾳ ἡ πλάνη, ὡς αὐτίκα δηλώσομεν. Μαρκίων μὲν γὰρ καὶ Μάνης οὔτε ἀνειληφέναι ἀνθρωπείαν φύσιν τὸν Θεὸν Λόγον φασίν, οὔτε ἐκ Παρθένου τὸν Κύριον ἡμῶν Ἰησοῦν Χριστὸν γεγεννῆσθαι πεπιστεύκασιν· ἀλλ' αὐτὸν τὸν Θεὸν Λόγον σχηματισθῆναι εἰς εἶδος ἀνθρώπειον καὶ φανῆναι ὡς ἄνθρωπον, φαντασίᾳ μᾶλλον ἢ ἀληθείᾳ χρησάμενον. Βαλεντῖνος δὲ καὶ Βαρδισάνης τὴν μὲν γέννησιν δέχονται, τὴν δὲ ἀνάληψιν ἀρνοῦνται τῆς ἡμετέρας φύσεως, οἷόν τινι σωλῆνι χρήσασθαι τῇ Παρθένῳ λέγοντες τὸν Υἱὸν τοῦ Θεοῦ. Σαβέλλιος δὲ ὁ Λίβυς, καὶ Φωτεινός, καὶ Μάρκελλος ὁ Γαλάτης, καὶ Παῦλος ὁ Σαμοσατεύς, ἄνθρωπον ψιλὸν ἐκ τῆς Παρθένου

177 ἐνέθηκα Az Mi : ἐνέθηκεν b (-κεν *sup. l.*).

---

v. Is 53, 3-4 w. Cf. Ps 118, 2

---

1. Vient ici une deuxième liste d'hérésies, plus complexe et où les griefs sont répartis un peu différemment — il est sans doute inutile d'examiner ici dans quelle mesure ces imputations sont dans chaque cas légitimes ou plus ou moins caricaturales : le *Compendium Haereticarum Fabularum* offre des accusations parallèles, surtout pour le trio Sabellius, Marcel, Photin, inventé par le démon « pour détruire la divinité du Monogène » (*PG* 83, 397 B), mais non par exemple pour Bardesane. La

douleurs et familier de la souffrance, ce sont nos iniquités qu'il supporte et c'est pour nous qu'il souffre [v]. » J'aurais pu recueillir dans les saintes Écritures d'autres témoignages qui rendent le même son et que j'aurais introduites dans ma lettre si je ne savais que, pour Votre Piété, la vie se passe à méditer les paroles divines, comme le fait l'homme que le psalmiste déclare bienheureux [w]. C'est pourquoi je laisse à votre zèle le soin de recueillir ces témoignages pour revenir à mon propos.

Nous confessons donc pour vrai Dieu et vrai homme notre Seigneur Jésus-Christ, sans diviser l'Unique en deux personnes, mais en croyant que les deux natures se sont unies sans confusion. Ainsi, en effet, il nous sera facile de réfuter même les divers blasphèmes des hérétiques, car multiple et variée est l'erreur de ceux qui se sont dressés contre la vérité, comme nous allons le montrer sur le champ [1]. C'est ainsi que Marcion et Manès nient que le Verbe Dieu ait assumé une nature humaine et ne croient pas davantage que Notre Seigneur Jésus-Christ soit né d'une Vierge mais, selon eux, le Verbe Dieu aurait lui-même revêtu une figure humaine et se serait montré sous une forme humaine, beaucoup plus en apparence qu'en réalité. Valentin et Bardesane, eux, admettent bien la naissance, mais nient que notre nature ait été assumée, prétendant que le Fils de Dieu s'est servi de la Vierge comme d'une sorte de canal. Selon le libyen Sabellius, Photin, Marcel le Galate et Paul de Samosate, la Vierge

première liste avait pris les choses plutôt du point de vue de la théologie, c'est-à-dire de la nature divine, tandis que la seconde les prend du point de vue de l'économie, de la nature humaine. On a donc successivement : a) Marcion et Manès : de nouveau le docétisme ; b) Valentin et Bardesane : humanité du Christ, non point produite à partir de Marie — en fait descendue du ciel ; c) Sabellius, Photin et Marcel : le Christ, homme pur et simple ; d) Arius et Eunome : mutilation de l'humanité du Christ, privé d'âme ; e) Apollinaire : mutilation réduite à l'âme rationnelle. Au total cinq déviations quant à l'économie.

γεννηθῆναι λέγουσι· τὸ δὲ καὶ Θεὸν εἶναι τὸν προαιώνιον Χριστὸν διαρρήδην ἀρνοῦνται· Ἄρειος δὲ καὶ Εὐνόμιος σῶμα μόνον ἀνειληφέναι ἐκ τῆς Παρθένου τὸν Θεὸν Λόγον φασίν. Ἀπολινάριος δὲ τῷ σώματι προστίθησι καὶ ψυχὴν ἄλογον, ὡς τῆς ἐνανθρωπήσεως τοῦ Θεοῦ Λόγου ὑπὲρ ἀλόγων, ἀλλ' οὐχ ὑπὲρ λογικῶν γεγενημένης· ἡ δὲ τῶν ἀποστόλων διδασκαλία τέλειον ἄνθρωπον ὑπὸ τελείου Θεοῦ ἀνειλῆφθαι διδάσκει. Τὸ γάρ « Ὃς ἐν μορφῇ Θεοῦ ὑπάρχων μορφὴν δούλου ἔλαβε[x] » τοῦτο δηλοῖ· ἀντὶ φύσεως γὰρ καὶ οὐσίας ἡ μορφὴ πρόκειται· δηλοῖ γὰρ ὅτι φύσιν ἔχων Θεοῦ, φύσιν ἔλαβε δούλου.

Διὸ τοῖς μὲν πρώτοις τῆς ἀσεβείας εὑρεταῖς Μαρκίωνι καὶ τῷ Μάνεντι καὶ Βαλεντίνῳ διαλεγόμενοι ἀποδεικνύναι σπουδάζομεν ἐκ τῶν θείων γραφῶν, ὅτι οὐ μόνον Θεός, ἀλλὰ καὶ ἄνθρωπος ὁ Δεσπότης Χριστός. Σαβελλίου δὲ καὶ Φωτεινοῦ καὶ Μαρκέλλου καὶ Παύλου τὴν ἀσέβειαν ἐλέγχομεν, μάρτυρι τῇ θείᾳ γραφῇ κεχρημένοι καὶ δεικνύντες ὡς οὐκ ἄνθρωπος μόνον, ἀλλὰ καὶ Θεὸς προαιώνιος καὶ τῷ Πατρὶ ὁμοούσιος ὁ Δεσπότης Χριστός. Ἀρείου δὲ καὶ Εὐνομίου καὶ Ἀπολιναρίου τὸ περὶ τὴν οἰκονομίαν ἀτελὲς δῆλον ποιοῦντες τοῖς ἀγνοοῦσι, τελείαν εἶναι τὴν ληφθεῖσαν ἀποφαινόμεθα φύσιν ἐκ τῶν θείων λογίων τοῦ Πνεύματος. Ὅτι γὰρ ψυχὴν ἀνέλαβε λογικήν, αὐτὸς ὁ Κύριος διδάσκει λέγων· « Νῦν ἡ ψυχή μου τετάρακται, καὶ τί εἴπω; Πάτερ, σῶσόν με ἐκ τῆς ὥρας ταύτης· ἀλλὰ διὰ τοῦτο ἦλθον εἰς τὴν ὥραν ταύτην[y] ». Καὶ πάλιν· « Περίλυπός

204 ἀλλ' οὐχ Az b (ἀλλ' *sub. l.*) : οὐχ Mi || 208 καὶ οὐσίας ἡ μορφὴ Az Mi : ἡ μ. καὶ ουσίας b || 213-220 σαβελλίου δὲ (213) — δεσπότης χριστός (217). ἀρείου δὲ (217) — τοῦ πνεύματος (220) Az b : ἀρείου δε — τοῦ πν. σαβελλίου δὲ — δ. χριστός Mi.

---

x. Ph 2, 6.7 y. Jn 12, 27

---

1. Courte réfutation scripturaire des points *c* et *d* bloqués, à partir de cinq citations tirées de Jn 12, 27 et 10, 18; Mt 26, 38 et 2, 20; Lc 2, 52,

n'aurait enfanté qu'un pur homme, et ils nient donc ouvertement que le Christ soit aussi Dieu antérieur aux siècles. Arius et Eunome, de leur côté, veulent que le Verbe Dieu n'ait pris de la Vierge qu'un corps. Quant à Apollinaire, il ajoute au corps une âme, mais irrationnelle, comme si l'incarnation du Verbe Dieu s'était opérée en faveur de créatures dépourvues de raison et non pour des créatures raisonnables ! Mais la doctrine des apôtres nous enseigne qu'un homme parfait a été assumé par un Dieu parfait, car c'est bien ce que prouve à l'évidence le texte : « Celui qui était dans la condition de Dieu a pris la condition d'un esclave[x] », puisqu'ici « condition » tient la place de « nature » et de « substance » ; le texte montre en effet que, bien qu'il eût une nature divine, il prit une nature d'esclave.

C'est pourquoi quand nous disputons avec les premiers inventeurs de l'impiété, Marcion, Manès et Valentin, nous nous appliquons à montrer, à partir des divines Écritures, que le Christ, notre Maître, n'est pas seulement Dieu, mais aussi homme. Pour réfuter l'impiété de Sabellius, de Photin, de Marcel et de Paul, nous recourons au témoignage de la divine Écriture pour prouver que notre Maître le Christ n'est pas seulement homme, mais aussi Dieu antérieur aux siècles et consubstantiel au Père. Et pour rendre évident à ceux qui l'ignorent le caractère imparfait de la conception d'Arius, d'Eunome et d'Apollinaire touchant l'économie, nous démontrons, à partir des divines paroles de l'Esprit, que la nature qui fut assumée par le Verbe est une nature parfaite. Qu'il a pris, en effet [1], une âme raisonnable, le Seigneur lui-même l'enseigne en disant : « Maintenant mon âme est troublée, et que dirai-je ? Père, sauve-moi de cette heure ? Mais c'est précisément pour cette heure que je suis venu[y]. » Et encore : « Mon âme est triste jusqu'à

faisant apparaître la réalité humaine du Christ et soulignant la souveraine liberté de Jésus.

ἐστιν ἡ ψυχή μου ἕως θανάτου[z]. » Καὶ ἑτέρωθι· « Ἐξουσίαν ἔχω θεῖναι τὴν ψυχήν μου καὶ ἐξουσίαν ἔχω πάλιν λαβεῖν αὐτήν· οὐδεὶς αἴρει αὐτὴν ἀπ' ἐμοῦ[a′]. » Καὶ ὁ ἄγγελος πρὸς τὸν Ἰωσήφ· « Παράλαβε τὸ παιδίον καὶ τὴν μητέρα αὐτοῦ καὶ πορεύου εἰς γῆν Ἰσραήλ· τεθνήκασι γὰρ πάντες οἱ ζητοῦντες τὴν ψυχὴν τοῦ παιδίου[b′]. » Καὶ ὁ
557v εὐαγγελιστής· « Ἰησοῦς δὲ προέκοπτεν ἡλικίᾳ καὶ σοφίᾳ καὶ χάριτι παρὰ Θεῷ καὶ ἀνθρώποις[c′]. » Προκόπτει δὲ ἡλικίᾳ καὶ σοφίᾳ οὐ θεότης ἡ ἀεὶ τελεία, ἀλλ' ἡ ἀνθρωπεία φύσις, ἡ χρόνῳ καὶ γινομένη καὶ αὐξομένη καὶ τελειουμένη.

Οὗ χάριν τὰ μὲν ἀνθρώπινα πάντα τοῦ Δεσπότου Χριστοῦ πεινάν φημι καὶ δίψαν, καὶ κόπον, καὶ ὕπνον, καὶ δειλίαν, καὶ ἱδρῶτας, καὶ προσευχήν, καὶ ἄγνοιαν, καὶ ὅσα τοιαῦτα τῆς ἡμετέρας ἀπαρχῆς εἶναί φαμεν, ἣν ἀναλαβὼν ὁ Θεὸς Λόγος ἥνωσεν ἑαυτῷ, τὴν ἡμετέραν πραγματευόμενος σωτηρίαν. Τὸν δὲ τῶν χωλῶν δρόμον[d′], καὶ τῶν νεκρῶν τὴν ἀνάστασιν[e′], καὶ τὰς τῶν ἄρτων πηγάς[f′], καὶ τὴν τοῦ ὕδατος εἰς οἶνον μεταβολήν[g′], καὶ πάσας τὰς ἄλλας θαυματουργίας τῆς θείας εἶναι δυνάμεως ἔργα πιστεύομεν. Ὡς τὸν αὐτόν φημι δὴ τὸν Δεσπότην Χριστόν, καὶ πάσχειν καὶ πάθη λύειν· πάσχειν μὲν κατὰ τὸ ὁρώμενον, λύειν δὲ τὰ πάθη κατὰ τὴν ἀρρήτως οἰκοῦσαν θεότητα. Δηλοῖ δὲ τοῦτο σαφῶς καὶ τῶν ἱερῶν εὐαγγελίων ἡ ἱστορία. Καὶ μανθάνομεν ἐκεῖθεν, ὡς ἐν φάτνῃ κείμενος καὶ σπάργανα περιβεβλημένος[h′] ὑπὸ ἀστέρος ἐκηρύττετο, καὶ ὑπὸ μάγων προσεκυνεῖτο[i′] καὶ ὑπὸ

231 προέκοπτεν Az Mi b (-εν *sup. l.*).

---

z. Mt 26, 38 a′. Jn 10, 18 b′. Mt 2, 20 c′. Lc 2, 52 d′. Cf. Mt 11, 5; 15, 31 (= Lc 7, 22) e′. Cf. Lc 7, 11-16 (= Jn 11, 38.44) f′. Cf. Mc 14, 19-21 (= 6, 41-44; Lc 9, 14-17) g′. Cf. Jn 2, 1-11 h′. Cf. Lc 2, 7 i′. Cf. Mt 2, 9-10

la mort[z]. » Et ailleurs : « J'ai le pouvoir de donner mon âme et j'ai le pouvoir de la reprendre. Personne ne peut me l'enlever[a']. » De même, que dit l'ange à Joseph ? « Prends l'enfant et sa mère et va vers la terre d'Israël, car ils sont morts tous ceux qui en voulaient à la vie[1] de l'enfant[b']. » Et l'évangéliste dit encore : « Et Jésus grandissait en âge, en sagesse et en grâce, auprès de Dieu et des hommes[c']. » Or ce n'est pas la divinité, toujours parfaite, qui grandit en âge et en sagesse, mais la nature humaine, dont le propre est, avec le temps, de naître, de croître et de se parfaire.

Voilà pourquoi[2] tous les traits humains de notre Maître le Christ comme la faim, la soif, la fatigue, le sommeil, la peur, la sueur, la prière, l'ignorance et toutes les choses semblables, nous disons qu'ils appartiennent aux prémices de notre race, que le Verbe Dieu les a assumés pour opérer notre salut. Par contre, la marche rendue aux boîteux[d'], la résurrection des morts[e'], la multiplication des pains[f'], le changement de l'eau en vin[g'], et toutes les autres merveilles, notre foi voit en tout cela les œuvres de la puissance divine. C'est pourquoi je dis que le même, notre Maître le Christ, à la fois souffre et fait disparaître les souffrances : d'une part il souffre selon ce qui est visible, d'autre part il supprime les souffrances par la divinité qui habite en lui d'une manière ineffable. C'est ce que nous montre, une fois de plus, le récit des saints évangiles. Celui-ci nous apprend que dans le même temps où il se trouvait couché dans une étable, enveloppé de langes[h'], le Christ était annoncé par une étoile, adoré par les mages[i']

1. La vie : litt. « l'âme ».

2. Ici commence la deuxième partie de la lettre, consacrée à la répartition des idiomes entre les deux natures : dans un long balancement, Théodoret énonce tantôt une propriété ou une action qui conviennent au Christ comme Dieu et tantôt l'opposé et équivalent qui lui conviennent comme homme.

ἀγγέλων ὑμνεῖτο [j'] καὶ διακρίνομεν εὐσεβῶς ὅτι τὰ ῥάκη, καὶ σπάργανα, καὶ τῆς κλίνης ἡ ἀπορία, καὶ ἡ πολλὴ εὐτέλεια τῆς ἀνθρωπότητος ἴδια. Ὁ δὲ τῶν μάγων δρόμος καὶ τοῦ ἀστέρος ἡ ποδηγία καὶ ἡ τῶν ἀγγέλων χορεία κηρύττει τὴν τοῦ κρυπτομένου θεότητα. Οὕτως ἀποδιδράσκει μὲν εἰς Αἴγυπτον, καὶ τῇ φυγῇ τῆς Ἡρώδου μανίας ἀπαλλάττεται [k']· καὶ γὰρ ἄνθρωπος ἦν. Συσσείει δέ, κατὰ τὸν προφήτην, τὰ χειροποίητα Αἰγύπτου [l']· Θεὸς γὰρ ὑπῆρχε. Περιτέμνεται [m'] καὶ φυλάττει τὸν νόμον καὶ καθαρσίους προσφέρει θυσίας· ἐκ γὰρ τῆς Ἰεσσαὶ βεβλάστηκε ῥίζης. Καὶ ὑπὸ νόμον ὡς ἄνθρωπος ἦν· καὶ ἔλυσε τὸν νόμον μετὰ ταῦτα, καὶ δέδωκε τὴν καινὴν διαθήκην [n']· νομοθέτης γὰρ ἦν, καὶ ταύτην αὐτὸς δώσειν διὰ τῶν προφητῶν ἐπηγγείλατο [o']. Ἐβαπτίσθη ὑπὸ Ἰωάννου [p']· τοῦτο δείκνυσι τὸ ἡμέτερον. Μαρτυρεῖται ἄνωθεν ὑπὸ τοῦ Πατρὸς καὶ ὑπὸ τοῦ Πνεύματος δείκνυται [q']· τοῦτο κηρύττει τὸ προαιώνιον. Ἐπείνησεν [r'], ἀλλὰ καὶ πολλὰς χιλιάδας ἐκ πέντε ἄρτων ἐκόρεσε [s']· τοῦτο θεῖον, ἐκεῖνο ἀνθρώπινον. Ἐδίψησε καὶ ᾔτεσεν ὕδωρ [t'], ἀλλὰ πηγὴ ἦν ζωῆς· καὶ τὸ μὲν ἦν τῆς ἀνθρωπίνης ἀσθενείας, τὸ δὲ τῆς θείας δυνάμεως. Ἐκαθεύδησεν ἐν τῷ πλοίῳ [u'], ἀλλὰ καὶ τῆς θαλάττης τὴν ζάλην ἐκοίμησε [v']· τοῦτο τῆς παθητῆς φύσεως, ἐκεῖνο τῆς ποιητικῆς καὶ δημιουργικῆς καὶ τῆς τοῖς πᾶσι τὸ εἶναι δωρησαμένης. Ἐκοπίασε βαδίσας [w'], ἀλλὰ καὶ χωλοὺς ἀρτίποδας εἰργάσατο [x'], καὶ νεκροὺς ἐκ

261-262 βεβλάστηκε Az Mi : -τήκει b.

---

j'. Cf. Lc 2, 13-14 k'. Cf. Mt 2, 13-15 l'. Cf Is. 19, 1 (= Ps.-Mt 23) m'. Cf. Lc 2, 21 n'. Cf. Lc 22, 20 (= 1 Co 11, 25) o'. Cf. Jr 31, 31-34 p'. Cf. Mt 3, 13-16 (= Mc 1, 9) q'. Cf. Mt 3, 17 (= Mc 1, 10-11 ; Lc 3, 21-22) r'. Cf. Lc 4, 2 (= Mt 4, 2)

et glorifié par les anges[j'], et c'est avec un juste sentiment de piété que nous jugeons les misérables linges, les langes, la pauvreté de la couche et toute cette simplicité comme les propriétés de son humanité. Au contraire, le voyage des mages sous la direction de l'étoile, et le chœur des anges, voilà qui proclame la divinité de celui qui la cachait. Ainsi il fuit en Égypte et, par la fuite, échappe à la folie d'Hérode[h'], parce qu'il était homme. Mais par ailleurs il renverse, selon le prophète, les idoles d'Égypte[l'], parce qu'il était Dieu. Il subit la circoncision[m'], observe la Loi et offre des sacrifices de purification, car il est issu de la race de Jessé. S'il était soumis à la Loi, c'était en tant qu'homme, mais, ensuite, il abrogea la Loi et nous offrit la nouvelle alliance[n'], parce qu'il était le législateur et que, par la bouche des prophètes, il avait promis de la donner[o']. Il reçut le baptême de Jean[p'], et cela montre qu'il était des nôtres, mais, d'en haut, le Père lui rend témoignage et l'Esprit le manifeste[q'] : voilà qui proclame son éternité. Il eut faim[r'], mais, avec cinq pains, il rassasia aussi plusieurs milliers de personnes[s'] : ceci est d'un Dieu, cela est d'un homme. Il eut soif et demanda de l'eau[t'], mais il était la source de la vie : un trait relevait de la faiblesse humaine, l'autre de la puissance divine. Il s'endormit dans la barque[u'] mais il apaisa aussi l'agitation de la mer[v'] : le premier acte est de la nature passible, le second de celle du créateur et du démiurge qui a fait don de l'existence à tous les êtres. La marche le fatigua[w'], mais il redressa les boîteux[x'] et fit sortir de leurs tombes les

s'. Cf. Mt 14, 13-21 (= Mc 6, 30-44; Lc 9, 10-17; Jn 6, 1-21)
t'. Cf. Jn 4, 7 u'. Cf. Mt 8, 24 (= Mc 4, 38; Lc 8, 23)
v'. Cf. Mt 13, 26 (= Mc 4, 39; Lc 8, 24) w'. Cf. Jn 4, 6
x'. Cf. Mt 11, 5 (= Lc 7, 22)

τῶν τάφων ἀνέστησε[y']· καὶ τὸ μὲν ἦν τῆς ὑπερκοσμίου δυνάμεως, τὸ δὲ τῆς ἡμετέρας ἀσθενείας. Ἐδειλίασε θάνατον[z'], καὶ ἔλυσε θάνατον· καὶ τὸ μὲν τοῦ θνητοῦ δηλοτικόν, τὸ δὲ τοῦ ἀθανάτου, μᾶλλον δὲ ζωοποιοῦ
568r τυγχάνει σημαντικόν. Ἐσταυρώθη, κατὰ τὸν μακάριον Παῦλον, ἐξ ἀσθενείας, ἀλλὰ ζῇ ἐκ δυνάμεως Θεοῦ, κατὰ τὸν αὐτόν[a'']. Τὸ τῆς ἀσθενείας ὄνομα διδασκέτω οὐχ ὡς ὁ παντοδύναμος καὶ ἀπερίγραφος καὶ ἄτρεπτος καὶ ἀναλλοίωτος προσηλώθη, ἀλλ' ἡ ἐκ δυνάμεως Θεοῦ ζωοποιηθεῖσα φύσις, κατὰ τὴν τοῦ ἀποστόλου διδασκαλίαν, ἀπέθανε καὶ ἐτάφη· ἀμφότερα τῆς τοῦ δούλου μορφῆς. « Πύλας χαλκᾶς συνέτριψε καὶ μοχλοὺς σιδηροῦς συνέθλασε[b''] », καὶ κατέλυσε τοῦ θανάτου τὸ κράτος, καὶ ἐν τρισὶν ἡμέραις ἀνέστησε τὸν οἰκεῖον ναόν· ταῦτα τῆς τοῦ Θεοῦ μορφῆς τὰ γνωρίσματα, κατὰ τὴν τοῦ Κυρίου φωνήν· « Λύσατε τὸν ναὸν τοῦτον, καὶ ἐν τρισὶν ἡμέραις ἐγερῶ αὐτὸν[c'']. » Οὕτως ἐν τῷ ἑνὶ Χριστῷ διὰ μὲν τῶν παθῶν θεωροῦμεν τὴν ἀνθρωπότητα, διὰ δὲ τῶν θαυμάτων νοοῦμεν αὐτοῦ τὴν θεότητα. Οὐ γὰρ εἰς δύο Χριστοὺς τὰς δύο φύσεις μερίζομεν.

Καὶ ἴσμεν ὅτι μὲν ἐκ τοῦ Πατρὸς ὁ Θεὸς Λόγος ἐγεννήθη, καὶ ἐκ σπέρματος Ἀβραὰμ καὶ Δαβὶδ ἡ ἡμετέρα ἀπαρχὴ προσελήφθη. Διὸ καὶ ὁ μακάριος Παῦλός φησι, περὶ τοῦ Ἀβραὰμ διαλεγόμενος· « Οὐκ εἶπε· Καὶ τοῖς σπέρμασί σου, ὡς ἐπὶ πολλῶν, ἀλλ' ὡς ἐφ' ἑνός· Καὶ τῷ σπέρματί σου, ὅς ἐστι Χριστός[d'']. » Καὶ Τιμοθέῳ δὲ γράφων, « Μνημόνευε, φησίν, Ἰησοῦν Χριστὸν ἐγηγερμένον ἐκ νεκρῶν ἐκ σπέρματος Δαβίδ, κατὰ τὸν εὐαγγέλιόν

y'. Cf. Jn 11, 38-44 z'. Cf. Mt 26, 39 ; 27, 46 (= Mc 14, 36 ; 15, 34) a''. Cf. 2 Cor 13, 4 b''. Ps 106, 16 c''. Jn 2, 19 d''. Ga 3, 16

---

1. La conclusion du développement précédent, appuyée de nouveau sur un florilège scripturaire, est que tout cela se réunit sur un seul Christ,

morts [y'] : ceci relevait de la puissance surnaturelle, cela de notre faiblesse. Il eut peur de la mort [z'], et il détruisit la mort : cela révèle l'être mortel, ceci l'immortel ou, pour mieux dire, l'auteur même de la vie. Il fut crucifié, suivant le bienheureux Paul, à cause de sa faiblesse, mais il est vivant, suivant le même Paul, par la puissance de Dieu [a'']. Le mot de faiblesse doit nous apprendre que ce n'est pas le tout-puissant, l'infini, l'immuable, l'inchangeable, qui a été transpercé de clous, mais que c'est la nature à qui la puissance divine a donné la vie, selon l'enseignement de l'Apôtre, qui est morte et fut mise au tombeau : deux choses qui appartiennent à la condition de l'esclave. Mais « il a brisé les portes d'airain, fracturé les verrous de fer [b''] », détruit la puissance de la mort et, en trois jours, a relevé son temple : voilà bien les signes de la condition de Dieu, suivant l'enseignement de Notre Seigneur : « Détuisez ce temple et, en trois jours, je le relèverai [c'']. » Ainsi, en l'unique Christ, à travers les tourments nous voyons l'humanité, mais, à travers ses miracles, nous saisissons sa divinité [1]. Car des deux natures nous ne faisons pas deux Christs.

Nous savons, au contraire, que le Verbe Dieu est né du Père, tandis que notre premier-né a tiré son origine de la race d'Abraham et de David. C'est pour cela que le bienheureux Paul dit, en parlant d'Abraham : « Dieu n'a pas dit : ‘Et à tes descendants’, comme s'il s'agissait de plusieurs, mais il a dit : ‘Et à ta descendance’, comme ne parlant que d'un seul, à savoir le Christ [d'']. » De même encore écrit-il à Timothée : « Souviens-toi que Jésus-Christ, issu de la race de David, est ressuscité d'entre les

sans que Théodoret propose un autre terme plus technique pour désigner cet unique sujet, pas même *prosôpon* : c'est pourquoi, si affirmer l'existence de deux natures distinctes dans le Christ ne signifie pas refus de l'unicité de la personne, on peut toutefois lui reprocher de ne pas assez définir ni approfondir dans son *mystère* l'unité substantielle du Christ.

μου[e″].» Καὶ Ῥωμαίοις ἐπιστέλλων· « Περὶ τοῦ Υἱοῦ αὐτοῦ, φησί, τοῦ γενομένου ἐκ σπέρματος Δαβὶδ τὸ κατὰ σάρκα[f″].» Καὶ πάλιν· « Ὧν οἱ πατέρες καὶ ἐξ ὧν ὁ Χριστὸς τὸ κατὰ σάρκα[g″].» Καὶ ὁ εὐαγγελιστής· « Βίβλος γενέσεως Ἰησοῦ Χριστοῦ, υἱοῦ Δαβίδ, υἱοῦ Ἀβραάμ[h″].» Καὶ ὁ μακάριος Πέτρος ἐν ταῖς Πράξεσι· « Προφήτης, φησίν, ὑπάρχων ὁ Δαβίδ, καὶ εἰδὼς ὅτι ὅρκῳ ὤμοσεν αὐτῷ ὁ Θεὸς ἐκ καρποῦ τῆς ὀσφύος αὐτοῦ ἀναστήσειν τὸν Χριστὸν καὶ καθίσαι ἐπὶ τοῦ θρόνου αὐτοῦ, προειδὼς ἐλάλησε περὶ τῆς ἀναστάσεως αὐτοῦ[i″].» Καὶ ὁ Θεὸς τῷ Ἀβραάμ φησι· « Ἐν τῷ σπέρματί σου ἐνευλογηθήσονται πάντα τὰ ἔθνη τῆς γῆς[j″].» Καὶ ὁ Ἠσαΐας δέ· « Ἐξελεύσεται ῥάβδος ἐκ τῆς ῥίζης Ἰεσσαί, καὶ ἄνθος ἐκ τῆς ῥίζης ἀναβήσεται καὶ ἐπαναπαύσεται ἐπ' αὐτὸν πνεῦμα σοφίας καὶ συνέσεως, πνεῦμα βουλῆς καὶ ἰσχύος, πνεῦμα γνώσεως καὶ εὐσεβείας, πνεῦμα φόβου Θεοῦ ἐμπλήσει αὐτόν[k″].» Καὶ μετ' ὀλίγα· « Καὶ ἔσται, φησίν, ἡ ῥίζα τοῦ Ἰεσσαὶ καὶ ὁ ἀνιστάμενος ἄρχειν ἐθνῶν· ἐπ' αὐτῷ ἔθνη ἐλπιοῦσι· καὶ ἔσται ἡ ἀνάπαυσις αὐτοῦ τιμή[l″].»

Δῆλον τοίνυν ἐκ τῶν εἰρημένων ὡς τὸ μὲν κατὰ σάρκα ὁ Χριστὸς τοῦ Ἀβραὰμ καὶ Δαβὶδ ὑπῆρχεν ἀπόγονος, καὶ τὴν αὐτὴν αὐτοῖς περιέκειτο φύσιν, κατὰ δὲ τὴν θεότητα τοῦ Θεοῦ προαιώνιός ἐστιν Υἱὸς καὶ Λόγος, ἀφράστως τε καὶ ὑπὲρ ἄνθρωπον ἐκ τοῦ Πατρὸς γεννηθείς, καὶ συναίδιος ὑπάρχων ὡς ἀπαύγασμα καὶ χαρακτὴρ καὶ Λόγος. Ὡς γὰρ 558v λόγος πρὸς νοῦν καὶ ἀπαύγασμα πρὸς τὸ φῶς ἀχωρίστως

306 Δαβὶδ τὸ Az b : Δαβὶδ Mi.

e″. 2 Tm 2, 8 f″. Rm 1, 3 g″. Rm 9, 5 h″. Mt 1, 1
i″. Ac 2, 30 j″. Gn 22, 18 k″. Is 11, 1-3 l″. Is 11, 10

1. Voir le commentaire de ce passage par Théodoret : *In Is*. 4, 464-490 (*SC* 295, p. 50-52).

2. Commence ici un long paragraphe consacré à ce cas de communication des idiomes par excellence qu'était le *Théotokos* (sur l'importance de ce problème cf. M. J. Nicolas, « Le concept intégral de maternité divine », *Revue Thomiste* 42, 1937, p. 63). De ce mot Théodoret refuse

morts, selon mon évangile[e]". » Écrivant aux Romains il dit encore : « Touchant son Fils né de la lignée de David selon la chair[f]". » Et encore : « ... à qui appartiennent les patriarches et de qui, selon la chair, est issu le Christ[g]". » Et l'évangéliste dit aussi : « Livre des origines de Jésus-Christ, fils de David, fils d'Abraham[h]". » Le bienheureux Pierre, dans les *Actes*, dit : « Comme David était prophète et savait que Dieu lui avait juré par serment de faire naître de son sang le Christ et de l'asseoir sur son trône, c'est dans cette prévision qu'il a parlé de sa résurrection[i]". » Et Dieu dit à Abraham : « En ta postérité seront bénies toutes les nations de la terre[j]". » Et Isaïe, à son tour : « Un rameau sortira de la souche de Jessé, un rejeton jaillira de ses racines. Sur lui reposera un esprit de sagesse et de discernement, esprit de conseil et de vaillance, un esprit de connaissance et de piété ; un esprit de crainte de Dieu l'emplira[k]". » Et peu après : « Il y aura, dit-il, la racine de Jessé et celui qui se dresse pour commander aux nations, les nations espéreront en lui, et son repos sera en honneur[l]"[1]. »

Il est donc évident par ce qui a été dit[2] que, d'une part, selon la chair, le Christ est le descendant d'Abraham et de David et qu'il a revêtu la même nature qu'eux, mais que, d'autre part, selon la divinité, il est le Fils éternel de Dieu et le Verbe, né du Père d'une manière ineffable et qui dépasse l'intelligence de l'homme, coéternel avec le Père comme son rayon, sa figure et son Verbe. Car de même que la parole ne saurait être séparée de l'intelligence, ni le rayon de la lumière, ainsi le Fils unique, lui non plus, ne

l'emploi exclusif le considérant de toute façon comme une exagération rhétorique non équilibré par *anthrôpotokos*, en s'appuyant sur l'argument selon lequel tout nom donné au Christ fonde une appellation corrélative donnée à sa Mère : le Christ étant Dieu et homme, dès lors la Vierge peut être appelée Mère de Dieu (*Théotokos*) et mère de l'homme (*anthrôpotokos*). Voir A. D'ALÈS, « La Lettre de Théodoret... » ; M. RICHARD, « Un écrit de Théodoret sur l'unité du Christ... ».

ἔχει, οὕτως ὁ μονογενὴς Υἱὸς πρὸς τὸν αὐτοῦ Πατέρα. Φαμὲν τοίνυν τὸν Κύριον ἡμῶν Ἰησοῦν Χριστὸν Υἱὸν εἶναι μονογενῆ τοῦ Θεοῦ καὶ πρωτότοκον· μονογενῆ μὲν καὶ πρὸ τῆς ἐνανθρωπήσεως καὶ μετὰ τὴν ἐνανθρώπησιν· πρωτότοκον δὲ μετὰ τὴν ἐκ Παρθένου γέννησιν· τῷ γὰρ μονογενεῖ τὸ πρωτότοκος ὄνομα ἐναντίον μὲν εἶναί πως δοκεῖ, διότι μονογενὴς μὲν ὁ μόνος ἔκ τινος γεννηθεὶς προσαγορεύεται, πρωτότοκος δὲ ὁ πολλῶν ἀδελφῶν πρῶτος. Τὸν δὲ Θεὸν Λόγον μόνον ἐκ τοῦ Πατρὸς αἱ θεῖαι γραφαὶ γεννηθῆναι λέγουσιν· γίνεται δὲ καὶ πρωτότοκος ὁ μονογενής, τὴν ἡμετέραν φύσιν εἰληφὼς ἐκ τῆς Παρθένου, καὶ ἀδελφοὺς τοὺς εἰς αὐτὸν πεπιστευκότας προσαγορεῦσαι καταξιώσας· ὡς εἶναι τὸν αὐτὸν μονογενῆ μὲν καθὸ Θεός, πρωτότοκον δὲ καθὸ ἄνθρωπος. Οὕτως ἡμεῖς τὰς δύο φύσεις ὁμολογοῦντες τὸν ἕνα Χριστὸν προσκυνοῦμεν, καὶ μίαν αὐτῷ προσφέρομεν τὴν προσκύνησιν. Τὴν γὰρ ἕνωσιν ἐξ αὐτῆς τῆς συλλήψεως ἐν τῇ ἁγίᾳ τῆς Παρθένου νηδύι γεγενῆσθαι πιστεύομεν. Διὸ καὶ θεοτόκον καὶ ἀνθρωποτόκον τὴν ἁγίαν Παρθένον προσαγορεύομεν, ἐπειδὴ καὶ αὐτὸς ὁ Δεσπότης Χριστὸς Θεὸς καὶ ἄνθρωπος ὑπὸ τῆς θείας καλεῖται γραφῆς. Καὶ ὁ Ἐμμανουὴλ δὲ τῶν δύο φύσεων κηρύττει τὴν ἕνωσιν. Εἰ δὲ τὸν Χριστὸν Θεὸν καὶ ἄνθρωπον ὁμολογοῦμεν καὶ λέγομεν, τίς οὕτως εὐήθης ὡς φυγεῖν τὴν ἀνθρωποτόκος φωνὴν μετὰ τῆς θεοτόκου τιθεμένην; Ἐν γὰρ τῷ Δεσπότῃ Χριστῷ τὰς δύο τίθεμεν προσηγορίας· διὸ ἡ Παρθένος τετίμηται καὶ κεχαριτωμένη προσηγορεύθη· τίς οὖν ἂν εὖ φρονῶν παραιτήσαιτο ἀπὸ τῶν τοῦ Σωτῆρος ὀνομάτων ἀποκαλέσαι τὴν Παρθένον, ἣ δι' ἐκεῖνον παρὰ τῶν πιστῶν γεραίρεται; Οὐ γὰρ ὁ ἐξ αὐτῆς δι' αὐτὴν σεβάσμιος, ἀλλ' αὐτὴ διὰ τὸν ἐξ αὐτῆς ταῖς μεγίσταις προσηγορίαις καλλύνεται.

Εἰ μὲν οὖν Θεὸς μόνον ὁ Χριστός, καὶ ἐκ τῆς Παρθένου τοῦ εἶναι τὴν ἀρχὴν εἴληφεν, ἐντεῦθεν μόνον ἡ Παρθένος

357 οὖν ἂν Az b : οὖν Mi.

peut être séparé de son Père. Nous disons donc de notre Seigneur Jésus-Christ qu'il est le Fils unique et premier-né de Dieu : Fils unique aussi bien avant qu'après l'incarnation, premier-né après sa naissance de la Vierge. Le mot « premier-né » semble d'une certaine manière opposé à celui de « monogène », puisqu'est appelé « monogène » celui qui est né seul de quelqu'un et, par contre, « premier-né » celui qui est le premier de plusieurs frères. Mais pour ce qui est du Verbe Dieu, les divines Écritures nous disent qu'il a été le seul engendré du Père. Cependant le Monogène est aussi premier-né, ayant pris de la Vierge notre nature et ayant jugé dignes d'être appelés frères ceux qui ont cru en lui, de sorte que le même est Fils unique en tant que Dieu, et premier-né en tant qu'homme. C'est ainsi que, tout en confessant les deux natures, nous adorons l'unique Christ et ne lui portons qu'une seule adoration. Nous croyons, en effet, que l'union s'est opérée dans le sein très pur de la Vierge dès l'instant de la conception, et voilà pourquoi nous appelons la Vierge sainte à la fois « mère de Dieu » et « mère de l'homme », puisque le Christ, notre Maître, lui aussi, est appelé Dieu et homme par la divine Écriture et qu'il n'est pas jusqu'au nom d'Emmanuel qui ne proclame l'union des deux natures. Or, si nous confessons et si nous affirmons que le Christ est à la fois Dieu et homme, qui donc est assez stupide pour éviter le vocable de « mère de l'homme » uni à celui de « mère de Dieu »? Car si nous donnons au Christ, notre Maître, deux noms et si c'est pour cela que la Vierge a été honorée et appelée « pleine de grâce », quel est donc l'homme sensé qui refusera d'appeler par les noms du Sauveur la Vierge qui est glorifiée par les fidèles justement à cause de lui? Car ce n'est pas le Sauveur né de la Vierge qui est adoré à cause d'elle, mais c'est elle qui est louée par les noms les plus glorieux à cause de celui qui est né d'elle.

Si donc le Christ est seulement Dieu et s'il a reçu de la Vierge le principe de son existence, dès lors la Vierge ne

ὀνομαζέσθω καὶ καλείσθω θεοτόκος ὡς Θεὸν φύσει γεννήσασα. Εἰ δὲ Θεὸς καὶ ἄνθρωπος ὁ Χριστός, καὶ τὸ μὲν ἦν ἀεὶ — οὔτε γὰρ ἤρξατο τοῦ εἶναι· συναίδιος γὰρ τῷ γεννήσαντι —, τὸ δὲ ἐπ' ἐσχάτων τῶν καιρῶν ἐκ τῆς ἀνθρωπείας ἐβλάστησε φύσεως, ἑκατέρωθεν ὁ δογματίζειν ἐθέλων πλεκέτω τῇ Παρθένῳ τὰς προσηγορίας, δηλῶν ποῖα μὲν τῇ φύσει, ποῖα δὲ τῇ ἑνώσει προσήκει. Εἰ δὲ πανηγυρικῶς τις λέγειν ἐθέλοι, καὶ ὕμνους ὑφαίνειν, καὶ ἐπαίνους διεξιέναι, καὶ βούλεται τοῖς σεμνοτέροις ὀνόμασιν ἀναγκαίως κεχρῆσθαι, οὐ δογματίζων ὡς ἔφην, ἀλλὰ πανηγυρίζων καὶ θαυμάζων ὡς οἷόν τε τοῦ μυστηρίου τὸ μέγεθος, ἀπολαυέτω τοῦ πόθου καὶ τοῖς μεγάλοις ὀνόμασι
559r κεχρήσθω, καὶ ἐπαινείτω καὶ θαυμαζέτω. Πολλὰ γὰρ τοιαῦτα παρὰ τοῖς ὀρθοδόξοις διδασκάλοις εὑρίσκομεν· πανταχοῦ δὲ τὸ μέτρον τιμάσθω. Ἐπαινῶ γὰρ τὸν εἰρηκότα ἄριστον εἶναι τὸ μέτρον, εἰ καὶ τῆς ἡμετέρας ἀγέλης οὐκ ἔστιν. Αὕτη γὰρ τῆς ἐκκλησιαστικῆς πίστεως ἡ ὁμολογία, τοῦτο τῆς εὐαγγελικῆς καὶ ἀποστολικῆς διδασκαλίας τὸ δόγμα. Ὑπὲρ τούτου τρὶς καὶ πολλάκις ἀποθανεῖν τῆς τοῦ Θεοῦ δηλονότι χάριτος συνεργούσης οὐ παραιτησόμεθα. Ταῦτα καὶ τοὺς νῦν πλανωμένους διδάξαι προεθυμήθημεν· καὶ πολλάκις αὐτοὺς εἰς τὴν διάλεξιν προὐκαλεσάμεθα, ὑποδεῖξαι αὐτοῖς σπουδάζοντες τὴν ἀλήθειαν καὶ οὐ πεπείκαμεν. Ὑφορώμενοι γὰρ τῶν ἐλέγχων τὸ

367 ἐσχάτων Az Mi : -του b ‖ 378 et 379 μέτρον Az b : -τριον Mi ‖ 382 τρὶς Az Mi : τρεῖς b.

---

1. Théodoret respecte, dans l'exposé théologique, l'emploi du mot *théotokos* consacré par la tradition, mais précise la manière dont il l'entend : de même que la divinité n'est pas *devenue* chair, mais a *pris* chair, la Vierge n'a pas enfanté *Dieu*, mais la *forme de l'esclave* revêtue par le Verbe et unie à lui en son sein.

2. Il s'agit de Pittacos ou Cléobule dont les maximes μηδὲν ἄγαν et μέτρον ἄριστον sont citées et louées au début de la lettre P 43 (*SC* 40, p. 106; cf. *ibid.*, p. 106, n. 1 et 101, n. 3). Sur l'excellence de la mesure : Aristote, *Pol.* IV, ii, p. 1295 B, 4 (*CUF*, t. 2, p. 169).

peut être nommée et appelée que « mère de Dieu », puisqu'elle n'a enfanté qu'un Dieu par nature. Mais si le Christ est à la fois Dieu et homme, s'il était de toute éternité — car il n'a point commencé d'être, puisqu'il est coéternel avec celui qui l'a engendré —, tandis qu'il a germé de la nature humaine à la fin des temps, celui qui voudra enseigner dogmatiquement les deux devra tresser pour la Vierge les noms qui montrent quels sont ceux qui conviennent à la nature et quels sont ceux qui conviennent à l'union [1]. Mais si quelqu'un veut parler pompeusement, composer des hymnes, proférer des louanges, s'il veut employer nécessairement les termes les plus glorieux — sans avoir l'intention de donner un enseignement doctrinal, comme je le disais, mais pour louer et admirer comme il convient la grandeur du mystère —, qu'il donne libre cours à son désir, use de grands mots, qu'il loue et qu'il admire, car nous trouvons bien des choses semblables chez les maîtres orthodoxes, mais que, dans tous les cas, on garde la mesure, car je loue celui qui a dit que rien n'est meilleur que la mesure [2], quoiqu'il ne soit pas des nôtres. Voilà la profession de foi de l'Église, telle est la doctrine de l'Évangile et des apôtres, pour laquelle — avec le concours de la grâce divine évidemment — nous ne refuserons pas de donner notre vie trois fois et plus encore. Voilà l'enseignement que nous nous sommes efforcé de donner aussi à ceux qui sont aujourd'hui dans l'erreur : plus d'une fois nous les avons invités à une dispute, brûlant que nous étions de leur découvrir la vérité, mais nous ne les avons pas convaincus. Craignant, en effet, l'évidence des arguments, ils ont fui les combats [3], car il

3. En particulier lors de la Conférence de Chalcédoine (été 431). La citation de Jn 3, 20 est mutilée et partiellement inexacte : Théodoret doit citer de mémoire. Le texte de Jean contient les mots μισεῖ τὸ φῶς avant ἔρχεται et porte ἐλεγχθῇ au lieu de φανερωθῇ.

προφανὲς ἔφυγον τοὺς ἀγῶνας· σαθρὸν γὰρ ὡς ἀληθῶς τὸ ψεῦδος, καὶ τῷ σκότει συνεζευγμένον. « Πᾶς γάρ, φησίν, ὁ φαῦλα πράσσων οὐκ ἔρχεται πρὸς τὸ φῶς, ἵνα μὴ φανερωθῇ ὑπὸ τοῦ φωτὸς τὰ ἔργα αὐτοῦ[m″]. »

Ἐπειδὴ τοίνυν πολλὰ πεπονηκότες οὐ πεπείκαμεν αὐτοὺς ἐπιγνῶναι τὴν ἀλήθειαν, εἰς τὰς οἰκείας ἐπανήλθομεν ἐκκλησίας ἀθυμοῦντες καὶ χαίροντες· τὸ μὲν διὰ τὸ ἡμέτερον ἀπλανές, τὸ δὲ διὰ τὴν τῶν μελῶν σηπεδόνα. Διὸ τὴν ὑμετέραν ἁγιωσύνην παρακαλῶ, ἐκθύμως τὸν φιλάνθρωπον ἡμῶν ἱκετεῦσαι Δεσπότην, καὶ πρὸς αὐτὸν βοῆσαι· « Φεῖσαι, Κύριε, τοῦ λαοῦ σου καὶ μὴ δῷς τὴν κληρονομίαν σου εἰς ὄνειδος[n″]. » Ποίμανον ἡμᾶς, Κύριε, ἵνα μὴ γενώμεθα ὡς τὸ ἀπαρχῆς ὅτε οὐκ ἦρχες ἡμῶν, οὐδὲ ἐπεκέκλητο τὸ ὄνομά σου ἐφ' ἡμᾶς. Ἴδε, Κύριε, ὅτι « ἐγενήθημεν ὄνειδος τοῖς γείτοσιν ἡμῶν, μυκτηρισμὸς καὶ χλευασμὸς τοῖς κύκλῳ ἡμῶν[o″] », ὅτι εἰσῆλθε δόγματα πονηρὰ εἰς τὴν κληρονομίαν. Ἐμίαναν τὸν ναὸν τὸν ἅγιόν σου, ὅτι εὐφράνθησαν θυγατέρες ἀλλοφύλων ἐπὶ τοῖς ἡμετέροις κακοῖς[p″]. Ὅτι ἐμερίσθημεν εἰς γλώσσας πολλὰς οἱ πρώην ὁμοφρονοῦντές τε καὶ ὁμοφωνοῦντες[q″]. Κύριε ὁ Θεὸς ἡμῶν, εἰρήνην δὸς ἡμῖν ἣν ἀπωλέσαμεν, τῶν σῶν ἐντολῶν ἀμελήσαντες. Κύριε, ἐκτὸς σοῦ ἄλλον οὐκ οἴδαμεν· τὸ ὄνομά σου ὀνομάζομεν· ποίησον τὰ ἀμφότερα ἕν, καὶ τὸ μεσότοιχον τοῦ φραγμοῦ λῦσον, τὴν ἀναφυεῖσαν ἀσέβειαν. Συνάγαγε ἡμᾶς καθ' ἕνα, τὸν νέον σου Ἰσραήλ, οἰκοδομῶν Ἰερουσαλὴμ καὶ τὰς διασπορὰς Ἰσραὴλ ἐπισυνάγων. Γενοίμεθα πάλιν μία ποίμνη καὶ πάντες ὑπὸ σοῦ ποιμανθείημεν[r″]· σὺ γὰρ εἶ ὁ ποιμὴν ὁ καλός, ὁ τὴν ψυχὴν

407 ὁμοφρονοῦντές τε καὶ Az Mi > b || 414 γενοίμεθα Az b : -νώμεθα Mi || 415 εἶ Az Mi : ἦ b.

---

m″. Jn 3, 20 n″. Jl 2, 17 o″. Ps 78, 4 p″. Cf. 2 S 1, 20
q″. Cf. Gn 11, 1 r″. Cf. Jn 10, 14

est bien vrai que le mensonge est fragile et aime l'obscurité. « Car quiconque, est-il dit, fait le mal ne vient pas à la lumière, de crainte que ses œuvres ne soient démasquées[m"]. »

Aussi, puisque malgré bien des efforts nous n'avons pu les amener à reconnaître la vérité, nous sommes retournés vers nos Églises, remplis à la fois de découragement et de joie : de joie, parce que nous étions en dehors de l'erreur, de découragement, à la pensée que nos membres étaient atteints par la corruption. Voilà pourquoi je demande à Votre Sainteté d'adresser d'ardentes supplications à notre Maître miséricordieux et de pousser vers lui ce cri[1] : « Seigneur, aie pitié de ton peuple et ne livre pas ton héritage à l'opprobre[n"]. » Sois notre pasteur, Seigneur, afin que nous ne redevenions pas ce que nous étions dès le principe, quand tu ne nous commandais pas et que ton nom n'était pas invoqué sur nous. Vois, Seigneur, « nous sommes devenus un objet d'opprobre pour nos voisins, de risée et de moquerie pour ceux qui nous entourent[o"] », parce que les mauvaises doctrines ont pénétré dans ton héritage. Elles ont souillé ton saint temple parce que des filles étrangères se sont réjouies de nos maux[p"], parce que nous avons été divisés en langues nombreuses, nous qui auparavant partagions les mêmes sentiments et la même langue[q"]. Seigneur notre Dieu, donne-nous la paix que nous avons perdue pour avoir négligé tes préceptes. Seigneur, en dehors de toi, nous n'en connaissons pas d'autre, nous t'appelons par ton nom ; des deux ne fais qu'un seul, fais disparaître le mur de la séparation, l'impiété qui est née. Rassemble-nous un à un comme ton nouvel Israël, bâtissant Jérusalem et réunissant les enfants dispersés d'Israël. Puissions-nous ne plus former qu'un seul troupeau et puisses-tu être notre unique pasteur[r"], car

1. La lettre s'achève par une longue prière riche en citations et souvenirs scripturaires de l'Ancien et du Nouveau Testament.

αὐτοῦ τεθεικὼς ὑπὲρ τῶν προβάτων[s″]. « Ἐξεγέρθητι, ἱνατί ὑπνοῖς, Κύριε; ἀνάστηθι καὶ μὴ ἀπώσῃ εἰς τέλος[t″] »· ἐπιτίμησον τοῖς ἀνέμοις καὶ τῇ θαλάττῃ· καὶ δὸς γαλήνην τῇ ἐκκλησίᾳ σου καὶ κυμάτων ἀπαλλαγήν[u″].

Ταῦτα καὶ ὅσα τοιαῦτα παρακαλῶ τὴν ὑμετέραν θεο-
559v σέβειαν βοᾶν πρὸς τὸν ὅλων Θεόν· ἀγαθὸς γὰρ ὢν καὶ φιλάνθρωπος, καὶ τὸ θέλημα τῶν φοβουμένων αὐτὸν ποιῶν ἀεί, τῆς ὑμετέρας δεήσεως ἐπακούσεται, καὶ τὸν παρόντα ζόφον ἀποσκεδάσει τὸν τῆς Αἰγυπτιακῆς πληγῆς[v″] ζοφωδέστερον καὶ τὴν αὐτοῦ φίλην χαριεῖται γαλήνην, καὶ συνάξει τοὺς διεσκορπισμένους καὶ τοὺς ἀπωσμένους εἰσδέξεται. Καὶ ἀκουσθήσεται πάλιν φωνὴ ἀγαλλιάσεως καὶ σωτηρίας ἐν σκηναῖς δικαίων. Τότε καὶ ἡμεῖς βοήσομεν πρὸς αὐτόν· « Εὐφράνθημεν ἀνθ' ὧν ἡμερῶν ἐταπείνωσας ἡμᾶς ἐτῶν ὧν εἴδομεν κακά[w″]. » Καὶ ὑμεῖς δὲ τῆς αἰτήσεως τυχόντες, ἀνυμνοῦντες αὐτὸν ἐρεῖτε· « Εὐλογητὸς ὁ Θεὸς ὃς οὐκ ἀπέστησε τὴν προσευχὴν ἡμῶν, καὶ τὸ ἔλεος αὐτοῦ ἀφ' ἡμῶν[x″]. » Αὐτῷ ἡ δόξα εἰς τοὺς αἰῶνας. Ἀμήν.

s″. Cf. Jn 10, 11 t″. Ps 43, 24 u″. Cf. Mt 8, 23-27 (= Mc

tu es le bon pasteur qui a donné sa vie pour ses brebis [s″]. « Réveille-toi, pourquoi dors-tu, Seigneur ? Lève-toi et ne nous repousse pas à jamais [t″]. » Menace les vents et la mer, accorde à ton Église la paix et délivre-la des tempêtes [u″].

Je supplie Votre Piété de pousser ces cris et d'autres semblables vers le Dieu de l'univers, car, puisqu'il est bon et nous aime, et qu'il exauce toujours le désir de ceux qui le craignent, il écoutera votre prière, dissipera les ténèbres présentes, plus épaisses que celles de la plaie d'Égypte [v″], nous accordera sa paix bien aimée, rassemblera ceux qui ont été dispersés, recueillera les exilés. Et, à nouveau, on entendra la voix d'allégresse et de salut dans la maison des justes. Alors, nous aussi, nous crierons vers lui : « Réjouissons-nous autant de jours que tu nous as humiliés, autant d'années que nous avons connu le malheur [w″]. » Et vous, voyant votre prière exaucée, vous le célébrerez en disant : « Béni soit Dieu qui n'a pas repoussé notre prière ni détourné de nous sa pitié [x″]. » À lui soit la gloire dans les siècles ! Amen.

4, 39 ; Lc 8, 25) v″. Cf. Ex 10, 21-22 w″. Ps 89, 15 x″. Ps 65, 20

5 (*Coll. Cas.* 129)

Epistula Theodoreti episcopi Cyrri quam scripsit ad populum Constantinopolitanum, per quam ostenditur quia non solum prius et post, sed et quando ab Epheso ad Chalcedonam et a Chalcedone rediit ad ecclesiam suam, semper fidem catholicam praedicauit, licet Nestorium damnare distulerit, non credens illa eius esse dogmata quae et ipse Nestorius denegabat et in Ephesum ex quaternionibus sub eius nomine nullo teste probata credebat

Quale quiddam patiuntur et faciunt auium matres, quotiens nidos suos depredandos aspiciunt — anxiantur enim et garrula stridunt et ad similem uolatum teneros adhuc pullos hortantur, ut aucupantium manus effugiant —, tale aliquid patior simul et facio, lamentationes uestras ex litteris audiens et quasi uos garrula stridentes ac tremule mentis oculis cernens. Inspectis namque ipsis litteris mox lacrimarum cunctos humores expendi et, sicut

1. Date : première moitié de 432, postérieure à la lettre C 4 aux moines à laquelle elle fait allusion : voir M. Richard, « L'activité littéraire de Théodoret... », p. 94, n. 4. Se substituant à l'archevêque déposé et à son successeur tenu pour illégitime, Théodoret dispense à ce peuple orphelin un enseignement dogmatique, à visée polémique, d'abord sur la Trinité, puis sur l'Incarnation.

5

Au peuple de Constantinople

Lettre de Théodoret, évêque de Cyr,
qui l'écrivit au peuple de Constantinople,
et qui montre que non seulement avant et après,
mais aussi lorsqu'il se rendit d'Éphèse à Chalcédoine
et revint de Chalcédoine dans son diocèse,
il prêcha toujours la foi catholique, bien qu'il ait tardé
à condamner Nestorius, parce qu'il ne croyait pas
que fussent de lui les croyances que Nestorius lui-même
niait être les siennes, et qui, pensait-il,
avaient été acceptées, à Éphèse, comme les siennes
à partir de feuillets mis sous son nom sans aucun témoin [1]

Ce qu'éprouvent et font les mères des oiseaux chaque fois qu'elles voient que leurs nids vont être pillés — car alors elles sont pleines d'angoisse, poussent un cri aigu et invitent leurs petits encore tendres à voler comme elles, afin d'échapper aux mains des chasseurs —, c'est ce que, pour ma part, j'éprouve et je fais quand j'entends monter de votre lettre [2] vos lamentations et que, par les yeux de l'intelligence, je vous vois, vous aussi, pour ainsi dire, pousser en tremblant un cri aigu. Car aussitôt que j'ai eu examiné votre lettre, j'ai versé toutes les larmes de mon corps, « mes yeux », comme dit le prophète, « ont versé des

2. La lettre est donc la réponse à une lettre, perdue, émanant de la communauté de Constantinople restée fidèle à Nestorius et soutenue par certains prélats, tels que Dorothée de Marcianopolis, qui entretenaient ce foyer, pendant que, de son côté, Maximien, successeur de Nestorius, soutenu par le pouvoir, se défendait avec vigueur.

dicit propheta, « exitus aquarum deposuerunt oculi mei[a] », et tacens simul ac gemens permansi diutius, hoc improuisum cogitans malum et diuisionem corporis ecclesiae et proelium omni bello ciuili deterius.

Non enim de una tribu tantummodo sumus, sed de utero uno, eundem gloriantes habere nos patrem omnium Deum, eandem matrem sanctissimam fontem. Non solum uero unius uteri sumus, sed unius quoque tori, unius mensae, unius et uictus, et licet membra multa simus atque diuersa, unum tamen corpus efficimus circa apostolicam doctrinam dicentes : « Vos corpus Christi et membra de membro[b]. » Sed nec naturae cognatio nec communio partuum nec quod una mystica mensa perfruimur nec quod manus inuicem sumus ac pedes et oculi et quod unum corpus uniuersi complemus, uinculum sufficit seruare concordiae, contemptis uero cunctis legibus pacis, tamquam latrantes <canes> propria membra discerpimus et aduersariis facti sumus praeda facillima atque insultationis et illusionis occasio, eo quod inuicem nobis sicut aduersariis abutamur incidentesque cuneum nostrum et partes eius in inuicem uertamur, unde rident quidem gentilium pueri, rident quoque Iudaei, exiliunt agmina haereticorum ouanturque cuncti aduersarii ueritatis et nostris malis insultant, contra inuicem nos respicientes partitos, et propriam pacem nostrum proelium ducunt.

a. Ps 118, 136 b. 1 Co 12, 27

ruisseaux de larmes[a] », et longtemps je n'ai pas cessé de rester silencieux et de gémir tout à la fois, en songeant à ce malheur inattendu, à cette scission du corps de l'Église, à ce combat pire que toutes les guerres civiles.

Nous ne sommes pas, en effet, seulement issus de la même famille, mais nous sommes sortis du même sein et nous sommes fiers d'avoir pour père commun le Dieu de l'univers et la même mère très sainte pour origine[1]. Et nous ne sommes pas seulement du même sein, mais aussi de la même couche, nous sommes de la même table, nous prenons aussi la même nourriture et, bien que membres multiples et divers, nous formons toutefois un seul corps, selon l'enseignement de l'Apôtre qui dit : « Vous êtes le corps du Christ et vous êtes ses membres, chacun pour sa part[b]. » Cependant ni notre parenté naturelle, ni notre communauté de naissance, ni le fait que nous participons à la même table mystique, ni cette pensée que nous sommes les mains, les pieds et les yeux les uns des autres et que nous constituons tous ensemble un seul corps ne suffisent à sauvegarder le lien de la concorde et, méprisant au contraire tous les préceptes de paix, comme des chiens qui aboient, nous mettons en pièces nos propres membres et nous sommes devenus pour nos adversaires la plus facile des proies en même temps qu'un objet de dérision, du fait que nous sommes entre nous comme nous serions avec des ennemis, et que, divisant en deux notre armée, nous jetons les deux parties l'une contre l'autre. Voilà pourquoi assurément les enfants des païens rient et pourquoi les juifs rient, eux aussi, pourquoi les bataillons des hérétiques exultent et les ennemis de la vérité poussent des cris de triomphe et insultent à nos malheurs, quand ils nous voient divisés entre nous, et pourquoi ils voient dans nos luttes la

1. Schwartz conjecture une lacune entre *sanctissimam* et *fontem* ; inutilement, semble-t-il.

Hos autem qui horum causae sunt facti, nec hoc euigilare facit atque ad semet ipsos reuerti, ut radicitus euellant quae male sunt seminata zizania, et salutaribus apostolorum sint contenti seminibus, quae Spiritus per omnia sancti gratia praestitit. Haec igitur mox ut epistulam legi, mente percipiens, ingemui, lamentatus sum, in lacrimis meditationes expendi quas peperit dolor, quando super ista quae dixi, in animo introiit non error solum seducentium, sed et illorum qui seducuntur laesio.

Sed dum recogitassem eum qui a principio usque nunc ecclesiae statum, et quomodo superans expugnata, expugnans superata perficit, dum uirtus a Domino in infirmitate <perficitur> ac probatur circa ipsius Domini uocem [c], aliquantulum recreatus sum nimietatemque dissolui tristitiae. Rememoratus enim etiam sanctorum euangeliorum doctrinas, inueni saluatorem Dominumque nostrum nihil suaue neque festiuitate dignum in terrena uita sanctis suis promisisse discipulis, labore uero esse atque sudores <pro> sua lege ferendos et iniurias ac iurgia et plagas atque flagella et quaestiones praedicere. « Ecce, inquit, ego mitto uos sicut oues in medio luporum et coram praesides ac reges ducemini propter me, et in synagogas suas flagellabunt, et eritis odio omnibus propter nomen meum [d]. » Et post ista insurrectionem in inuicem docens ait : « Tradet autem frater fratrem in mortem et pater filios ; et insurgent filii in parentes et morte eos afficient [e]. »

c. Cf. 2 Co 12, 9 d. Mt 10, 16-18 e. Mt 10, 21

1. Même thème, mais moins développé, dans l'exorde de la lettre C 4, aux moines.

2. Cyrille et ses partisans qui, selon Théodoret, auraient introduit dans la foi apostolique des innovations jugées par lui hérétiques ; à propos du

garantie de leur propre paix [1]. Quant à ceux qui ont été à l'origine de cette situation [2], cela même ne peut les réveiller et les faire rentrer en eux-mêmes pour déraciner les mauvaises herbes qui y ont été semées et se contenter de la semence de vie des apôtres que la grâce de l'Esprit-Saint leur a fournie. Aussi, voyant dès la lecture de votre lettre toutes ces tristesses, je me suis mis à gémir sur elles, je me suis lamenté, j'ai médité dans les larmes les pensées qu'a fait naître la douleur, lorsque, outre ce que j'ai dit, je me suis pris à songer non seulement à la faute que commettent les séducteurs mais aussi au mal qu'ils font à ceux qu'ils séduisent.

Et pourtant, après avoir songé par ailleurs à ce que fut la situation de l'Église depuis le début jusqu'à nos jours, à la façon dont elle est parvenue à triompher après avoir été vaincue et à vaincre après qu'on eut triomphé d'elle, parce que c'est dans la faiblesse que la puissance du Seigneur se manifeste et se prouve, selon la parole du Seigneur lui-même [c], je me suis senti quelque peu revivre et j'ai dissipé l'excès de ma tristesse. Car, me ressouvenant aussi des enseignements des saints évangiles, j'ai vu que notre Sauveur et Maître n'a promis à ses saints disciples aucune douceur ni aucune source de joie en cette vie, mais leur annonçait au contraire qu'ils auraient à supporter pour sa loi des travaux et des peines, et connaîtraient les outrages, les disputes, les coups de fouet et les tortures. « Voici, dit-il, que je vous envoie comme des brebis au milieu des loups, vous serez traduits, à cause de moi, devant gouverneurs et rois, ils vous flagelleront dans leurs synagogues et vous serez en haine à tous à cause de mon nom [d]. » Et leur annonçant ensuite les soulèvements qui les dresseraient les uns contre les autres, il leur dit : « Le frère livrera son frère à la mort, et le père ses enfants, et les enfants s'élèveront contre leurs parents et les feront mettre à mort [e]. »

jugement porté par l'évêque de Cyr sur Cyrille et ses Anathématismes, cf. p. 63, n. 5.

Eorum uero quae dicta sunt finalis extremaque sententia continet etiam fructum : « Qui autem perseuerauerit usque in finem, hic saluus erit[f]. » Discimus ergo ex his nihil remissum plenumque laetitiae quaerere in praesenti uita, bonorum uero quae sperantur sortitionem uiriliter sustinere et fortiter ferre quaecumque propter ueritatem contigerint tristia. Huiusmodi enim perseuerantia futura nobis bona prouidebit. Dicit enim beatus Paulus quia « tribulatio patientiam operatur, patientia uero probationem, probatio autem spem, spes autem non confundit[g] ». Confessionis tribulatio festiuitatis initium est ; qui uero illam sustinent, cui non potest misceri tristitia, et in inediae experimento nutriuntur rebus <futuris>. Exspectationes fructuum pondus laboris exonerant, unde et sanctorum apostolorum contubernium, dico autem Petrus et Iohannes, dum a Iudaeis perflagellati fuissent, exierunt gaudentes quia digni facti sunt iniuriam pro Christi nomine sustinere[h]. Et Paulus pietatis procertator exclamat : « Complaceo mihi in inflrmitatibus, in iniuriis, in necessitatibus, in persecutionibus, in angustiis, in seditionibus pro Christo[i]. » Explicans rationem dicit : « Quando enim infirmor, tum potens sum[j]. » Et non ait : « Tolero infirmitates et iniurias » et reliqua, sed « Complaceo », inquit, id est gaudens suscipio, cum uoluntate flagellor, tormentis gaudeo, festiuitas doloribus commiscetur, et illa quidem natura sensibus ingerit, hanc uero uoluntas adducit. Et mox infert inquiens ita : « Si gloriari oportet, de infirmitate mea gloriabor[k] », et alibi : « Non solum uero, sed et

f. Mt 10, 22 g. Rm 5, 3-5 h. Cf. Ac 5, 41 i. 2 Co 12, 10a
j. 2 Co 12, 10b k. 2 Co 11, 30

Cependant la phrase finale et dernière contient la récompense de tout ce qui a été dit : « Mais celui qui persévérera jusqu'à la fin, celui-là sera sauvé [f]. » Ces textes nous enseignent donc à ne chercher dans la vie présente ni tranquillité ni joie parfaite, mais à attendre avec courage la distribution des biens que nous espérons et à supporter vaillamment toutes les tristesses que nous pouvons avoir à subir pour la vérité, puisque c'est à une telle persévérance que nous devrons les biens qui nous sont destinés. Le bienheureux Paul dit en effet : « La tribulation produit la constance, la constance une vertu éprouvée, et la vertu éprouvée l'espérance ; et l'espérance ne trompe pas [g] [1]. » La tribulation du témoignage est le commencement de la joie, et ceux qui supportent cette tribulation, à laquelle la tristesse ne saurait être mêlée, se nourrissent des biens à venir au moment même où ils font l'expérience de la disette. L'attente des récompenses rend plus léger le poids de l'épreuve. C'est pourquoi le couple des deux saints apôtres, je veux dire Piere et Jean, qui venaient d'être flagellés par les juifs, s'en allèrent joyeux parce qu'ils avaient été jugés dignes de souffrir des opprobres à cause du nom du Christ [h]. Et de son côté, Paul, ce champion de la foi, s'écrie : « Je me plais dans les faiblesses, dans les insultes, dans les contraintes, dans les percésutions, dans les angoisses, dans les séditions endurées pour le Christ [i]. » Et, expliquant la raison de cette joie, il dit : « Car lorsque je suis faible, c'est alors que je suis fort [j]. » Il ne dit pas : "Je supporte les faiblesses et les insultes" et le reste, mais « Je me plais », dit-il, c'est-à-dire : j'accepte avec joie, je suis heureux d'être flagellé, je me réjouis des tourments, la joie est mêlée aux douleurs et, si la nature inflige les unes aux sens, la volonté, elle, leur inspire l'autre. Et il poursuit aussitôt en disant : « S'il faut me glorifier, c'est de ma faiblesse que je me glorifierai [k] », et ailleurs : « Bien plus,

1. Voir le commentaire de ce texte par Théodoret : *In Rom.* 5, 4-5 (*PG* 82, 96 D).

gloriamur in tribulationibus[l]. » Non autem dicit : « Perseueramus » uel « Toleramus » uel « Tribulationes patienter ferimus », sed ait : « Gloriamur in tribulationibus[l] », inter tribulationes declarans uoluntatem animaeque fiduciam de spe notificans futurorum. Quia enim in principio certaminum summitas est dolorum, et circumuallantium se malorum multitudinem cernens et deprecans ut seruetur ex tribus certaminibus, iudicem dicere audiit : « Sufficit tibi gratia mea ; uirtus enim mea in infirmitate perficitur[m]. » Laetabatur postea flagellatus, insultabat cum torqueretur, extentus quasi in choro gaudebat, cum plagis finderetur, ymniebat, gratias agebat in uinculis, ecclesias ex carceribus faciebat, noctes psalmodiis mutabat in dies, irascebatur contra eos quos flere audiebat propter futuras ei temptationes, atque dicebat : « Quid fletis et contunditis cor meum ? Ego enim non solum ligari, sed et mori pro Domini nostri Iesu Christi nomine paratus sum[n]. »

Ista omnis apostolorum chorus faciens <patiens>que permansit, haec qui post illos fuerunt ueritatis athletae, haec sunt etiam multi qui pro pia religione sentiant atque perficiant. Non enim nos omnino deseruit illa [autem] gratia quae cernit desuper universa, dereliquit autem nobis Dominus semen, ut non similemur Sodomis et Gomorris, et est opera etiam <eius> per misericordiam Saluatoris aurea grana in botruo cernere, quae circa imaginem propheticam[o] benedictio Domini nominantur, et spicas non duas aut tres sed multa milia solida in ualle radicatas

l. Rm 5, 3 m. 2 Co 12, 9 n. Ac 21, 13 o. Cf. Is 65, 8

nous nous glorifions même dans les tribulations[l]. » Il ne dit pas : "Nous demeurons ferme" ou "Nous supportons" ou encore "Nous soutenons avec patience les tribulations", mais il dit : « Nous nous glorifions dans les tribulations[l] », découvrant ainsi ses sentiments au milieu des tribulations et faisant connaître l'assurance de son âme au sujet de l'attente des biens futurs. En effet, comme c'est au début des combats que les douleurs sont les plus vives, tandis qu'il voyait une foule de maux l'entourer comme d'une muraille et qu'il suppliait le Seigneur de le sauver à la suite de trois combats, il entendit le Juge lui dire : « Ma grâce te suffit, car c'est dans la faiblesse que ma puissance se montre tout entière[m]. » Et voilà qu'après cela il se réjouissait d'être flagellé, sautait de joie quand on le torturait ; écartelé, il était heureux comme s'il avait été dans un chœur, tandis que son corps était sillonné de coups, il chantait des hymnes, rendait grâce au milieu des chaînes, transformait les prisons en églises, par ses psaumes changeait les nuits en jours, s'emportait contre ceux qu'il entendait pleurer à cause des attaques dont il serait l'objet et leur disait : « Que faites-vous de pleurer et de me briser le cœur ? Car moi, je suis prêt non seulement à être lié, mais encore à mourir pour le nom de notre Seigneur Jésus-Christ[n]. »

Voilà ce que le chœur entier des apôtres n'a cessé de faire et de souffrir, voilà ce qu'ont fait après eux les athlètes de la vérité, voilà ce que bien des gens aussi sont capables de subir et de réaliser pour la sainte foi. Car la bienveillance qui voit d'en haut toutes choses ne nous a pas complètement abandonnés, mais le Maître nous a laissé une semence, afin que nous ne devenions pas semblables à Sodome et Gomorrhe, et c'est encore par le moyen de cetten semence que, grâce à la miséricorde du Sauveur, on peut voir sur la grappe les raisins dorés qui, selon l'image du prophète[o], sont appelés la bénédiction du Seigneur, et non pas deux ou trois épis, mais de nombreux milliers qui

et uberes, oliuas quoque non quattuor aut quinque tantum, sed numero plures super extremitatem plantatas montis excelsi, quae ab inimicis furantibus auferri non queant. Haec enim tropice propheta sanciuit de his quos pietas nutrit qui diuinum depositum minime prodiderunt, sed intemptabile atque incontaminabile seruauere. Scit Dominus qui sunt eius, et adest precum firmator et excitat laborem sua propugnatione <et> leuigat clamore : « Non te deseram neque derelinquam[p] » et « Adhuc loquente <te> dicam : Ecce adsum[q] », « Ecce ego uobiscum sum omnibus diebus usque ad consummationem saeculi[r] » et « Confidite, ego uici mundum[s] » et « Sufficit uobis gratia mea, uirtus enim mea in infirmitate perficitur[t]. » Ob hoc enim quia impugnati et multa undique sagittarum milia excipientes neque fugiebant neque cadebant, sed fortiter stabant et habebant immobilem mentem, <ob> hoc ipsum ait amplius praedictam eis regni uirtutem. Expendentes enim sagittas impugnabant aduersus nos et lapides ac lanceas *** meos non deiciunt milites. Hoc igitur audientes uerbum contra insurgentes molestias haesitare non conuenit, sed fortiter stare hereditatemque paternam inadibilem furibus custodire et supernum custodire nutum. Veniet enim quandoque qui uentu-

p. He 13, 5 q. Is 58, 9 r. Mt 28, 20 s. Jn 16, 33
t. 2 Co 12, 9

1. Souvenir possible d'Is 47, 5 : οὐκέτι μὴ κληθήσῃ ἰσχὺς βασιλείας, si l'on admet que les mots *amplius praedictam regni uirtutem* traduisent à peu près le texte qui devait être celui de Théodoret : μείζονα προειρημένην ἰσχὺν βασιλείας. Le sujet de *ait* est évidemment le Seigneur, mais Théodoret semble penser encore à Is 65, 8, où Dieu parle par la bouche du prophète (voir le commentaire de ce chapitre d'Isaïe par Théodoret : *SC* 315, p. 315-316).

ont poussé leurs racines au cœur d'une vallée, et aussi des oliviers — non pas seulement quatre ou cinq, mais bien davantage — plantés sur le sommet d'une haute montagne, où des ennemis malhonnêtes ne peuvent les arracher. Telles sont, en effet, les vérités qu'à travers des images le prophète a posées en parlant des nourrissons de la foi qui n'ont pas trahi le dépôt divin, mais l'ont gardé à l'abri des attaques et des souillures. Le Maître connaît les siens, les assiste et exauce leurs prières, les stimule en se faisant lui-même leur défenseur, et allège leur fardeau en s'écriant : « Je ne te délaisserai point et ne t'abandonnerai point [p] », et « Je te dirai, tandis que tu parleras encore : Me voici [q] », et « Moi, je suis avec vous toujours jusqu'à la fin du monde [r] », et « Ayez confiance, j'ai vaincu le monde [s] », et « Ma grâce vous suffit, car c'est dans la faiblesse que ma puissance se montre tout entière [t]. » C'est, en effet, parce que, au milieu même des assauts et alors qu'ils recevaient de tous les côtés des milliers de flèches, on ne les voyait ni fuir ni tomber, mais parce qu'ils restaient courageusement debout et demeuraient inébranlables, c'est pour cela même que le Seigneur a dit que plus grande serait la force du Royaume qui leur avait été annoncée [1]. Préparant, en effet, leurs flèches [2], ils combattaient contre nous et... pierres et lances... ils n'abattent pas mes soldats. Aussi, lorsque nous entendons cette parole, il convient non pas de nous arrêter devant les peines qui surgissent, mais de rester courageusement debout, de maintenir à l'abri des voleurs l'héritage de nos pères et d'exécuter la volonté d'en haut. Car un jour arrivera où celui qui doit venir viendra

2. Les mots *Expendentes enim sagittas* pourraient bien rendre ἑτοιμάσαντες γὰρ βέλη (cf. Ps 10, 2 : ἡτοίμασαν βέλη). Les mots *Hoc igitur audientes uerbum*, qui suivent, permettent de supposer qu'une citation biblique explicite figurait dans la lacune que Schwartz proposait de combler par une conjecture (*iaculantes, sed lapides, ait, et lanceae*) que nous n'avons pas cru devoir retenir.

rus est, et non tardabit et athletas proprios coronabit. Credimus uero quia et gregem suam, quae diuisa est, celeriter uniet, et pascit nos continuo et non sinit fieri sicut in principio, quando non erat nobiscum, et eos qui errauerunt, conuertet et languentes saluabit et salutem custodiet incolumibus.

Confidite igitur uos, qui estis piae religionis peculiare nutrimentum, et uestram ipsorum salutem operamini, ad uirtutes animi inuicem prouocantes et diuinas leges ad memoriam reducentes deprecantesque Deum ut hanc caliginosam nubem pinguemque dissoluat et omnibus lumen ueritatis ostendat et doceat uniuersos quia impassibilis et immutabilis est trinitatis natura secundum sanctorum patrum doctrinam qui Nicaeam conuenerunt, dicentes « eos enim qui dicunt : ‘ Erat aliquando quando non erat ’ et ‘ Antequam nasceretur, non erat ’ aut quia ex non extantibus factus est uel ex alia <qua>cumque subsistentia, dicentes esse uertibilem aut mutabilem Filium Dei, hos anathematizat sancta catholica ecclesia ». Qui ergo diuinae naturae passiones apponunt, eam uertibilem dicunt atque mutabilem ; mutatur namque ac uertitur quod se aliter atque aliter habet. Qui autem uertibilem dicunt atque mutabilem sub patrum maledictione sunt sancto-

1. L'expression *piae religionis peculiare nutrimentum* est sans doute la mauvaise traduction latine d'une formule chère à Théodoret : οἱ τρόφιμοι τῆς πίστεως (τῆς εὐσεβείας, τῆς ἀρετῆς) ; cf. *Index graecus, PG* 84, 1143. *Peculiare* = γνήσιον.

2. Ici seulement commence la partie doctrinale de la lettre. En parlant de la Trinité, Théodoret insiste sur l'immutabilité commune aux trois personnes que certaines conceptions d'une compromission du Fils dans la Passion léseraient comme jadis les idées ariennes relatives à la génération divine, condamnées à Nicée, dont la confession de foi est citée (p. 142, l. 161). Les deux partis, en effet, à l'époque d'Éphèse, ont passionnément souhaité pouvoir résoudre leur différend à l'aide du seul Symbole de Nicée, sans s'exposer aux risques d'une nouvelle

et, sans tarder, couronnera ses propres athlètes. Nous croyons qu'il rassemblera rapidement son troupeau divisé, sera pour toujours notre pasteur et ne permettra pas que les choses se passent comme au début, lorsqu'il n'était pas encore avec nous, mais ramènera ceux qui s'étaient fourvoyés, guérira les malades et maintiendra les bien-portants en bonne santé.

Ayez donc confiance, vous qui êtes les authentiques nourrissons de la sainte foi [1] et opérez votre propre salut en vous exhortant mutuellement à la pratique des vertus morales, en vous remettant en mémoire les préceptes divins et en suppliant Dieu de dissiper ce nuage épais qui nous obscurcit, de montrer à tous le flambeau de la vérité et d'enseigner [2] au monde entier que la Trinité est par nature impassible et immuable, selon la doctrine des saint Pères réunis à Nicée, qui déclare : « Ceux, en effet, qui disent : ‘Il fut un temps où il n'était point’ et ‘Avant de naître, il n'était pas’, ou qui prétendent qu'il a été créé à partir du néant ou à partir de quelque autre substance, en déclarant que le Fils de Dieu est susceptible de changer et de se transformer, la sainte Église catholique les frappe d'anathème. » Ceux donc qui attribuent à la nature divine les souffrances disent, par là, que celle-ci est susceptible de changer et de se transformer ; elle change, en effet, et se transforme si elle se présente tantôt d'une façon et tantôt d'une autre. Or ceux qui prétendent qu'elle est susceptible de changer et de se transformer tombent sous la malédic-

définition de la foi. Le mot *subsistentia* (l. 164) équivaut, dans la langue de l'époque, au grec ὑπόστασις ; l'absence d'un mot qui traduirait le terme οὐσία (essence), présent dans le Symbole, peut s'expliquer soit par la faute de Théodoret, soit, plus probablement, par celle du traducteur. Le texte cité appartient à l'appendice, lui aussi de caractère dogmatique, ajouté par les Pères à la confession de foi. Sur le Symbole de Nicée, cf. I. Ortiz de Urbina, *Histoire des conciles œcuméniques. 1. Nicée et Constantinople*, Paris 1963, p. 68-92 ; Id., *El simbolo niceno*, Madrid 1947 ; J. N. D. Kelly, *Early Christian Creeds*, Londres 1950.

rum. Si enim quod impassibile est naturaliter, tulit uertibilitatem mutabilitatemque sustinuit, quod autem conuertitur ac mutatur, iam non est inconuertibile neque immutabile, quomodo igitur per prophetam Deus exclamat : « Ego sum, ego sum, et non mutabor[u] »? Si ergo Deus semet ipsum immutabilem uocat et beati patres huic uoci oboedientes anathematizant hos qui hunc uertibilem atque mutabilem uocare praesumunt, quis ita propriam salutem despiciat ut et aduersa alleget contra Deum et his qui subtiliter <de> diuinis edocti sunt, aperte repugnet?

Oportet igitur credere in Patrem et Filium et Spiritum sanctum, et Patrem quidem, qui non sit ex aliquo alio nec existendi causam ab aliquo habeat, Filium uero ex Patre quidem genitum consempiternum, <non> tamen eum qui hunc genuit, existentem. Et nulli hoc uerbum absque omni persuasibilitate uideatur. Nam sicut Filius quidem genitus ex Patre, sicut Verbum uero et splendor gloriae[v], consempiternus est patri, et est quidem sicut Filius, ex Patre, sicut Verbum, in Patre, sicut autem splendor, cum Patre, sicut uero considens una cum Patre ***. Identidem credimus de Spiritu sancto, quem nos Dominus docuit ex Patre procedere et apostolus tradit dicens : « Nos autem non spiritum mundi accepimus, sed Spiritum qui ex Deo

u. Ml 3, 6   v. Cf. He 1, 3

---

1. Il ne paraît pas du tout évident qu'il y ait, comme le pensait Schwartz, une lacune devant *quomodo igitur* : nous pensons que cet adverbe introduit, sous forme interrogative, la conclusion du syllogisme dont les deux propositions relatives qui précèdent constituent respectivement la majeure et la mineure.

2. La leçon de *Malachie* (3, 6) qui se lit ici ainsi que dans la lettre S 145 (*SC* 111, p. 166, l. 2-3 et n. 1) et dans le commentaire de ce prophète par Théodoret (*PG* 81, 1980 C) se retrouve chez AMBROISE, *De fide* I, 19, 131.

tion des saints Pères. Si, en effet, ce qui est impassible par nature a subi la convertibilité et a supporté la mutabilité, et si ce qui se convertit et change n'est plus dès lors inconvertible et immuable [1], comment donc Dieu peut-il s'écrier par la bouche du prophète : « Moi, je suis, je suis, et je ne change pas [u 2] »? Si donc Dieu se déclare lui-même immuable et si les bienheureux Pères, fidèles à cette parole, frappent d'anathème ceux qui osent le déclarer sujet à la convertibilité et à la mutabilité, qui pourra bien se montrer indifférent à son propre salut au point d'alléguer au détriment de Dieu des opinions contraires et de s'opposer ouvertement à ceux qui ont été exactement informés des choses divines?

Il faut donc croire au Père, au Fils et au Saint-Esprit : au Père, qui ne procède point de quelque autre ni ne tient de personne le principe de son être ; au Fils, engendré du Père de toute éternité, sans être cependant confondu avec celui qui l'a engendré. Et que personne ne voie dans cette parole une pensée que la raison ne puisse admettre : car si le Fils, en tant que Fils, a été engendré du Père, en tant que Verbe et rayonnement de sa gloire [v], il est coéternel avec le Père, et si en tant que Fils, il est du Père, en tant que Verbe, il est dans le Père, en tant que son rayonnement, il est avec le Père, et, en tant que siégeant au côté du Père [3]... Et notre foi est la même au sujet de l'Esprit-Saint, dont le Seigneur nous a enseigné qu'il procède du Père, ainsi que l'Apôtre lui-même nous le fait savoir en disant : « Pour nous, nous avons reçu non l'esprit du monde, mais l'Esprit qui vient de Dieu [w 4]. » Nous croyons

3. Il y a vraisemblablement une lacune après *Patre*, Schwartz propose de la combler par *consempiternus Patri*.

4. Sur le Saint-Esprit, Théodoret insiste moins qu'il ne le fera dans d'autres textes anticyrilliens niant toute participation du Fils à sa venue à l'existence, tout en affirmant contre Cyrille, à l'aide de deux textes de l'Écriture (Jn 15, 26 et 1 Co 2, 12), la procession de l'Esprit à partir du Père. Sur la procession du Saint-Esprit, voir p. 102, n. 1.

est[w]. » Credimus igitur unam esse Patris et Filii et Spiritus sancti diuinitatem, unam dominationem, unum regnum et potestatem atque consilium in tribus proprietatibus siue in subsistentiis agnoscendam. At uero illis relinquamus minus et maius, qui ea quae infinita sunt tamquam per linguam pensare praesumunt ; nos autem unam trinitati offeramus adorationem. Praecipimur enim sic honorare Filium sicut adoramus et Patrem, et in honore Spiritum sanctum Patri et Filio connumerare sumus edocti.

Tanta nobis ad praesens <de> diuinae naturae deiloquio dicta sint ; sicut docens enim, non sicut disceptans, feci sermones et doctrinam fratribus, non inimicis offerimus. De dispensatione uero credere conuenit quia unigenitus Dei Filius, Deus Verbum, qui ante saecula est, propter nostram salutem incarnatus est et inhumanatus et habitauit in nobis et factus est caro[x], non uertibilitate diuinitatis sed assumptione humanitatis. Forma enim Dei existens, formam serui accepit et in terra uisus est per humanam naturam et cum hominibus conuersatus est, propter quod etiam templum[y] uocat assumptam naturam,

w. 1 Co 2, 12 x. Cf. Jn 1, 14 y. Cf. Jn 2, 19-21

1. *In tribus proprietatibus siue in subsistentiis* = ἐν τρίσι ἰδιότησι ἤτοι ὑποστάσεσιν : le mot ἰδιότης désignant la propriété ou l'ensemble des propriétés particulières aux trois personnes divines. Sur cette formule d'origine cappadocienne et sans équivalent dans la théologie moderne, cf. A. Grandsire, « Nature et hypostase divines dans saint Basile », *RSR* 13, 1923, p. 130-52 ; W. Jaeger, « Basilius und der Abschluss des trinitarischen Dogmas », *ThLZ* 83, 1958, p. 255-58 ; M. Richard, « L'introduction du mot ʻ Hypostase '... ».

2. Il s'agit de la *théologie* au sens du mot grec θεολογία, qui pour les Pères est l'exposé de la doctrine sur Dieu considéré en lui-même, soit dans son unité, soit dans sa trinité.

donc que Père, Fils et Esprit-Saint sont une unique et même divinité, une seule souveraineté, une seule royauté, une seule puissance et une seule pensée, qui doit être reconnue en trois propriétés ou hypostases [1]. Quant aux questions de plus et de moins, laissons-les à ceux qui ont la présomption de peser pour ainsi dire avec leur langue les mystères de l'infini : pour nous, offrons à la Trinité une seule adoration, puisqu'on nous enseigne à honorer le Fils de la même façon que nous adorons le Père, et qu'on nous a appris à rendre à l'Esprit-Saint les mêmes honneurs qu'au Père et au Fils.

En voilà assez pour l'instant sur ce qui est à dire de la nature de Dieu [2], puisque c'est pour un enseignement, non pour une discussion, que je me suis entretenu avec vous et puisque notre enseignement est offert à des frères et non point à des adversaires. Quant à l'économie [3], nous devons croire que le Fils unique de Dieu, le Dieu Verbe, qui est antérieur aux siècles, s'est incarné pour notre salut, s'est fait homme, a habité parmi nous et s'est fait chair [x], non point par changement de la divinité mais en assumant l'humanité. Car, bien qu'il fût dans la condition de Dieu, il prit la condition de l'esclave, fut vu sur terre par le moyen de la nature humaine et se mêla aux hommes, et c'est pour cela qu'il va jusqu'à appeler « temple [y] » la nature qui a été

3. Au sujet de l'Incarnation (« l'économie »), fidèle au dyophysisme antiochien, Théodoret insiste sur la présence dans le Christ des deux natures distinctes, celle du Verbe, issue du Père éternel, et son humanité, issue de la race d'Abraham, mais affirme en même temps l'unicité de la personne, grâce à l'assomption de la nature humaine par le Verbe : une affirmation appuyée sur un bref dossier scripturaire. Sur l'usage par Théodoret de formules concrètes à propos de l'Incarnation jusqu'en 432, voir M. Richard, « Notes sur l'évolution doctrinale de Théodoret », p. 459-67 ; sur la théologie de l'assomption de l'humanité par le Verbe : F. Déodat de Basly, « L'*assumptus homo* », dans *La France franciscaine* 11, p. 265-314 ; A. Gaudel, « La théologie de l'*Assumptus homo*. Histoire et valeur doctrinale », *RSR* 17, 1937, p. 64-90 ; 214-234 ; 18, 1938, p. 45-71 ; 201-217.

differentiam eius qui accepit, ad id quod assumpsit, ostendens et quia hoc quidem Deus est, illud uero templum, utrumque autem unus Christus, unus Dominus, unus Filius unigenitus et idem primogenitus. Hoc enim nos etiam beatus Paulus edocuit dicens : « Vnus Dominus Iesus Christus, per quem omnia[z] », et in epistula ad Hebraeos : « Iesus Christus heri et hodie ipse et in saecula[a'] », et alibi : « Vnus Dominus, una fides, unum baptisma[b']. » Et patres autem qui in Nicaeam congregati sunt inquiunt : « Et in unum Dominum Iesum Christum Filium Dei ». Quos sequentes, unum quidem Christum et Dominum confitemur Filium Dei, in ipso uno autem duas naturas agnoscimus et nouimus unum eumdemque recentem et sempiternum, ex Abraham recentem secundum humanitatem, aeternum <ex Deo> secundum diuinitatem, passibilem circa id quod uisibile est, impassibilem circa inuisibilem naturam, ex Deo quia Deus est, ex Abraham, quia homo est. Sic unum Filium confitentes, agnoscimus quae cuiusque naturae sunt propria.

Haec uobis iterum, uelut in sumna, de dogmatibus pietatis scripsimus; direximus autem uobis et ea quae a nobis ad monachos sanctissimos scripta sunt, et diuinorum

z. 1 Co 8, 3 a'. He 13, 8 b'. Ep 4, 5

1. Théodoret cite de nouveau Nicée et, à la suite de ce Concile, mentionne le Christ avant de mentionner le Fils, de sorte qu'on peut avoir l'impression que l'unique Fils est constitué par l'Incarnation, plutôt que préexistant à elle : mais auparavant il a utilisé à trois reprises le concept d'assomption et affirmé que le Fils unique de Dieu a assumé l'humanité, une nature (humaine), ce qui suggère une vision plus à la verticale de cette Incarnation.

assumée, pour montrer qu'il faut faire la distinction entre celui qui a pris cette nature et la nature qui a été assumée, et que, si l'un est Dieu et l'autre temple, les deux forment un seul Christ, un seul Seigneur, un seul Fils, à la fois monogène et premier-né. C'est, en effet, ce que le bienheureux Paul nous a enseigné en disant : « Un seul Seigneur Jésus-Christ, par qui sont toutes choses [z] », et dans la *Lettre aux Hébreux* : « Jésus-Christ est le même hier et aujourd'hui, il le sera éternellement [a'] », et ailleurs : « Un seul Seigneur, une seule foi, un seul baptême [b']. » Et, à leur tour, les Pères qui se sont réunis à Nicée déclarent : « Et en un seul Seigneur Jésus-Christ le Fils de Dieu ». Fidèles à leur pensée [1], nous confessons un seul Christ et un seul Seigneur, Fils de Dieu, mais nous maintenons dans cet Unique deux natures et nous savons que cet unique Christ est à la fois nouveau et éternel, nouveau en tant qu'issu d'Abraham selon l'humanité, éternel en tant qu'issu de Dieu selon la divinité, passible dans ce qui est visible, impassible dans la nature invisible, procédant de Dieu, parce que Dieu, et d'Abraham, parce que homme. Ainsi, tout en confessant un seul Fils, nous reconnaissons les propriétés particulières de chaque nature.

Voilà ce que, de nouveau, nous vous écrivons, en une sorte de résumé, sur les croyances de la foi ; nous vous envoyons aussi ce que nous avons écrit aux très saints moines [2] et un ouvrage qui traite avec plus de détail des

2. Très probablement la lettre C 4, aux moines d'Orient. Le second ouvrage dont il est question est vraisemblablement le *Pentalogos*, en 5 livres, écrit contre Cyrille et le concile d'Éphèse peu de temps après le Concile : nombreux fragments en traduction latine dans la *Coll. Palatina* (*ACO* I, 5, p. 165-170) ; plusieurs citations grecques dans la chaîne sur Luc de Nicétas d'Héraclée, cf. M. Richard, « Les citations de Théodoret conservées dans la chaîne de Nicétas sur l'Évangile selon saint Luc », *Revue Biblique* 43, 1934, p. 88-96.

dogmatum latius opus habens et claram contrariorum conuictionem. Super haec autem direxi uobis <lectionem quam exposui sanctissimae> et amatrici Dei congregationi, et ea quae ad Deo amicissimos episcopos a nobis dicta sunt, qui discere uolerunt quae sit eorum quae mouentur causa ; petierunt enim a nobis, hanc eis manifestam statueremus et claram. Si uero uacare potuero, et ea quae de sancta trinitate et de diuina dispensatione olim a me scripta sunt, dirigo uobis, non ut satietatem uobis faciam diuinorum, sed ut accendam desiderium uestrum ardentiusque perficiam. Potens uero est Deus omni uos implere sapientia spiritali et quod deest, ex magistrorum interpretationibus adimplere, ut etiam dicat ipse de uobis : « Oues meae uocem meam audient[c'] » et « cognosco eas[d'] », et uos ei respondeatis : « Dominus regit me, et nihil mihi deerit[e']. »

c'. Jn 10, 16 d'. Jn 10, 14 e'. Ps 22, 1

---

1. Le mot *conuisionem*, retenu par Schwartz, est surprenant, car ce mot ne pourrait guère traduire que σύνοψιν, qui ne se rencontre pas dans ce sens chez Théodoret, le seul emploi cité (*Index graecus*, *PG* 84, 1131) figurant dans une lettre de l'empereur Constantin (*HE* I, 16 = *PG* 82, 957 C). Aussi proposons-nous de lire *conuictionem* (= ἔλεγχον) au sens bien établi de « réfutation ».

2. Le texte de *M* est difficile. Schwartz propose de lire [*amatrici Dei*] *lectionem <quam exposui ei quae habita est Antiochiae sanctissimae>*. Nous adoptons la leçon *<lectionem quam exposui sanctissimae>*.

dogmes divins et réfute [1] clairement les opinions contraires. Je vous adresse, en outre, le texte que j'ai lu devant l'assemblée très sainte [2] et pleine d'amour pour Dieu, ainsi que ce que nous avons dit pour les évêques très chers à Dieu, qui ont voulu connaître la cause de ces troubles, car ils nous ont demandé de la leur établir en toute clarté et en toute netteté [3]. Si, par ailleurs, j'en ai le loisir, je vous enverrai aussi ce que j'ai naguère écrit sur la sainte Trinité et la divine Incarnation [4], non point certes pour vous fatiguer des mystères divins, mais pour enflammer votre désir et le rendre plus ardent. Dieu est assez puissant pour vous emplir de l'esprit de sagesse et pour ajouter ce qui manque, à l'aide des commentaires des maîtres, afin que lui-même dise aussi de vous : « Mes brebis entendront ma voix [c'] », et « Je connais mes brebis [d'] », et qu'à votre tour vous lui répondiez : « Le Seigneur est mon berger, je ne manque de rien [e']. »

3. Théodoret évoque ici deux circonstances différentes qu'aucun indice ne permet d'identifier : nous pensons toutefois que le mot *congregatio* pouvant désigner aussi bien une assemblée du peuple chrétien qu'une réunion d'évêques, c'est le premier sens qu'il convient de retenir, puisque, dans le second cas, il est parlé explicitement d'évêques.

4. Ce sont les deux traités *De sancta et uiuifica Trinitate* et *De incarnatione Domini*, que Théodoret cite sous le titre περὶ θεολογίας καὶ τῆς θείας ἐνανθρωπήσεως dans la lettre S 113 au pape Léon (*SC* 111, p. 64, l. 14-15). Édités en 1833 par A. Mai, sous le nom de Cyrille d'Alexandrie (*PG* 75, 1148-89 et 1420-77), ces deux ouvrages, aujourd'hui restitués à l'évêque de Cyr (cf. J. LEBON, « Restitutions à Théodoret de Cyr », *RHE* 26, 1930, p. 524-550), sont antérieurs à 431.

6 (*Coll. Cas.* 131)

Epistula quam praefatus Irinaeus dixit a beato Theodoreto episcopo Cyrri ad Candidianum comitem domesticorum ante pacem missam

Propter multa et ipsam memoriam Ephesi odio habens, gratias ei de una re ago praecipua, quia manifestam nobis fecit animam tuam, quae est plena uirtutibus. Sicut enim athletas luctamina et equos currendi certamen et aurigas currus ostendit et aurum cotes, utrum probatum sit an adulteratum, ipsa <specie> discernit, sic et illa ciuitas et illa uehemens tempestas et densi atque crebri fluctus et diuersi atque contrarii flatus stabilitatem uestram et fortitudinem firmitatemque pro iustitiae partibus ostenderunt et feruentes dilectores nos uestrae magnitudinis effecerunt. Ob hoc Epheso gratias agere cogor, in qua illud pessimum naufragium sustinuimus, in qua ecclesiae membra contra inuicem seditione armata sunt et unum corpus incisum est et mala illa sunt perpetrata, quae taciturnitate sunt digna.

Quae plus a nobis tua scit magnitudo ; unde et de sanctissimo ac Deo amicissimo episcopo et comministrato-

1. Sur Candidien, voir Introd., p. 27. ~ Date vraisemblable : fin 432-début 433, pendant que se déroulaient les pourparlers entre Antioche et Alexandrie.

2. Allusion flatteuse aux efforts de Candidien pour s'acquitter au mieux de sa mission de commissaire impérial du concile d'Éphèse : efforts demeurés vains, mais l'évêque de Cyr, dans cette lettre destinée à lui recommander la cause d'un frère dans l'épiscopat, tient à lui

6

À Candidien

Lettre qu'Irénée, déjà nommé, dit avoir été envoyée, avant la paix, par le bienheureux Théodoret, évêque de Cyr, à Candidien, comte des domestiques [1]

Quoique pour bien des motifs le seul souvenir d'Éphèse me soit odieux, il est une raison, une seule mais essentielle, pour laquelle je rends grâces à cette ville, c'est qu'elle nous a révélé au grand jour ton âme, qui est pleine de vertus. Car, de même que ce sont les luttes qui découvrent la valeur des athlètes, la course celle des chevaux, la conduite du char celle des auriges, et de même que c'est la pierre de touche qui permet de distinguer par son aspect même l'or pur de celui qui a été falsifié, de même aussi c'est cette cité, c'est cette violente tempête, ce sont ces flots répétés et compacts et ces vents opposés qui ont prouvé votre constance, votre courage et votre fermeté à défendre le parti de la justice et nous a fait aimer ardemment Votre Grandeur [2]. C'est pour cette raison que je suis obligé de rendre grâces à la ville d'Éphèse où nous avons essuyé un épouvantable naufrage, où la sédition a armé les uns contre les autres les membres de l'Église, où l'unité de son corps a été rompue et où ont été perpétrés les crimes que l'on sait et qui appellent le silence.

Ces malheurs, Ta Grandeur les connaît mieux que nous ; aussi, en t'écrivant au sujet de l'évêque très saint et très

manifester sa reconnaissance, fût-ce au prix de quelque excès dans l'éloge ; Théodoret n'avait pas oublié les bonnes dispositions que Candidien avait alors manifestées en faveur des Orientaux.

re nostro Theophanio scribens, uerbis non egeo longis. Et ipsum namque manifeste nouit magnificentia uestra et scit iniustitiam quae praesumpta est contra eum. Qui igitur et auersamini et odistis eos qui talia commiserunt, linguam pro manu porrigete et suadete illos qui habent huius sententiae uim, extinguere tandem flammam quae male succensa est, et restituere male pulsis ecclesias et sistere risum qui contra nos est pietatis aduersariorum.

1. Le nom de Théophane — écrit parfois *Theofanius* — revient plusieurs fois dans les documents relatifs au concile d'Éphèse (cf. *ACO* I, 4, p. 28, l. 37 ; p. 38, l. 51 ; p. 45, l. 28 ; p. 67, l. 27) où il est cité comme partisan de Nestorius ; évêque de Philadelphie en Lydie (diocèse d'Asie) il fut condamné nommément par le Concile. À propos du symbole de sens nestorien qu'il faisait signer aux hérétiques revenus à l'Église, au moment de la campagne dirigée par Nestorius contre les novatiens et les quartodécimans, voir Duchesne, III, p. 358-359. L'injustice subie par Théophane et dont Théodoret demande réparation est la destitution de son siège épiscopal décidée par Maximien et son remplacement par un

cher à Dieu, notre frère dans le ministère, Théophane [1], n'ai-je pas besoin d'être long, car, d'une part, Votre Magnificence connaît fort bien le personnage et, d'autre part, elle sait l'injustice qu'on a osé commettre contre lui. C'est pourquoi, puisque vous n'avez que du mépris et de la haine pour ceux qui ont commis de tels forfaits, prêtez-lui le secours sinon de votre main, du moins de votre langue [2], et persuadez ceux qui sont sur ce point les maîtres de la décision d'éteindre enfin l'incendie qui a été déplorablement allumé, de restituer leurs Églises à ceux qui en ont été chassés injustement et de faire cesser les moqueries des ennemis de la foi contre nous.

autre évêque, en raison de sa fidélité à la doctrine de Nestorius, même après sa condamnation. Nous ignorons si Théophane finit par souscrire ou non à la condamnation de ce dernier (cf. *PG* 84, 649, n. 39 et *PW* 5A², c. 2182).

2. Il faut entendre qu'à défaut d'une lettre Théodoret sollicite au moins une intervention verbale de Candidien.

7 (*Coll. Cas.* 134)

Ypomnisticum Theodoreti ad Alexandrum metropolitanum

Venientibus quibusdam qui et praesentes se fuisse ipso tempore in Tyanensi ciuitate et haec uidisse confirmauerunt, cognouimus quia Firmus subtrahens aliquos qui erant de prouincia sua, cum multitudine uenit super Deo amicissimum episcopum Eutherium et quendam ex assessoribus ordinauit et quia magnificentissimus comes Longinus Isauros ad auxilium sanctissimi episcopi Eutherii

1. Date : fin 431-début 432. Théodoret porte à la connaissance d'Alexandre deux cas de violence commise contre deux évêques du parti antiochien : le premier fait l'objet d'un récit détaillé, le second est simplement évoqué, l'auteur joignant à sa lettre le document qui le dispense d'être plus explicite.

2. Tyane, chef-lieu de la Cappadoce II, dans le diocèse du Pont, depuis le partage par Valens de la Cappadoce en deux provinces. Césarée n'était plus, depuis lors, que la métropole de la Cappadoce I ; Firmus en était l'archevêque au moment du concile d'Éphèse et le restera jusquà sa mort en 439 (Socrate, *HE* 7, 48, 4). Sur l'importance de ce siège, cf. R. Janin, art. « Césarée », *DHGE* 12, 1953, c. 199-203. À la Cappadoce appartenait aussi la ville de Nazianze citée plus loin.

3. Destinataire de la lettre *Cas.* 79 (4) = *ACO* I, 4, p. 7-8, par laquelle Jean d'Antioche le prie (déc. 430) de ne pas souscrire aux anathématismes de Cyrille et d'empêcher leur diffusion, Firmus sera cependant l'un des plus chauds partisans de Cyrille au concile d'Éphèse. Bien que déposé par une assemblée des antiochiens tenue à Tarse en 432, il n'en continue pas moins d'occuper son siège. Sur les agissements de Firmus (désigné parfois péjorativement par le nom de la cité dont il est évêque), cf. *ACO* I, 4, p. 80, l. 2, où son nom est associé à celui de Théodote d'Ancyre en Galatie et d'autres partisans qui tentent par leurs écrits de semer le

7
À Alexandre de Hiérapolis

Rapport de Théodoret au métropolitain Alexandre [1]

Grâce à l'arrivée d'un certain nombre de gens qui ont assuré s'être trouvés personnellement à Tyane [2] à ce moment-là et avoir assisté à ces événements, nous avons appris et que Firmus [3], emmenant sous main quelques évêques qui appartenaient à sa province, est venu avec une grande foule auprès de l'évêque très cher à Dieu Euthérius [4], a consacré l'un de ses assesseurs, et que le très magnifique comte Longin [5] a porté les Isauriens au secours

trouble en tous lieux (*nunc rursus illicitis litteris omnia temptant loca turbare*). Sur Firmus, voir FIRMUS, *Lettres* (*SC* 350), Introd., p. 36-51.

4. Euthérius, métropolitain de Tyane, incarnait la tendance la plus radicale de l'école d'Antioche, hostile à toute tentative de réconciliation avec Cyrille. Excommunié par le concile d'Éphèse, en 431, mais restant fidèle à la pensée de Nestorius, il fut déposé en 434, exilé à Scythopolis en Palestine, puis à Tyr en Phénicie, où il mourut à une date que nous ignorons (cf. *Cas.* 279 = *ACO* I, 4, p. 204, l. 3-5). De lui nous sont parvenues cinq lettres (*ACO* I, 4, p. 109-111 ; 144-148 ; 213-221), et un traité dans lequel il réfutait la doctrine de Cyrille. Euthérius est peut-être le destinataire de la lettre 23 de Firmus (cf. FIRMUS, *Lettres, SC* 350, p. 56). Sur Euthérius, voir G. FICKER, *Eutherius von Tyana...* ; A. VAN ROEY, art. « Euthérius de Tyane », *DHGE* 16, 1967, c. 50-51.

5. Ce personnage et son titre de comte sont confirmés par SÉVÈRE D'ANTIOCHE, *Contra impium grammaticum* 3, 10 (*CSCO* 93/Syr. 45, p. 202 ; traduction : *CSCO* 94/Syr. 46, p. 142), qui cite une lettre de Cyrille. Il n'est pas nécessaire de supposer qu'il est *praeses* d'Isaurie comme le fait *PLRE* II, Longinus 1 ; il peut s'agir d'un notable local gratifié du titre de comte (la lettre de Cyrille mentionne l'intervention de son épouse à ses côtés) et son intervention à Tyane se fait avec des fidèles ou des clercs venus d'Isaurie, non pas avec des troupes, qu'un gouverneur d'Isaurie n'aurait pas pu sortir du cadre de sa province.

destinauit, et portas quidam ciuitatis ad eos qui contra episcopum uenerant, ciues fraudulenter <aperuerunt> ; dum ergo ingressi fuissent subito uniuersi superuenientes tenuerunt et ipsos et eum qui ab eo, id est Firmo, fuerat ordinatus. At uero ipse qui ordinatus est, negauit ordinationem suam, dicens et contra uoluntatem se ordinatum fuisse et non acquieuisse, ita ut mox se indueret chlamydem et in theatrum uadens spectaret ludos ; aliqui uero qui cum ipso fuerant, fugientes ad Nazianzum peruenerunt. Haec agnoscens, multo dolore atque angustia sum repletus, cogitans ecclesiarum quae ubique sunt, perturbationem et procellam solam et per omnia pessimam. Oret igitur sanctitas tua et Dominum deprecetur ut extinguat hanc ualidissimam tempestatem et uel modicam serenitatem donet ecclesiis.

Quae uero et contra Deo amicissimum episcopum Dorotheum Marcianopolitanum temptauerint aduersarii ueritatis efficere, et ex ipsis agnosces, domine, quae ab eo <ad> amatorem Christi regiae urbis populum per epistulam dicta sunt. Huius enim rei gratia nobis ab aliis directum exemplar earumdem litterarum tuae sanctitati direxi.

1. Sur Dorothée, cf. Introd., p. 29 et la lettre C 26 de Théodoret qui lui est adressée.

2. C'est la lettre *Cas.* 135 = *ACO* I, 4, p. 88-89, réponse de Dorothée à la lettre reçue de Constantinople, portée par le prêtre Martinus : Dorothée profite du retour de ce dernier dans la capitale pour lui confier sa lettre, qui donne le détail de l'affaire que Théodoret a seulement évoquée. Il s'agit d'une tentative de Firmus pour installer sur le siège de Marcianopolis, à la place de Dorothée, un certain Saturninus (et non Secundianus comme l'écrit *DCB* 1, 1877, c. 900), avec le concours du

du très saint évêque Euthérius, et que quelques citoyens ont ouvert frauduleusement les portes de la ville à ceux qui étaient venus instrumenter contre l'évêque ; lors donc qu'ils furent entrés, aussitôt tous les fidèles se précipitant sur eux s'emparèrent d'eux et de celui qui avait été consacré par lui, je veux dire par Firmus. Cependant celui-là même qui avait été consacré n'accepta pas sa consécration, disant qu'il avait été ordonné contre son gré et sans avoir donné son consentement, si bien qu'il ne tarda pas à revêtir une chlamyde et à se rendre au théâtre où il assista aux jeux, tandis que quelques-uns, qui l'avaient accompagné, s'enfuirent et parvinrent à Nazianze. À ces nouvelles, grandes furent la douleur et l'angoisse qui emplirent mon âme, en songeant au désordre qui règne partout dans les Églises et à cette tempête unique entre toutes et en tout point si triste. Que Ta Sainteté prie donc et supplie le Seigneur d'apaiser cette tempête si violente et de gratifier les Églises d'un calme, ne serait-ce que médiocre.

Quant aux efforts que les adversaires de la vérité ont tentés aussi contre l'évêque très cher à Dieu Dorothée de Marcianopolis [1], tu les connaîtras, maître, par le récit que lui-même en a fait dans une lettre [2] adressée au peuple de la capitale tout rempli d'amour pour le Christ. C'est, en effet, pour cela que j'envoie à Ta Sainteté une copie de la même lettre qui nous a été adressée par d'autres.

maître de la milice Plintha (sur ce dernier cf. *SC* 350, Introd., p. 59), tentative demeurée vaine au dire de l'intéressé : affirmation contestable puisque le nom de Saturninus, désigné comme l'évêque de Marcianopolis, se lit en deuxième position, après celui de Flavien, dans la liste des cinquante-trois évêques et abbés qui ont souscrit, en nov. 448, à la condamnation d'Eutychès par le premier synode de Constantinople, et se trouve encore cité au deuxième synode, en avril 449 (cf. FESTUGIÈRE, *Éphèse*, p. 776, n° 552 et 783, n° 558) : on peut donc penser que, malgré l'hostilité des fidèles, Saturninus avait réussi à se maintenir sur le siège de Marcianopolis.

8 (*Coll. Cas.* 136)

Alia epistula Theodoreti ad populum Constantinopolitanum commendaticia

Quantum nos anxios facit error eorum qui rectam uiam dereliquerunt, tantum laetificat uestrae deoamabilitatis feruens zelus pro euangelica fide. Inuenimus enim et beatum Paulum dolentem quidem nimis de insania inimicorum, reanimatum tamen de ueritate fidelium ; unde et Timotheo scribens et tristitiam quam de illis habebat, reuelauit et refrigerium quod de istis, inquiens : « Nosti quod auersi sint a me omnes qui sunt in Asia, quorum est Philetus et Hermogenes[a] », et ostendens factam sibi post illam angustiam diuinitus consolationem, mox superadiecit et haec : « Det Dominus misericordiam Onesiphori domui, quia saepe me refrigerauit et catenam meam non erubuit et ueniens Romam studiosius me quaesiuit et inuenit. Det illi Dominus inuenire misericordiam a Deo[b]. » Maximam igitur et nos habemus consolationem deoamabilitatis uestrae deuotionem, et firmitas fidei uestrae dissoluit tristi-

a. 2 Tm 1, 15 b. 2 Tm 1, 16-18

1. Date : vraisemblablement 432, avant le début des négociations de paix entre Jean et Cyrille. La lettre, adressée aux mêmes destinataires que la lettre C 5, doit être la réponse à un message envoyé par la communauté antiochienne de la capitale avec laquelle l'évêque de Cyr déclare avoir de

8

Au peuple de Constantinople

Autre lettre de recommandation de Théodoret au peuple de Constantinople [1]

Autant nous angoisse l'erreur de ceux qui ont abandonné le droit chemin, autant nous réjouit votre zèle fervent à vous les amis de Dieu pour la foi de l'Évangile. Nous avons vu, en effet, que le bienheureux Paul, lui aussi, qui certes souffrait beaucoup de la folie de ses ennemis, avait cependant repris des forces en songeant à la sincérité de ses fidèles. C'est pourquoi, écrivant à Timothée, il lui découvrit tout à la fois la tristesse qu'il éprouvait à cause des premiers et le réconfort que lui procuraient les seconds, en disant : « Tu le sais, tous ceux d'Asie m'ont abandonné, entre autres Philète et Hermogène [a] [2] », mais, pour montrer que Dieu lui avait, après cette angoisse, envoyé une consolation, il ajouta aussitôt ces mots : « Que le Seigneur fasse miséricorde à la maison d'Onésiphore, parce qu'il m'a réconforté souvent et n'a pas eu honte de mes chaînes ; au contraire, venant à Rome, il m'a cherché avec empressement et m'a trouvé. Que le Seigneur lui donne d'obtenir miséricorde auprès de Dieu [b] ! » Bien grande donc est pour nous aussi la consolation que nous offre votre piété à vous les amis de

fréquents rapports épistolaires (*saepius scribentes*) : dans sa réponse il félicite cette communauté de son zèle pour la foi et l'exhorte à la persévérance.

2. Citation erronée par confusion de deux versets : il faut lire ici Phygelle au lieu de Philète (cité en 2 Tm 2, 17, avec Hyménée). Voir le commentaire de ces textes par Théodoret : *PG* 82, 836 D-837 AB (sur 2 Tm 1, 15) et 841 D-844 A (sur 2 Tm 2, 17).

tiam nostram, quam parit hiems quae comprehendit ecclesias.

Vnde etiam saepius scribentes festinamus etiam <haec adferre ad> sanctam lectionem uestram et indicamus quia nos nocte ac die pro pietate labores suscipimus et speramus non nos prodituros usque ad mortem doctrinam traditem nobis a sanctis apostolis. Adtestantur uero his litteris et domini mei sanctissimi et deo amicissimi episcopi Iohannes et Petrus et Eliseus et Alfius et Iephthahe, qui elegerunt expelli ab ecclesiis sibi commissis et multa milia luctuum species sustinere quam prodere apostolicam hereditatem. Confidentes igitur quia non sustinebimus despicere ut uel una syllaba doctrinae quam percepimus corrumpatur, state in fide, uiriliter agite et confortamini[c]. Omnia uestra in caritate fiant, et Deus pacis erit uobiscum.

c. Cf. Ps 26, 14

---

1. Peut être faut-il identifier Jean avec le métropolitain de Damas en Phénicie, membre de la délégation orientale à la Conférence de Chalcédoine, dont le nom apparaît plusieurs fois dans les documents ecclésiastiques de l'époque (cf. *ACO* I, 4, p. 37 ; 45 ; 58). Pierre pourrait être l'évêque de Trajanopolis, dans le diocèse de Thrace, cité, lui aussi, dans les listes des évêques favorables à la cause orientale (*ACO* I, 4,

Dieu, et la fidélité de votre foi dissipe la tristesse que fait naître en nous la tempête qui a saisi les Églises.

C'est pourquoi, bien que nous vous écrivions souvent, nous avons hâte de fournir encore ce texte à votre sainte lecture et nous vous faisons savoir que, quant à nous, nuit et jour, nous nous dépensons pour la foi et espérons ne point trahir jusqu'à notre mort la doctrine qui nous a été transmise par les saints apôtres. Sont témoins de la sincérité de ma lettre mes très saints seigneurs les évêques très chers à Dieu Jean, Pierre, Élisée, Alphius et Jephthahe [1], qui ont préféré être chassés des Églises qui leur avaient été confiées et endurer mille et mille sortes de peines plutôt que de trahir l'héritage des apôtres. Ainsi donc, sûrs que nous ne supporterons pas de voir avec indifférence corrompre ne fût-ce qu'une syllabe de l'enseignement que nous avons reçu, demeurez fermes dans la foi, ayez une conduite courageuse, fortifiez vos âmes [c]. Faites tout avec amour et le Dieu de la paix sera avec vous.

p. 28 ; 31 ; 37 ; 45 ; 67). Rien ne permet de dire si Alphius est l'évêque à qui Isidore de Péluse adresse les lettres 950 ; 951 (III, 150-151) et 1425 (IV, 230). Élisée et Jephthahe nous sont inconnus. Aucun des noms cités ici ne figure dans la liste des évêques ayant été obligés de renoncer à leur siège pour n'avoir pas voulu accepter la paix imposée par l'empereur (*ACO* I, 4, p. 203-204) : on pourrait en déduire que, comme beaucoup d'autres, ces évêques, après une résistance plus ou moins longue, avaient fini par se soumettre.

9 (*Coll. Cas.* 149)

Epistula Theodoreti episcopi scripta ad Acacium Beroeae episcopum de litteris quae ab Aegypto uenerunt ad eumdem Acacium

Ego quidem non solum uocatus, sed etiam non uocatus uellem semper uenire iuxta tuam sanctitatem; tantum autem ab hac intentione delinquo, ut nec tuae possim sanctitatis litteris obaudire. Rursus enim languor mihi ualide superuenit et pessimum tertianum post regressum de montuosis partibus incidit. Super haec et magnificentissimus atque gloriosissimus magister militum hic est. Propter quod et ueniam peto et innotesco tuae sanctitati quia <in> litteris quae ab Alexandria directae sunt,

1. Date : automne 432, peu de temps après le début des négociations, voulues par l'empereur (*ACO* I, I, 4, p. 3-5), qui, sous la présidence du tribun et notaire Aristolaüs, s'étaient engagées, en septembre, entre Antioche et Alexandrie. Théodoret répond ici à la demande d'Acace de Bérée qui l'avait prié de lui faire connaître son jugement sur la réponse de Cyrille à la proposition des Orientaux (*Athen.* 107 = *ACO* I, I, 7, p. 147-150 = *Cas.* 145 (56) = *ACO* I, 4, p. 94-98). Les trois lettres C 9, C 10 et C 11 sont sensiblement contemporaines. ~ Sur Acace, cf. Introd., p. 23.

2. Sur la maladie, thème banal de la littérature épistolaire dans l'antiquité, cf. FIRMUS, *Lettres* (*SC* 350), p. 72, n. 3.

3. Sans doute le maître de la milice Anatole à qui, un peu plus tard, écrit Paul d'Émèse (*ACO* I, 4, p. 139-140) pour l'informer du succès de sa mission auprès de Cyrille et dont il loue le zèle en faveur de la paix entre les Églises; sur ce haut fonctionnaire avec qui l'évêque de Cyr semble avoir toujours été en bons termes, cf. *SC* 40, Introd., p. 47-48; *PLRE* II, Anatolius 10; R. AIGRAIN, art. « Anatole 8 », *DHGE* 2, 1914, c. 1496 s.

9

À Acace de Bérée

Lettre de l'évêque Théodoret à Acace, évêque de Bérée, au sujet de la lettre adressée d'Égypte au même Acace [1]

Pour ma part, en vérité, que j'y aie été invité ou non, je voudrais toujours me rendre auprès de Ta Sainteté, mais je suis si loin de réaliser cette intention que je ne peux même pas prêter l'oreille à la lettre de Ta Sainteté. Voici, en effet, que, de nouveau, la maladie s'est lourdement abattue sur moi et qu'à mon retour de la région montagneuse j'ai été pris d'une affreuse fièvre tierce [2]. En outre, le très magnifique et très glorieux maître de la milice est ici [3]. C'est pourquoi je réclame ton indulgence et fais savoir à Ta Sainteté que si dans la lettre qui a été envoyée d'Alexandrie [4] j'ai certes trouvé que les affirmations de son

4. Cf. n. 1. À la lettre d'Acace, aujourd'hui perdue, qui accompagnait la proposition de paix établie, au mois de septembre, par l'assemblée d'Antioche, l'évêque d'Alexandrie avait d'emblée fort mal réagi. Dans une lettre à Rabbula d'Édesse (*Cas.* 196 = *ACO* I, 4, p. 140), Cyrille qui louait par ailleurs en Aristolaüs un vaillant combattant de l'orthodoxie (*Aristolaum christianum uirum et ualde pro recta fide certatum*) avait jugé incongrue (*incongruam*) une proposition qui lui paraissait impliquer le renoncement à ses propres anathématismes. Par contre, sa réponse à Acace, que celui-ci transmit à Alexandre de Hiérapolis et à Théodoret, était d'un autre ton : diverse dans son contenu, elle était aussi plus nuancée ; Cyrille affirmait bien, lui aussi, sa fidélité au symbole de Nicée mais, au nom même de cette fidélité, affichait sa volonté de combattre tout ce qui lui paraissait contraire, visant ainsi l'enseignement de Nestorius, dont il exigeait d'autre part que soit approuvée par les Orientaux la déposition. Cependant Théodoret, seul de sa province, sensible aux efforts de Cyrille pour mieux expliquer sa pensée et jugeant sa christologie désormais plus proche de celle d'Antioche, déclara la lettre orthodoxe, sans toutefois abandonner Nestorius.

inueni ea quidem quae ab eo dogmatice dicta sunt, contraria quidem his quae olim sunt ab eo exposita, consona uero magis doctrinae patrum, et ualde affectus sum et laudaui Dominum Christum super mutatione quae facta est per tuae sanctitatis ammonitiones ; aliquas uero partes epistulae multis uideri uolutionibus et multiloquiis falsis plenas.

Nam dum oporteret a nobis expositam propositionem, cum breuis esset, approbari ab eo, nescio cuius rei causa multis uerbis usus effugit breuem pacis uiam. Sic enim propositionem temperauimus, ut nullis fuerat fugienda. Proposuimus enim, sicut tua sanctitas nouit, permanere nos in fide quae in Nicaeam exposita est a sanctis et beatis patribus <et> in epistula sanctissimi ac beatissimi Athanasii, tamquam quae hanc subtiliter interpretata fuerit ; quae uero nuper exsurrexerunt dogmata seu per epistulas siue per capitala, eici, tamquam id quod commune est, perturbantia. Haec relinquens, quae discissionem praecipue fecerunt, subscriptionem nos exigit depositionis illius uiri, cuius iudices non sumus effecti. Scit autem sanctitas tua quia ab omni carnifice nos durius trucidat conscientia nosrea, si illa fecerimus quae arbitramur non debere committi. Vnde et beatus Paulus dicit : ***

1. Texte : *Athen.* 105 (*ACO* I, i, 7, p. 146) = *Cas.* 142 (*ACO* I, 4, p. 92). Des six propositions établies par l'assemblée d'Antioche à la fin de l'été 432, c'était la plus simple et la plus modérée qu'Aristolaüs avait choisie : cf. lettre d'Alexandre de Hiérapolis à André de Samosate (*Cas.* 147 = *ACO* I, 4, p. 100, l. 5-8).

2. La lettre d'Athanase à l'évêque de Corinthe Épictète (vers 370-371) dont existent, outre le texte grec (*PG* 26, 1049-1070 ; éd. séparée par G. Ludwig, *Ep. ad Epictetum*, Iena 1911), deux traductions latines (*ACO* I, 5, p. 321 s.) ainsi qu'une version syriaque (J. Lebon, *CSCO* 101) et une version arménienne (P. Casey, dans *HThR* 26, 1933, p. 127-150), traitait de la relation entre les deux natures, d'où son utilisation fréquente dans les controverses christologiques. Les altérations que ce texte célèbre avait subies de la part des nestoriens peuvent expliquer le silence de

auteur en matière de doctrine s'opposaient à celles qui furent jadis énoncées par lui et s'accordaient au contraire avec l'enseignement des Pères, si j'en ai été profondément touché et si j'ai loué le Christ notre Maître du changement qui s'est opéré grâce aux conseils de Ta Sainteté, par contre, certaines parties de la lettre me paraissent pleines d'une foule de circonlocutions et de bavardages sans fondement.

En effet, alors qu'il aurait dû, vu leur brièveté, accepter les conditions que nous avions proposées [1], je ne sais pour quelle raison, après bien des longueurs, il s'est dérobé au chemin qui menait rapidement à la paix. Car ces conditions étaient si douces que personne n'aurait dû s'y dérober, puisque — ainsi que Ta Sainteté le sait — nous avions proposé de nous en tenir à la foi qui a été proclamée à Nicée par les saints et bienheureux Pères et à la lettre du très saint et bienheureux Athanase, comme ayant fourni de cette foi une exacte interprétation [2], mais, en revanche, pour ce qui est des croyances qui se sont récemment manifestées, soit dans des lettres soit à travers les chapitres, de les rejeter comme bouleversant la foi commune. Or voici que, laissant de côté ces questions, qui ont cependant été les causes essentielles du schisme, il exige de nous que nous souscrivions à la déposition de l'homme dont nous n'avons pas été faits juges [3]. Mais Ta Sainteté sait que notre conscience nous étoufferait avec plus de force que tous les bourreaux, si nous venions à commettre des actions auxquelles notre conscience répugne. C'est pourquoi le bienheureux Paul, lui aussi, dit... [4].

Cyrille sur ce document dans sa réponse aux Orientaux (cf. J. Lebon, « Altération doctrinale de la *Lettre à Épictète* de saint Athanase », *RHE* 31, 1935, p. 713-761).

3. Nestorius, condamné par le concile d'Éphèse dès le 22 juin 431, avant l'arrivée de la délégation orientale (26 juin), ainsi mise devant le fait accompli.

4. Pour combler cette lacune, Baluze, suivi par Schwartz, proposait de lire le texte de Rm 2, 15.

Tuae igitur sapientiae sit sic dispensare causam, ut facienda pax complaceat uniuersis et ante omnia ipsi omnium Deo super hac oboediatur.

Qu'il appartienne donc à ta sagesse de régler cette affaire de telle sorte que la paix qui doit être faite plaise à tous et, d'abord, qu'on se conforme sur ce point à la volonté du Dieu même de l'univers.

10a (*Coll. Cas.* 150)

Epistula eiusdem Theodoreti ad Andream episcopum de hac ipsa re

⌐10b Mirandissimus Aristolaus direxit ab Aegypto magistrianum cum litteris Cyrilli, in quibus anathematizauit et Arrium et Eunonium et Apollinarium et eos qui dicunt diuinitatem Christi esse passibilem et eos qui confusionem et remixtionem duarum naturarum dicunt. Et in his quidem <gaudio> sumus affecti, licet fugerit nostram propositionem; exigit uero subscriptionem depositionis quae ab eis facta est, et anathematismum dogmatis sanctissimi et Deo amicissimi episcopi Nestorii.

Scit autem sanctitas tua quia indeterminate anathematizare praefati Deo amicissimi et sanctissimi episcopi doc-

1. Sur la date, voir *supra*, p. 164, n. 1 ; sur le porteur de cette lettre à André, voir la lettre C 14 (l. 25-27). ~ Autre traduction latine (*Coll. Pal.* 45 = *ACO* I, 5, p. 171) ci-dessous (10b).

2. Maxime, explicitement nommé par Acace dans la lettre *Athen.* 106 (*ACO* I, I, 7) avec l'épithète εὐγενέστατος (= *Cas.* 144 = *ACO* I, 4, 93 : *nobilissimus*), est ici le compagnon et auxiliaire d'Aristolaüs, qui lui avait confié le soin de porter à Acace la réponse de Cyrille à la proposition des Orientaux. Le mot *magistrianos* est l'équivalent grec d'*agens in rebus*, qui désigne les employés du bureau du maître des offices. En Orient, leur nombre fut limité en 430 à 1174 (*CTh* 6, 27, 23). Ils étaient régulièrement utilisés pour le port de lettres et d'instructions impériales : voir Delmaire, p. 97-118, où on trouvera toute la bibliographie et les textes antiques sur ce sujet.

3. Théodoret commente ici à l'usage d'André de Samosate la lettre de Cyrille à Acace de Bérée, où l'évêque d'Alexandrie réagissait aux pro-

10a

À André de Samosate

Lettre du même Théodoret
à l'évêque André sur ce même sujet [1]

Le très admirable Aristolaüs a envoyé d'Égypte un employé du maître des offices [2] muni d'une lettre de Cyrille, dans laquelle celui-ci anathématise Arius, Eunomius, Apollinaire, ceux qui disent que la divinité du Christ est sujette à la souffrance et ceux qui affirment la confusion et le mélange des deux natures [3]. Sur ce point, certes, nous avons éprouvé de la joie, bien qu'il se soit dérobé à la formule que nous proposions ; mais il exige que nous souscrivions à la déposition, qui a été leur œuvre, et que nous lancions l'anathème sur la doctrine de l'évêque très saint et très cher à Dieu Nestorius.

Or Ta Sainteté sait que lancer l'anathème, sans en tracer les limites, sur la doctrine de l'évêque très cher à Dieu et

positions des Orientaux transmises par le tribun et notaire Aristolaüs (voir *supra*, p. 164, n. 1). Cyrille y repousse l'accusation d'avoir jamais accepté les idées d'Apollinaire (avec une explication à leur sujet que Théodoret ne relève point), Arius et Eunome (*ACO* I, 4, p. 96, l. 23-28) et continue : « neque confusionem uel confermentationem uel refusionem factam confirmo, inconuertibilem uero et immutabilem subsistere secundum naturam Dei sermonem noui... Impassibile est enim quod diuinum est, et conuersionis obumbrationem minime suffert » (l. 29-33). Mail il se refuse à répudier ses écrits contre Nestorius et, par là, à supprimer les réfutations opposées aux blasphèmes nestoriens. Pour tous ceux qui ont participé au concile (cyrillien) d'Éphèse, aucune communion avec les Orientaux n'est possible « nisi susceperint depositionem Nestorii et anathematizauerint nobiscum dogmata eius » (p. 97, l. 25-26). Voir P. GALTIER, « Saint Cyrille et Apollinaire ».

trinam idem est <et> anathematizare pietatem. Si uero <conpulerit> aliquid nos, conuenit ut anathematizemus hos qui dicunt purum hominem Christum, aut qui in duos filios incidunt unum Dominum nostrum Iesum
10b Christum, et qui eius diuinitatem negant. Haec enim cum omni satisfactione unusquisque piorum anathematizat. Si uero uolunt ut indeterminate et uirum cuius iudices non sumus facti, anathematizemus et dogma ipsius, quod nouimus rectum, impie faciemus, ut arbitror, si ei oboediemus. Arbitror uero haec etiam tuae sanctitati complacere, qui egregius pietatis propugnator existis et uerus atque accommodus orthodoxiae magister.

Omnem quae tecum est fraternitatem ego et qui mecum sunt, salutamus.

10b (*Coll. Pal.* 45)

Item epistula eiusdem Theodoreti quam misit Andreae Samosateno episcopo lectis sancti Cyrilli pontificis Alexandrini litteris ad Beroeam directis

Magnificus uir Aristolaus ab Aegypto magistrianum cum litteris Cyrilli destinauit, quibus anathematizat Arrium

1. Théodoret consentirait à anathématiser une théorie faisant du Christ un simple homme ou un dualisme christologique exacerbé, mais il proteste que ces deux hérésies n'ont rien à voir avec la doctrine de Nestorius : il se désolidarise donc de la caricature que les alexandrins donnaient des positions antiochiennes.

2. Compliment justifié par la réputation qu'André de Samosate s'était acquise et qui lui avait valu d'être sollicité par Jean d'Antioche pour écrire une réfutation des anathématismes de Cyrille ; sur cet évêque, cf.

très saint déjà nommé revient à lancer l'anathème sur la foi elle-même. Mais si quelque chose nous y force, il convient que nous lancions l'anathème contre ceux qui déclarent que le Christ n'est qu'un homme ou contre ceux qui divisent en deux fils l'Unique, notre Seigneur Jésus-Christ, et nient sa divinité [1]. Ce sont là, en effet, des opinions sur lesquelles tout homme pieux jette l'anathème avec une entière satisfaction. Mais si on veut que nous anathématisions indistinctement à la fois l'homme, dont on ne nous a pas faits juges, et sa doctrine, que nous savons orthodoxe, nous commettrions, je pense, une impiété en cédant à cette exigence. Je pense d'ailleurs que sur ce point Ta Sainteté, elle aussi, est d'accord, puisque tu apparais comme un éminent défenseur de la foi et un maître d'orthodoxie authentique et compétent [2].

Moi et tous ceux qui sont avec moi saluons tous les frères qui sont avec toi [3].

10b

À André de Samosate

Lettre du même Théodoret qui l'envoya à André, évêque de Samosate, après avoir lu la lettre adressée à Bérée par saint Cyrille, pontife d'Alexandrie

Le magnifique Aristolaüs a envoyé d'Égypte un employé du maître des offices muni d'une lettre de Cyrille par

P. Évieux, « André de Samosate, un adversaire de Cyrille d'Alexandrie durant la crise nestorienne ».

3. La réponse d'André à cette lettre (*Cas.* 151 = *ACO* I, 4, p. 162) manifeste à la fois son accord avec la position de Théodoret et son souci de ne pas durcir à l'excès la résistance à Cyrille, afin de sauvegarder l'unité de l'Église. Une autre lettre (*Cas.* 152 = *ACO* I, 4, p. 102-103), adressée vers le même temps à Alexandre de Hiérapolis, s'efforce de pousser ce dernier à une plus grande modération.

Eunomium et Apollinarem eosque qui deitatem Christi passibilem dicunt et qui confusionem atque permixtionem duarum asserunt naturarum. Et super hoc quidem gauisi sumus, quamuis propositionem nostram ille diffugerit, exigit autem subscribtionem factae dudum damnationis et ut anathematizetur sancti episcopi dogma Nestorii.

Scit autem uestra sanctitas quod si quis indiscrete doctrinam anathematizet eiusdem sanctissimi et uenerabilis episcopi, idem est ac si pietatem anathematizare uideatur. Oportet ergo, si omnino conpellimur, eos anathematizare qui purum dicunt hominem Christum, aut qui in duos filios unum Dominum nostrum Iesum Christum diuidunt, et qui eius abnegant deitatem, et cet.

laquelle celui-ci anathématise Arius, Eunomius et Apollinaire, et ceux qui disent que la divinité est passible et qui affirment la confusion et le mélange des deux natures. Et sur ce point, certes, nous nous sommes réjoui, bien que l'homme se soit dérobé à la formule que nous proposions ; mais il exige que nous souscrivions à une condamnation prononcée il y a peu de temps et que soit anathématisée la doctrine du saint évêque Nestorius.

Or Votre Sainteté sait que si on jetait l'anathème indistinctement sur la doctrine du même très saint et vénérable évêque, ce serait sembler anathématiser aussi la piété. Il faut donc, si on nous y pousse absolument, anathématiser ceux qui disent que le Christ est un pur homme, ou ceux qui divisent en deux fils l'Unique, notre Seigneur Jésus-Christ, et qui nient sa divinité, etc.

11a (*Coll. Cas.* 155)

Epistula Theodoreti episcopi Cyrri quam scripsit Alexandro episcopo, sicut posuit Irenaeus

11b Puto plus ab omnibus nosse dominum meum sanctissimum et Deo amicissimus episcopum Iohannem quia depositioni domini mei sanctissimi et Deo amicissimi episcopi Nestorii consentire non patiar, quia memor est eorum quae in Tarso et in Chalcedone et in Ephesum facta sunt et nuper post reditum in Antiochia a nobis saepius dicta. Non igitur quisquam sanctitatem tuam inducat quia hos ego facere patiar aliquando, Deo utique cooperante 11b mihi meque firmante.

Dogmatica uero ista Cyrilli quae nunc ad Beroeam per epistulam scripsit, praua mihi esse non iusa sunt, sed et

1. Date : voir *supra*, p. 164, n. 1. Au moment où Théodoret écrivait pour essayer de rallier à sa cause son métropolitain, celui-ci connaissait déjà — par la lettre C 10 qu'André lui avait communiquée (cf. *Cas.* 152 = *ACO* I, 4, p. 102-103) — l'opinion de l'évêque de Cyr sur la réponse de Cyrille à Acace. La réponse d'Alexandre à André (*Cas.* 153 = *ACO* I, 4, p. 103) manifestait son opposition à toute réconciliation avec Cyrille, jugé par lui hérétique ; aussi la partie engagée ici par Théodoret s'annonçait-elle particulièrement difficile. ~ Autre traduction latine (*Coll. Pal.* 46 = *ACO* I, 5, p. 171-172), ci-dessous (11b).

2. Jean, évêque d'Antioche, chef de la délégation orientale à Éphèse en 431.

3. Rappel de l'activité des Orientaux en faveur de Nestorius : d'abord à Éphèse où, dès leur arrivée, le 26 juin, ils avaient refusé de souscrire à sa déposition, prononcée en leur absence ; ensuite à la conférence de

11a

À Alexandre de Hiérapolis

Lettre de Théodoret, évêque de Cyr, qu'il écrivit à l'évêque Alexandre, comme la donne Irénée [1]

Je pense que plus que tout le monde mon seigneur l'évêque très saint et très cher à Dieu Jean [2] sait que je n'accepterai pas de consentir à la déposition de mon seigneur l'évêque très saint et très cher à Dieu Nestorius, parce qu'il se souvient de ce que nous avons fait à Tarse, à Chalcédoine et à Éphèse et de ce que récemment nous avons dit très souvent à Antioche après notre retour [3]. Personne ne saurait donc induire Ta Sainteté à croire que, pour ma part, je souffrirai jamais d'agir de la sorte, si du moins Dieu m'accorde son aide et m'en donne la force.

Mais pour ce qui est des opinions que Cyrille vient d'exposer en matière de dogme dans une lettre adressée à

Chalcédoine (sept. 431) où Théodoret, porte-parole de la délégation orientale, avait affronté l'hostilité de l'empereur en plaidant la cause de l'évêque déchu (voir la lettre C 3) ; enfin, sur le chemin du retour dans leurs diocèses, les Orientaux, dans une assemblée tenue à Tarse, avaient renouvelé leur sentence d'excommunication contre Cyrille et ses partisans : cf. les deux lettres de Mélèce de Mopsueste, la première au comte Neotherius (*Cas.* 229 = *ACO* I, 4, p. 167, l. 30-32), la seconde au vicaire Titus (*Cas.* 263 = *ACO* I, 4, p. 194, l. 11-13). ~ La présence de *nuper* en tête de la dernière proposition, désignant une période plus récente, invite à penser qu'il s'agit ici non pas de l'assemblée qui se tint à Antioche au terme du voyage de retour, fin 431 (Socrate, *HE* 7, 34 = *PG* 67, 813) mais, plus vraisemblablement, de celle qui, à Antioche, en sept. 432, établit les propositions de paix à faire à Cyrille et dont Théodoret fut sans doute le principal rédacteur.

ualde contraria tam capitulis quam eius aliis conscriptis; unde et epistulam scribens domino meo sanctissimo et Deo amicissimo episcopo Acacio hoc ipsum significaui. Et uero, si possem, uenissem utique et contulissem cum tua sanctitate; uellem siquidem discere quid esset in ueritate occultatum in eo, quod ab euangelica doctrina sit alienum. Et haec dico non quasi cui ad communicandum cum eo ista sufficiant; oportet enim clare illa exponi cum fide Nicaena et subscribi ab eo et ab omnibus quorumcumque suscipiemus communionem. Nouerit enim sanctitas tua quod tantum longe sum suaue aliquid existimare uenturum, ut archimandritae monasterii mei de cella mihi aedificanda mandauerim; hic namque illum in his diebus contigit inueniri.

11b (*Coll. Pal.* 46)

Item eiusdem Theodoreti ad Alexandrum Hierapolitanum Syriae praesulem adseuerantis numquam se in damnatione Nestorii praebere consensum

Existimo prae omnibus maxime satisfactum esse domno meo sanctissimo et uenerando Iohanni episcopo quod

1. *Coll. Athen.* 107 (*ACO* I, I, 7, p. 147-150) = *Cas.* 145 (*ACO* I, 4, p. 94-98). L'adverbe *uero* en début de phrase permet de distinguer nettement les deux parties de la lettre : la première consacrée à la personne de Nestorius, la seconde relative au problème du dogme; prudemment Théodoret a tenu à rassurer d'abord son métropolitain sur son attachement personnel à l'archevêque déposé.

2. La lettre C 9.

3. Sur ce monastère, où Théodoret avait vécu depuis la mort de ses parents jusqu'à son élévation à l'épiscopat (423) et où il devait se retirer, en 449, après sa déposition par le Brigandage d'Éphèse, voir *SC* 111, p. 80, n. 3; P. Canivet, *Monachisme...*, p. 187-192. L'expérience allait

Bérée [1], loin de me paraître fausses, elles m'ont semblé absolument opposées tant à ses chapitres qu'à ses autres écrits ; aussi l'ai-je fait savoir, dans une lettre que je lui ai adressée, à mon seigneur l'évêque très saint et très cher à Dieu Acace [2]. Et la vérité est que, si je l'avais pu, je me serais rendu, à coup sûr, auprès de Ta Sainteté pour m'entretenir avec elle, car je voudrais savoir ce qui véritablement se trouve caché dans cet écrit, qui soit étranger à la doctrine des évangiles. Toutefois, si je parle ainsi, ce n'est pas que ces assurances me paraissent suffisantes pour qu'on puisse entrer en communion avec lui ; il faut, en effet, que ces opinions soient clairement exposées et éclairci leur rapport avec la foi de Nicée, que lui-même y souscrive ainsi que tous ceux, quels qu'ils soient, dont nous accueillerons la communion. Que Ta Sainteté le sache, en effet : je suis si loin de croire que l'avenir nous réserve quelque douceur que j'ai donné des instructions à l'abbé de mon monastère [3] pour la construction d'une cellule à mon intention, le hasard ayant voulu qu'il se trouve ici ces jours-ci.

11b

À Alexandre de Hiérapolis

Pareillement, du même Théodoret
à Alexandre de Hiérapolis, métropolitain de Syrie,
affirmant que jamais, pour ce qui est
de la condamnation de Nestorius,
il ne donnera son accord

Je pense que plus que quiconque mon seigneur le très saint et vénérable évêque Jean a l'assurance qu'en aucune

bientôt montrer le bien-fondé du pessimisme qui s'exprime à la fin de cette lettre (voir les lettres C 12-14).

nullatenus adquiescam in damnationem domni mei sanctissimi et uenerandi Nestorii episcopi praebere consensum, quae in Tarso et Chalcedone et Epheso facta est. Meminit enim et eorum quae nuper apud Antiochiam post nostrum regressum a nobis saepe deprompta sint. Nullus igitur tuam decipiat sanctitatem quod ego adquiescam hoc aliquando facere, Deo procul dubio mihi cooperante et confortante.

façon je ne consentirai à la condamnation de mon seigneur le très saint et vénérable évêque Nestorius, après ce qui a été fait à Tarse, à Chalcédoine et à Éphèse. Il se souvient aussi, en effet, des paroles que nous avons récemment prononcées, à Antioche, après notre retour. Que personne donc ne trompe Ta Sainteté en prétendant que je consentirai un jour à donner cet accord, Dieu m'accordant sans aucun doute son aide et sa force.

12 (*Coll. Cas.* 159)

Epistula Theodoreti episcopi ad Helladium episcopum de Himerio episcopo Nicomediae. Et hanc, sicut posuit Irinaeus, duximus transferendam

Taciturnitatem praesenti tempore seruare deliberans, inueni hanc noxiam nimis ferentemque periculum. Vnde taciturnitatem soluens, « non prohibebo labia mea[a] » cum propheta clamabo, sed ea quae mihi recta uidentur et iusta, his qui sunt a tua sanctitate, innotesco et a uestra sanctitate omni cum uoluntate suadar quaecumque expediunt.

Igitur manifestum tuae facio sanctitati quia ex Aegypto missam legentes epistulam inuenimus et doctrinae ecclesiasticae congruentem et contrariam duodecim capitulis e regione illis quibus hactenus perstitimus ut haereticis repugnantes, et deliberauimus pro ecclesiae pace eos quidem qui super his quae peccauerunt, correxerunt, in

a. Ps 39, 10

---

1. Sur Helladius et Himérius cf. Introd., p. 30-31.
2. Seul de sa province à avoir jugé favorablement, malgré certaines réticences (cf. lettre C 9), la réponse de Cyrille à Acace, Théodoret se voyait accusé par Alexandre de Hiérapolis de trahison auprès d'Helladius de Tarse : obligé de se défendre, il écrivit alors les lettres C 12, C 13 et C 14, sensiblement contemporaines, qui se situent vers la fin de 432 ou le début de 433.

12
À Helladius de Tarse

Lettre de l'évêque Théodoret à l'évêque Helladius au sujet d'Himérius, évêque de Nicomédie.

Nous avons jugé que cette lettre aussi devait être traduite telle qu'elle est donnée par Irénée [1]

Alors que j'avais décidé de garder en ce moment le silence, j'ai découvert que ce silence était trop nuisible et comportait un risque [2]. Aussi, y mettant fin, je m'écrierai avec le prophète : « Je ne fermerai pas mes lèvres [a] », et je fais savoir à ceux qui sont dans l'entourage de Ta Sainteté ce que je crois honnête et juste, comme c'est bien volontiers que je recevrai de Votre Sainteté les conseils qui conviennent.

Ainsi je déclare nettement à Ta Sainteté qu'en lisant la lettre qui a été envoyée d'Égypte [3], nous l'avons trouvée à la fois conforme à l'enseignement de l'Église et exactement contraire aux douze chapitres, auxquels nous n'avons cessé jusqu'ici de nous opposer [4] à cause de leur caractère hérétique ; et que, si nous avons décidé, pour la paix de l'Église, de recevoir dans notre communion ceux qui ont racheté les fautes qu'ils avaient commises, par contre, nous avons décidé de ne consentir ni d'un geste, ni d'un mot, ni

3. Lettre de Cyrille à Acace (*Cas.* 145 = *ACO* I, 4, p. 94 s.).

4. En particulier par la *Reprehensio duodecim capitum seu anathematismorum Cyrilli* (*ACO* I, I, 6, p. 107-146), écrite au début de 431 (cf. *supra*, p. 62, n. 2) ; depuis lors Théodoret ne s'était départi à aucun moment de son hostilité à la doctrine de l'archevêque d'Alexandrie, qu'il accusait d'apollinarisme : il fallut les explications fournies par ce dernier pour qu'il changeât d'attitude.

communionem suscipere, iniustae uero atque iniquae damnationi sanctissimi et Deo amicissimi episcopi Nestorii neque manu neque lingua neque mente adquiescere. Inicum namque re uera et ultimo supplicio dignum est illi quidem qui mundum confudit et terram et mare turbis compleuit et uix nunc expositionem nostram suscepit, inpertire ueniam, illum uero qui ab ipsa pueritia ecclesiae doctrinam docuit, iniuste homicidali huic tradere interfectioni. Nam simile quoque est istud ac si omnes illos Deo amicissimos prodamus episcopos qui nobiscum in Epheso et Chalcedone et Constantinopolim pro ueritate certati sunt et usque ad praesens cum feruore certantur, et despiciamus <si per sanctiones> legesque prae omnibus inpugnantur et foris ab ecclesiis degere compelluntur. Deliberauimus igitur non prius uel Aegyptiis uel Constantinopolitanis communicare donec propugnatores pietatis proprias receperint ecclesias.

Scribat igitur sanctitas tua Deo amicissimo et sanctissimo episcopo Himerio et persuadat eius religiositati quia et pietatem non prodidimus et curam fraterni amoris habuimus et studium uotumque habemus aut cum eis traditos nobis populos regere aut cum illis expelli et quietem quae absque periculo est, recipere. Et mihi autem intentionem dignare tuae innotescere sanctitatis, Deo amicissime. Nimis enim coartor eo quod nihil a uestra amabilitate de his quae aguntur, sumus edocti.

1. Cyrille contre qui Théodoret avait déjà dressé un violent réquisitoire dans sa lettre (C 1) à Jean d'Antioche.

2. Le consentement à la déposition de Nestorius par le concile d'Éphèse, assimilé ici, comme en d'autres passages, à un homicide.

3. La lettre à Helladius avait donc une double intention : d'une part, persuader l'évêque qu'il était possible d'admettre les dernières explications de Cyrille, à deux conditions : que soit refusée toute souscription à la condamnation de Nestorius et que soient réintégrés dans leur charge

d'une pensée, à l'injuste et inique déposition de l'évêque très saint et très cher à Dieu Nestorius. Car ce serait une réelle injustice, et digne du dernier supplice, que d'accorder le pardon à celui qui a bouleversé le monde [1], a rempli le mer et la terre de désordres, et n'a accepté qu'aujourd'hui et difficilement nos explications, et, au contraire, de livrer à la mort par cet injuste homicide [2] celui qui depuis son enfance même a enseigné ce qu'enseigne l'Église. Car ce serait la même chose que si nous abandonnions tous les évêques très chers à Dieu qui, en union avec nous, ont, à Éphèse, à Chalcédoine et à Constantinople, combattu pour la vérité et, aujourd'hui encore, combattent pour elle avec ardeur, et comme si nous restions indifférents en les voyant, à la faveur de sanctions et de décrets, attaqués plus que tout le monde et obligés de vivre en dehors de leurs Églises. C'est pourquoi nous avons décidé de ne pas entrer en communion avec les gens d'Égypte et de Constantinople tant que les défenseurs de la foi n'auront par recouvré les Églises qui sont les leurs [3].

Que Ta Sainteté écrive donc à l'évêque très saint et très cher à Dieu Himérius, et persuade Sa Piété que nous n'avons point trahi la foi [4], mais que nous avons eu le souci de l'amour fraternel, et que notre désir le plus ardent est soit de diriger avec eux les peuples qui nous ont été confiés, soit d'être chassé avec eux et de retrouver un repos sans péril. Daigne, d'autre part, ami très cher à Dieu, me faire connaître l'intention de Ta Sainteté, car je suis fort gêné de n'avoir été informé par Votre Amabilité de rien de ce qui se passe.

les évêques du parti d'Antioche chassés de leurs sièges ; d'autre part rassurer Helladius sur la fidélité de l'évêque de Cyr à la foi traditionnelle.

4. L'accusation lancée contre Théodoret était donc parvenue aussi aux oreilles d'Himérius, l'évêque de Nicomédie, qu'Helladius est chargé, à son tour, de rassurer sur les vrais sentiments de l'évêque de Cyr.

13a (*Coll. Cas.* 160)

Epistula Theodoreti episcopi, sicut idem Irinaeus posuit, ad Himerium Nicomediensem episcopum

Et cui decet ut superet omnibus bonis nisi ei qui possessionem bonorum omnium congregauit et hanc in semet ipso circumfert? Vicisti, Deo amicissime domine, sicut in aliis omnibus, sic in festinatione allocutorias litteras dirigendi, et dum nos simus et inertes et somnolenti et circa stupentia fastidiosi et neglegentes, tuo nos alloquio suscitasti et paterni illius atque spiritualis re uera affectus ad memoriam reuocasti. Verum ne omnes causas litterarum tarditatis occultans, menet ipsum fastidii culpae subiciam, modicam quamdam ueramque satisfactionem pro nobismet ipsis adhibeam. Habitamus ciuitatem longe alicubi sitam ab illa uia qua equi transcurrunt, et ideo neque ipsos qui ad nostram prouinciam ueniunt, cernimus, nec cum illis uero esse contingit qui hinc proficiscuntur, et propterea non obtinemus consolationem dirigendi ad

1. Sur Himérius voir Introd., p. 31 ; sur la date, p. 182, n. 2. ~ Autre traduction latine des l. 16-32 de cette lettre (*Coll. Pal.* 47), ci-dessous (13b).

2. Cette lettre, à laquelle répond ici Théodoret, ne nous est pas parvenue.

3. La difficulté est ici de découvrir les mots grecs rendus en latin par *fastidii culpae* ; nous savons toutefois que *culpa* traduit, dans la *Coll. Casinensis*, μέμψις, αἰτία, αἰτίασις ; le sens probable est donc *accusation* ou *reproche*, d'où la traduction possible : « que je m'expose à une accusation d'orgueil » (ou de dédain).

13a

À Himérius de Nicomédie

Lettre de l'évêque Théodoret,
comme la donne le même Irénée, à Himérius,
évêque de Nicomédie [1]

Qui donc doit l'emporter sur tous les gens vertueux si ce n'est celui qui a réussi et possède toutes les vertus et les porte partout en lui ? Comme en tout le reste, seigneur très cher à Dieu, tu l'as emporté par ta hâte à nous adresser une lettre d'exhortation [2] et, dans le même temps où, pour notre part, nous sommes sans énergie, où nous dormons à demi, où nous manifestons dégoût et négligence à l'égard d'événements étonnants, toi, tu nous as réveillé par tes exhortations et tu nous as remis en mémoire le souvenir de ton affection paternelle et véritablement spirituelle. Cependant, pour éviter qu'en te cachant toutes les raisons de la lenteur de mes lettres je ne m'expose moi-même à me faire accuser d'orgueil [3], il faut que je te fournisse une explication qui, si elle n'est qu'à demi satisfaisante, est du moins conforme à la vérité [4]. La ville où nous résidons est située en un lieu éloigné de la route par où passent les courriers et c'est pourquoi nous ne voyons pas plus ceux qui se rendent dans notre province qu'il ne nous est donné d'être près de ceux qui partent d'ici, et c'est la raison pour laquelle nous n'avons pas la consolation d'envoyer des

4. Sur l'importance et les difficultés du commerce épistolaire dans l'antiquité chrétienne, cf. D. Gorce, *Les voyages, l'hospitalité et le port des lettres dans le monde chrétien des IVe et Ve siècles*, Paris 1925 (thèse).

uestram litteras sanctitatem. Ad haec, cum prius assueti fuissemus saepius ire ad Antiochiam atque illic moras habere, unde facile erat et dirigere et suscipere litteras, a multo iam tempore in domo habitare atque illic eligimus quiescere. In praesenti enim hoc tamquam quod amplius expediret, sumus amplexi. Haec sunt quae nos usque ad praesens prohibuerunt sanctum tuum caput amplecti per litteras; sed sanctitas tua et hac necessitate superior facta est, quae dominum meum honorandissimum et Deo amicissimum Stratigium comministrum direxit ad nos, quem omni festiuitate conspeximus ut Saluatoris nostri Christi diaconum et tuae sanctitatis dilectione feruentem et omnia facere ac pati eligentem pro te, qui pietatis athleta es et fortis pro pietate certator.

Beatificamus enim, ut bene noueris, domine Deo amicissime, tua clara et magna certamina et fixum firmumque fortis tuae animae sensum et pro apostolica fide sudores et labores atque pericula, per quae tibi aeternae et a corruptione superiores et, ut complexe dicamus, perficientur diuinitus datae coronae et sanctum tuum caput ornabunt. Nos enim circa nihil utiles ecclesiae Dei sumus effecti. A piis enim fidelibusque omnibus ac plenis zeli feruore et piam sanctorum patrum confessionem spirantibus circumoperti despicimur potius quam despicimus et

1. Sur la situation géographique de Cyr en Euphratésie et son éloignement des principales voies de communication, cf. F. Cumont, *Études syriennes*, p. 221-236 (Cyrrhus et la route du nord). Théodoret fait plusieurs fois allusion dans ses lettres à la solitude de sa ville (S 32 = *SC* 98, p. 92, l. 23; S 139 = *SC* 111, p. 146, l. 14-15; sur la pauvreté du pays de Cyr : S 42 = *SC* 98, p. 111, l. 10 s.). Voir J. H. Newman, « Épreuves de Théodoret », dans *Esquisses patristiques*, Bruges 1962, p. 422; 435 s.

lettres à Votre Sainteté [1]. En outre, tandis qu'auparavant nous avions l'habitude de nous rendre souvent à Antioche et d'y séjourner — ce qui nous donnait la facilité à la fois d'envoyer et de recevoir du courrier —, depuis longtemps déjà nous avons pris le parti de rester chez nous pour y goûter le repos. C'est en effet, pour le moment, la solution que nous avons adoptée comme étant la plus avantageuse. Telle sont les raisons qui nous ont jusqu'ici empêché d'embrasser par lettre ta tête sacrée ; mais Ta Sainteté a su même triompher de cette situation à laquelle nous étions réduit, puisqu'elle a envoyé vers nous mon seigneur très honorable et très cher à Dieu Stratigius [2], notre collègue dans le ministère, que nous avons vu avec une entière joie et que nous regardons comme le diacre de notre Sauveur Jésus-Christ, brûlant d'amour pour Ta Sainteté et prêt à tout faire et à tout supporter pour toi qui es un athlète de la foi et un valeureux champion de cette foi.

Nous bénissons, en effet — tu le sais bien, seigneur très cher à Dieu —, tes grands et illustres combats, la constance, la fermeté, le courage de ton âme, les sueurs, les travaux et les périls que tu endures pour la foi des apôtres et grâce auxquels des couronnes éternelles, que n'atteint point la corruption et, pour le dire avec moins de mots, dons de Dieu, te seront acquisses et orneront ta tête sacrée. Car, pour nous, nous sommes devenu à peu près inutile à l'Église de Dieu puisque, entouré par tous les hommes pieux et fidèles qui sont pleins d'un zèle ardent et confessent la foi droite des saints Pères, nous ne sommes plus que dans une place inférieure plutôt que dans un lieu élevé et, au lieu de légiférer, nous nous trouvons sous la

2. Porteur de la lettre d'Himérius à Théodoret, ce personnage ne nous est pas autrement connu ; cependant le mot *comministrum* qui lui est appliqué permet de supposer que Stratigius est évêque, peut-être suffragant d'Himérius, qui l'aura chargé de porter sa lettre à l'occasion d'un voyage en Euphratésie.

regimur quam regamus ; tua uero sanctitas in ipsa flamma existens et circa tres illos adulescentes in medio camini choros exercens[a], unam magnamque habuit consolationem sancti Spiritus auram, quae et flammae impetus sparsit et eius caminum permutauit in rorem[b]. Et quidem de tuae certaminibus sanctitatis a nobis tanta sint dicta ; superat enim non solum mensuras epistulae, sed et maximam conscriptionem tuorum bona fama certaminum.

Quod uero de pace sit murmur, significamus tuae sanctitati <et> quia, dum certe omnino proximi sumus, nihil ad integrum nouimus, sed tanta scimus quanta nobis nuntiant hi qui huc ad nos reuertuntur ad propria, |13b intentionem nostram manifestam tuae facimus sanctitati. Legentes litteras quae nunc ex Aegypto directae sunt, et crebro eas apud nosmetipsos discutientes, ecclesiasticae doctrinae illas congruentes repperimus et contrarias duodecim capitulis quae usque ad praesens permansimus expugnantes et deliberauimus ut si receperit sanctitas tua diuinitus sibi commissas ecclesias, communicemus quidem Aegyptiis et Constantinopolitanis et aliis qui cum eis militauerant contra nos, quia nostrum, magis uero apostolorum dogma confessi sunt, ei uero quae dicitur damnationi sanctissimi et Deo amicissimi episcopi Nestorii minime

a. Cf. Dn 3, 24 b. Cf. Dn 3, 49-50

---

1. Les mots *ad integrum* utilisés par Rusticus traduisent soit ἀκριβῶς, « avec exactitude », soit τελείως, « parfaitement ». De toute façon, Théodoret veut dire que, s'il a obtenu des bribes de renseignements, il ne connaît le tout de rien, sans doute en raison de son éloignement géographique, mais aussi de l'attitude d'une grande partie de l'épiscopat oriental qui ne lui fait pas confiance.

loi ; au contraire, Ta Sainteté qui, elle, se trouve au milieu même de la flamme et dirige les chœurs autour des trois jeunes gens dans la fournaise[a], a eu pour unique mais puissante consolation le souffle de l'Esprit-Saint, qui a dispersé l'assaut des flammes et changé sa chaleur en rosée[b]. Voilà tout ce que je dirai des luttes que soutient Ta Sainteté, car la glorieuse renommée de tes combats dépasse non seulement les dimensions d'une lettre, mais même les plus longs récits.

Que circule un bruit de paix, c'est ce que nous faisons savoir à Ta Sainteté et, parce que, tout en étant certes le plus proche, nous ne savons rien avec exactitude[1] mais ne savons que ce que nous font connaître ceux qui, retournant chez eux, passent par chez nous, nous faisons connaître à Ta Sainteté notre intention[2]. En lisant la lettre qui a été de nos jours envoyée d'Égypte et en l'examinant à plusieurs reprises sérieusement en nous-même, nous l'avons jugée conforme à l'enseignement de l'Église et opposée aux douze chapitres que nous n'avons jusqu'à ce jour cessé de repoussr, et nous avons décidé que si Ta Sainteté venait à recouvrer les Églises que Dieu lui a confiées, nous rentrerions certes en communion avec les gens d'Égypte et de Constantinople et avec ceux qui avaient lutté à leur côté contre nous, puisqu'ils ont confessé notre propre foi ou, pour mieux dire, celle des apôtres, mais que, par contre, nous ne consentirions, à aucun prix, à la prétendue condamnation de l'évêque très saint et très cher à Dieu Nestorius. Car on assisterait à un

2. À Himérius, à qui il avait demandé à Helladius (lettre C 12) de donner tout apaisement sur ses sentiments à l'égard de la lettre de Cyrille à Acace (*Cas.* 145 = *ACO* I, 4, p. 94 s.), Théodoret écrit personnellement pour lui dire ce qu'il pensait des dernières explications de Cyrille sur ses anathématismes ; sur la valeur à donner à ces explications, cf. Duchesne, III, p. 375-376. Il apparaît qu'aux yeux de Théodoret le problème désormais n'est plus d'ordre doctrinal, mais relatif d'une part à la personne de Nestorius, de l'autre à la restitution de leur Église à ceux qui en ont été injustement chassés (cf. p. 184, n. 3).

assentiamus. Iniustum namque secundum ueritatem et clare impium perspicitur, etiamsi eisdem subiectus esset criminibus quibus et alter, illi quidem ueniam impertire, huic uero claudere paenitentiae ianuam, multo magis inicum et amplius impium est illum, qui est insons, interfectioni contradere. Sciat igitur sanctitas uestra quia prius eis non communicabimus nisi uestras receperitis ecclesias. Haec uero non ego solus, sed omnes sanctissimi huius regionis episcopi in unum conuenientes habito
|13b concilio deliberauimus.

13b (*Coll. Pal.* 47)

Eiusdem Theodoriti ex epistula quam direxit Himerio episcopo Nicomediae, inter alia

Intentionem nostram certam tuae facimus sanctitati quod lectis ex Aegypto litteris destinatis et apud nos saepe discussis, inuenimis eas doctrinae quidem congruentes ecclesiae, duodecim uero capitulis contrarias esse probauimus, quae usque in praesentiarum inpugnare perstitimus. Placuit igitur nobis ut si sanctitas uestra receperit ecclesias diuinitus sibi commissas, Aegyptiis quidem et Constantinopolitanis communicemus aliisque qui contra nos cum eis militasse monstrantur, quia nostram fidem, magis autem apostolorum se habere professi sunt, damnationi uero

1. Référence au synode de Zeugma (printemps 433), auquel Alexandre avait refusé de se rendre, mais où Théodoret avait réussi à rallier à son opinion (favorable à la négociation avec Cyrille) ses collègues de la

spectacle vraiment injuste et d'une impiété manifeste si, même dans le cas où celui-ci se serait exposé aux mêmes accusations que l'autre, on voyait accorder le pardon à celui-là et, par contre, fermer à celui-ci la porte du repentir ; à plus forte raison est-il injuste et impie de livrer à la mort un innocent. Que Votre Sainteté sache, par conséquent, que nous n'entrerons pas en communion avec eux tant que vous n'aurez pas recouvré vos Églises. Et ce n'est pas moi seul, mais ce sont tous les évêques très saints de cette région qui, d'un commun accord, après avoir tenu conseil [1], l'avons décidé.

13b

À Himérius de Nicomédie

Extrait de la lettre du même Théodoret
qui l'adressa à Himérius, évêque de Nicomédie

... Pour ce qui est de notre intention, nous faisons savoir clairement à Ta Sainteté que si, après avoir lu et examiné plusieurs fois en nous-même la lettre qui a été adressée d'Égypte, nous l'avons trouvée en accord avec la doctrine de l'Église, en revanche nous l'avons jugée contraire aux douze chapitres que jusqu'à ce jour nous n'avons cessé de combattre. Aussi avons-nous décidé que si Votre Sainteté recouvrait les Églises qui lui ont été confiées par la volonté divine, nous rentrerions certes en communion avec les gens d'Égypte et de Constantinople et d'autres dont il est manifeste qu'ils ont lutté contre nous, puisqu'ils ont confessé la foi qui est la nôtre ou, pour mieux dire, celle des apôtres, mais que, par contre, il n'était pas question de

province euphratésienne (*huius regionis episcopi*). Sur Zeugma, voir lettres C 17, p. 212, n. 1 et C 19, p. 226, n. 1.

uenerandi et sanctissimi Nestorii, quae facta dicitur, non praebere consensum. Iniquum namque uere et impium conprobamus, si isdem criminibus quibus et socius eius, reus extiterat, illi quidem ueniam largiri, huic autem ostium paenitentiae claudere ; multo igitur magis iniquum et magis impium est innocentem morti tradere. Sciat sanctitas uestra quod non prius eis communicandum esse censemus quam uestras recipiatis ecclesias. Haec autem non solus ego, sed omnes sanctissimi nostrae regionis episcopi habito consilio decreuerunt.

consentir à la soi-disant condamnation du vénérable et très saint Nestorius. Car nous jugeons qu'il serait véritablement injuste et impie, même si celui-ci s'était exposé aux mêmes accusations que son associé, d'accorder le pardon à celui-là et de fermer à celui-ci la porte du repentir : c'est pourquoi il est bien plus inique et bien plus impie de livrer à la mort un innocent. Que Votre Sainteté sache qu'à notre avis il ne faut pas entrer en communion avec eux avant que ne vous soient rendues vos Églises. Or, cela ce n'est pas moi seul, mais tous les très saints évêques de notre région qui, après délibération, l'ont décidé...

14 (*Coll. Cas.* 161)

Epistula Theodoreti rescripta ad Alexandrum Hieropolitanum, <sicut> Irinaeus dicit

Sicut apparet, suspectus tuae factus sum sanctitati tamquam prodiderim pietatem. Non enim me scribente quomodo intellexerim epistulae Cyrilli dogmatica, et discere uolente si quid sit in eis aliud latens quod haereticis eius capitulis conferatur, ammonuerat religiositas tua nihil scribere super hoc. Ego uero testem Deum inuoco in animam meam, neque sedis desiderium neque ciuitatis cupido neque persecutionum timor subegit me usque ad praesens, sed incorrupto decreto et indeclinata mente illas litteras legens conuenientes nostris esse duxi intellectus earum. Quid enim aliud orabam audire ut hoc uenerarentur haeretici nisi quia inconuertibilis est Dei Sermo et

1. Sur la date, cf. p. 182, n. 2. Lettre adressée au chef du parti extrême pour se défendre du reproche de trahison et protester contre le soupçon d'avoir cédé par ambition ou pour éviter la persécution : comme les deux précédentes, cette lettre est donc de caractère apologétique.

2. Allusion à la lettre C 11.

3. La réponse de Cyrille à Acace (*Cas.* 145 = *ACO* I, 4, p. 94 s.).

4. Il faut supposer qu'Alexandre, ayant reçu la *Lettre* C 11 de Théodoret et l'ayant jugée trop favorable à Cyrille, venait d'adresser à l'évêque de Cyr une lettre (qui ne nous est pas parvenue) pour lui recommander la prudence.

5. Traduction maladroite du grec (l'emploi du démonstratif *hoc* est nettement pléonastique), mais le sens n'est pas douteux. On trouve ici

14

À Alexandre de Hiérapolis

Lettre de Théodoret
en réponse à Alexandre de Hiérapolis,
comme le dit Irénée [1]

Apparemment, je suis devenu suspect à Ta Sainteté, qui croit que j'ai trahi la foi. En effet, alors que pour ma part je n'ai pas même écrit [2] comment je comprenais les affirmations de la lettre de Cyrille touchant le dogme [3] et que j'ai seulement exprimé le désir de savoir s'il s'y trouvait caché quelque chose qui se rapprochât de ses chapitres hérétiques, Ta Piété m'a conseillé de ne rien écrire là-dessus [4]. Pour moi, je prends Dieu à témoin en mon âme que je n'ai jusqu'ici été poussé ni par le désir d'un siège, ni par la passion de la ville, ni par la crainte des persécutions, mais que c'est en lisant cette lettre avec un jugement non prévenu et un esprit impartial que je l'ai trouvée d'un sens conforme à notre propre croyance. Qu'avais-je envie d'apprendre d'autre, en effet, si ce n'est que [5] même chez les hérétiques on respectait l'idée que

résumé l'essentiel de la christologie antiochienne : inconvertibilité, impassibilité et immutabilité de la nature divine, d'une part, et, d'autre part, union sans confusion des deux natures, divine et humaine, dans l'Incarnation, doctrine qui sera amplement développée plus tard dans l'*Éranistès*, dirigé contre le monophysisme, avec un important dossier scripturaire à l'appui (*PG* 83, 28-317 ; éd. G. H. Ettlinger, Oxford 1975). On notera toutefois la façon un peu sommaire dont Théodoret résume ici la confession de foi christologique (l. 12-14) de Cyrille (voir Introd., p. 45).

impassibilis atque immutabilis et neque fermentatio neque retemperatio facta est in unitione Dei Verbi ad carnem?

Et haec tamen in litteris comperiens, minime tutum putaui esse ut super his solis communio fieret, sed ut euidentius fieret et clarius horum exponeretur intellectus, sicut et olim litteris quas ante has scripsi, manduaueram, uitans omnino damnationis subscriptionem. Et haec autem pro condescensione suscepi et putans nec tuam contradicere sanctitatem; haec uero et in Antiochia et in Beroea et in Hierapoli sumus saepius collocuti; haec et domino meo sanctissimo et Deo amicissimo episcopo Andreae per honorandissimum et reuerentissimum decurionem fortissimorum tertio stabilisianorum, dum illic adueniret, scripsi. Et quia non de quibuslibet nobis certamen est, sed de ipsa spe nostra, uenissem utique, si hoc corpus infelix concederet, ad sanctitatem tuam, ut maiore discussione et communi colloquio comprehenderetur sententia litterarum.

1. Celle de Nestorius.

2. La lettre C 10, à André de Samosate.

3. Ce personnage résidait sans doute habituellement à Antioche et c'est à l'occasion d'un passage à Cyr pour se rendre à Samosate que Théodoret lui confia la lettre destinée à l'évêque de cette ville. ~ Le décurion est un sous-officier (inférieur au tribun) qui commande un corps de cavaliers. Des *equites stablesiani* sont attestés en Dacie *ripensis*, en Mésie II, en Scythie, en Égypte et en Orient où les vexillations d'*equites secundi et tertii stablesiani* sont placés sous l'autorité du *magister militum per Orientem* (*Notitia Dignitatum*, Or. 42, 19; 40, 17; 39, 14-15; 28, 16 et 7, 29-30). Sur l'origine des corps de *stablesiani*, voir

Dieu le Verbe est inconvertible, impassible et immuable et qu'il ne s'est opéré ni mixture ni confusion ni mélange dans l'union du Dieu Verbe avec la chair?

Et toutefois, bien que j'aie trouvé ces assurances dans la lettre, j'ai jugé tout à fait imprudent de fonder notre communion sur elles seules et j'ai pensé qu'il fallait que le sens de cette lettre devînt plus évident et fût expliqué avec plus de clarté, ainsi que je l'avais fait savoir aussi naguère dans une lettre antérieure à celle-ci, tout en évitant absolument le risque de souscrire à la condamnation [1]. Par ailleurs, si j'ai accepté cela, c'est par condescendance et parce que j'ai pensé que Ta Sainteté, de son côté, ne ferait pas d'objection; ce sont, d'autre part, des idées dont nous nous sommes assez souvent entretenus à Antioche, à Bérée et à Hiérapolis, et je les ai fait connaître aussi par écrit à mon seigneur l'évêque très saint et très cher à Dieu André [2], par le moyen du très honorable et très vénérable décurion du troisième escadron des très courageux stablesiani qui passait par là [3]. Et comme l'enjeu de la lutte n'est pas pour nous de mince importance, mais qu'il y va de notre espérance même, si mon misérable corps me le permettait, à coup sûr je me serais rendu auprès de Ta Sainteté [4], afin que grâce à un examen plus poussé et à un entretien commun le sens de la lettre fût mieux saisi.

M. Speidel, « Stablesiani. The raising of the new cavalry units during the crisis of the Roman Empire », *Chiron* 4, 1974, p. 541-546. Quant aux décurions, ils sont rarement attestés dans les textes du Bas-Empire : *P. Abinnaeus* 59; *P. Beatty Panopolis* 2, 41; on les trouve encore sous le nom de *decani* (Jérôme, *In Isaiam* 2, 3, 3) ou décadarques (*O. Michigan* 102; *P. Abinnaeus* 29).

4. Nouvelle utilisation du thème de la maladie, traditionnel dans la littérature épistolaire chrétienne.

15 (*Coll. Cas.* 170)

Epistula Theodoreti episcopi ad Alexandrum Euphratesias metropolitanum, Irinaeus dixit

Murmurando nos aliqui pulsant per opiniones quae ueniunt ex Aegypto, reuereri nos arbitrantes si liberemur a cunctis, et nesciunt quia quies a nobis ualde diligitur et dulcior est a cunctis quae in hac uita delectant. Vsque adeo enim desideramus eam, ut absque alicuius impulsione ad hanc currere cupissemus, nisi terror nos illius iudicis prohiberet. Quia uero id ita fieri minime tutum est, sustinet necessitatem uoluntas, ut desiderio cum uenia perfruatur. Quia igitur quae diffamat rumor, multa sunt atque distantia <a> ueritate <et ualentia> animam perturbare, tuam sanctitatem quaeso ut quae uera sunt nos per litteras doceas, quatenus ad hoc ipsum nos praeparantes aptemus. Nam et cum pietate desideramus pacem et cum iniquitate et impietate refugimus.

1. Date : début 433, pendant que se poursuivaient à Alexandrie les négociations de paix entre Paul d'Émèse et Cyrille : les bruits dont parle Théodoret au début de sa lettre sont en effet relatifs à ces négociations dont l'issue est alors encore incertaine. Sur la mission de Paul et ses difficultés, cf. G. Bardy, « Acace de Bérée... », p. 39-42.

2. En se retirant dans la solitude, dont Théodoret fait souvent l'éloge dans ses lettres (par exemple S 139 = *SC* 111, p. 143).

3. C'est-à-dire Dieu.

4. Théodoret vient de dire que son plus grand désir est de se retirer dans la solitude, mais qu'il a scrupule de prendre cette initiative : il attendra donc que la nécessité, en l'obligeant à abandonner son évêché, lui permette de retourner en toute sûreté de conscience à la vie monastique.

15

À Alexandre de Hiérapolis

Lettre de l'évêque Théodoret à Alexandre, métropolitain d'Euphratésie, selon Irénée [1]

Il en est qui, à cause des bruits qui arrivent d'Égypte, nous blâment à mi-voix, parce qu'ils s'imaginent que nous avons peur d'être libéré de tous les soucis [2] : ils ignorent sans doute que nous aimons profondément la tranquillité et qu'elle est pour nous plus douce que tous les plaisirs de cette vie. Et en effet nous l'aimons tellement que, sans y être poussé par personne, nous aurions brûlé d'avoir recours à elle, si nous n'avions pas été retenu par la crainte du grand juge [3]. Mais comme la chose n'est pas du tout sûre, ma volonté attend que la nécessité lui permette de voir son désir satisfait sans péché [4]. Aussi, puisque les bruits que la rumeur répand sont aussi nombreux qu'ils sont éloignés de la vérité et propres [5] à troubler l'âme, je supplie Ta Sainteté de nous faire savoir par une lettre ce qui est vrai, afin que, nous préparant à cet événement, nous nous y adaptions. Car si nous souhaitons une paix conforme à la foi, par contre, nous nous refusons à une paix qui s'accompagnerait d'injustice et d'impiété [6].

5. Lacune. Lupus supplée *et nata* ; Schwartz suggère *et ualentia*, que nous adoptons.

6. Ce serait le cas si Cyrille imposait comme condition de la paix la reconnaissance par les Orientaux de la condamnation de Nestorius à Éphèse ou si les évêques déposés de leurs sièges pour leur attachement à Nestorius ne recouvraient pas leurs Églises (voir les lettres C 13 et C 16). Nous savons que sur le premier point Jean d'Antioche, pour obtenir la paix, avait accepté de faire cette importante concession à Cyrille (*Coll. Vat.* 123 = *ACO* I, I, 4, p. 9, l. 9-14).

16 (*Coll. Cas*, 175)

Epistula Theodoreti episcopi Cyrri ad Iohannem Antiochiae episcopum rescripta et supra appositae respondens nuntiae pacis

Optimi magistrorum militiae et contra hostes in totius cunei cornu stant et pro his qui laborant fortiter pugnant, et cum pacem celebrauerunt non praesentes tantum sed et absentes proeliantium, <in> pace facienda connumerant secum. Et magnus Dauid, dum progressus aliquando ad proelium uictor existeret et <magnam praedam ad> ciuitatem retulisset, non solis his qui bellati fuerant, sed et his qui uasa custodire praecepti sunt aequam distribuit portionem[a]. Et lex facta est ex illo, praecipiens ut hi qui fuerunt bellica instrumenta cum bellantibus partem praedae similiter sortiantur. Quomodo igitur non sit incon-

a. Cf. 1 S 30, 23-25

---

1. Date : début du printemps 433. La lettre répond en effet à celle de Jean d'Antioche (*Cas.* 174 = *ACO* I, 4, p. 124 s.), qui venait de lui annoncer la conclusion de la paix, avant même le retour d'Alexandrie de Paul d'Émèse, qui avait mené à bien sa mission. Sur le détail des faits, cf. *HL* 2[1], p. 393 s.; *FM* 4, p. 194-195.

16

À Jean d'Antioche

Lettre de Théodoret, évêque de Cyr,
à Jean, évêque d'Antioche,
en réponse à la lettre donnée ci-dessus,
qui annonçait la paix [1]

Les meilleurs chefs militaires sont ceux qui, se tenant à l'aile de toute l'armée disposée en coin, font face à l'ennemi, luttent avec courage pour aider ceux qui sont en péril, et, au moment où ils célèbrent la paix, comptent parmi les leurs non seulement ceux des combattants qui étaient présents mais aussi ceux qui étaient loin de la bataille. C'est ainsi que le grand David revenant un jour vainqueur du combat où il s'était rendu et ramenant un riche butin [2] pour ses concitoyens, le répartit de façon égale non seulement entre ceux qui avaient combattu mais encore entre ceux qui avaient reçu pour mission de garder les bagages [a]. De là est née la loi qui prescrit que la part de butin soit la même pour ceux qui n'ont été que des auxiliaires du combat et pour ceux qui ont combattu. Comment donc ne serait-il pas inconvenant, quand la loi

2. On peut hésiter entre les deux conjectures *spolia ad* et *magnam praedam ad uniuersam*, proposées la première par Lupus, la seconde par Schwartz, pour combler la lacune du texte. Toutefois la présence du mot *praedae* dans la phrase qui suit (l. 13-14) semble justifier l'hypothèse de Schwartz, que nous adoptons (sans *uniuersam*).

gruum ut dum lex praecipiat ut illi qui longe a proelio sedentes in custodia uasorum facti fuerint utiles, absque <damno> participentur aequalia, nos prodamus eos qui nobiscum decertati sunt pariter, ac despiciamus, dum ab his qui prius communes inimici fuerant, expugnentur uiri qui in Epheso et in Chalcedona fortiter pro pietate proeliati sunt et usque ad praesens steterunt una nobiscum et laudabiliter agere minime quieuerunt?

Si igitur pax quae diffamatur firma subsistit et uerax, omnes fruantur et nemo a nostro cuneo foris sit; si uero res pacis inanis et nudum nomen, huius foederatores dederunt Deo odibilem et omni pio indignam pacem. Quae <autem nunc fit> talem esse arbitramur. Nec enim sanctum est nec salubre ut nos quidem et depositiones siue damnationes iustas soluamus et ordinationes illicitas suscipiamus et his qui omnia sursum et deorsum fecerunt, impertiamus ueniam, ab illis uero et in ipso pacis tempore quae sunt hostium, perpetrentur et egregios cunei nostri ab ecclesiis pellant. Scribat igitur sanctitas tua et amatori Christi imperatori et magnis iudicibus et eis faciat manifestum quia minime patiemur hanc suscipere pacem communionemque illorum amplecti nisi prius hi qui certaminum

1. Argument a fortiori à partir d'une référence scripturaire, qui met en valeur le risque que ferait courir à l'Église une paix conclue sans le respect de la justice. Autant la lettre de Jean débordait d'enthousiasme, autant la réponse de Théodoret est-elle pleine d'appréhension.

2. Allusion précise aux dépositions et condamnations prononcées par le contre-concile des Orientaux (juin-juillet 431) en apprenant les décisions prises par le concile d'Éphèse en leur absence, et renouvelées par les synodes de Tarse et d'Antioche, lors de leur retour dans leurs diocèses. Les ordinations illicites dont il est question aussitôt après visent les évêques favorables à Cyrille installés, sans justification canonique, sur les sièges dont les titulaires avaient été chassés en raison de leur attachement à Nestorius.

ordonne que ceux qui se sont tenus à l'écart de la bataille et ont servi à garder les bagages reçoivent sans subir un préjudice une part du butin égale à celle des autres, que nous, par contre, nous abandonnions ceux qui ont lutté avec nous et comme nous, et que nous restions indifférents lorsque ceux qui avaient été autrefois des ennemis communs attaquent des hommes qui, à Éphèse et à Chalcédoine, ont lutté courageusement pour la foi, sont restés jusqu'à ce jour à nos côtés et n'ont pas le moins du monde cessé d'avoir une conduite louable [1] ?

Si donc la paix dont on parle se maintient solide et si c'est une paix véritable, que tous en jouissent et qu'aucun des nôtres n'en soit exclu ; mais s'il ne s'agit que d'une illusion de paix et d'un simple mot, ceux qui l'ont conclue n'ont offert à Dieu qu'une paix odieuse et indigne de tout homme pieux : or c'est selon nous une paix de ce genre qui est en train de se faire aujourd'hui. Il ne serait, en effet, ni honnête ni sain que, d'un côté, nous, nous levions des dépositions ou des condamnations qui sont justes, que nous reconnaissions des ordinations illicites [2] et que nous accordions le pardon à des hommes qui ont tout mis sens dessus-dessous, tandis que, de leur côté, eux-mêmes commettent en pleine paix des actes d'hostilité et chassent de leurs Églises les plus distingués des nôtres [3]. Que Ta Sainteté écrive donc à la fois à l'empereur ami du Christ et aux juges puissants [4] pour leur faire savoir clairement qu'à aucun prix nous ne consentirons à accepter cette paix et à embrasser la communion avec ces gens-là tant que ceux

3. Comme le suggère Garnier (*PG* 84, 702, n. 62), Théodoret doit penser en particulier à Nestorius, dont il n'hésite pas à louer l'enseignement dans la lettre C 18.

4. Les *magni iudices*, « juges puissants », plus communément appelés *maiores iudices* sont les responsables de l'administration centrale, préfets du prétoire, maîtres de la milice et « ministres » palatins que les listes de dignitaires au concile de Chalcédoine appellent aussi les *gloriosissimi iudices* envoyés par l'empereur (*ACO* II, 3, p. 27, 262, 361), par opposition aux délégués du sénat.

tempore nobiscum fuerunt receperint ecclesias suas. Decet enim sanctitatem tuam talem pacem ecclesiis prouidere quae ab omni macula libera sit et quae pios non amplius quam ipsum proelium uulneret.

Haec ad praesens scribere sum coactus, litteras iterum suscipiens sanctissimi et Deo amicissimi episcopi Himerii culpantis nos tanquam communis certaminis proditores. Ergo et ipsum refoueat sanctitas tua et imperatoribus significet quod nos deteriorem proelio arbitremur hanc pacem. Non pugna quidem illa nos et apud Deum coronat et apud eos qui diuina sapiunt, ornatos efficit ; pax autem talis et hic nos confusione replet et apud iustum iudicem dignos efficiet supremo iudicio.

1. Il s'agit donc bien d'une nouvelle lettre, à distinguer de celle à laquelle répondait Théodoret dans la lettre C 13 pour se défendre du soupçon de trahison de la foi : preuve de la permanence d'Himérius dans ses sentiments à l'égard de l'évêque de Cyr.

qui ont été avec nous à l'heure des combats n'auront pas recouvré leurs Églises, car il convient que Ta Sainteté prépare aux Églises une paix qui soit exempte de toute souillure et qui ne blesse pas les âmes pieuses plus que ne l'avait fait le combat lui-même.

Je suis obligé de parler ainsi aujourd'hui en recevant à nouveau une lettre de l'évêque très saint et très cher à Dieu Himérius [1], qui nous reproche d'être traître à la lutte commune. Que Ta Sainteté lui redonne donc à lui-même confiance et qu'elle fasse connaître aux princes que, pour notre part, nous considérons cette paix comme pire que le combat. Car si ce combat nous donne, lui, la couronne devant Dieu et nous fait briller aux yeux de ceux qui ont la science des choses divines, une paix de ce genre nous remplit ici-bas de confusion et devant le juste juge nous fera mériter la plus grave sentence [2].

2. La lettre *Athen.* 119 (= *Cas.* 77) par laquelle Jean annonçait triomphalement à ses suffragants la conclusion de la paix, sans doute vers le moment (fin avril 433) de l'annonce officielle de Cyrille à Alexandrie, montre que l'appel lancé ici par l'évêque de Cyr était resté sans effet.

17 (*Coll. Cas.* 176)

Epistula eiusdem ad Theosebium episcopum Cii. Ambas Irinaeus ponit

Ex quo quidem mali nominis reliquimus Ephesum neque scripsi tuae sanctitati nec frui me contigit litteris tuis. Et ut communem satisfactionem faciam, arbitror causam fuisse non itineris longitudinem, sed eo quod ab illa uia qua currunt equi, longius et nos et tua religiositas habitet. Verumtamen etsi litteras non accepimus, tuis continue deliciamur in laudibus.

Audimus enim zelum tuum pro pietate et fortitudinem contra iniquitatem et multam miramur animi perseuerantiam. Nam nos quidem longe ab hostibus existentes et extra sagittarum, sicut dici assolet, casum sedentes, nihil est arduum bonorum uirorum uirtutem sermonibus eleuare, ab ipsis operibus abstinentes; tua uero deoamabilitas

1. Date : postérieure à l'Acte d'union (avril 433) et contemporaine de la lettre C 18 au peuple de Constantinople. Consécutives à la rupture d'Alexandre de Hiérapolis avec Jean d'Antioche, à qui il reprochait d'avoir abandonné la cause de Nestorius pour obtenir la paix, les deux lettres ont été écrites au moment où Théodoret s'opposait aux efforts d'Alexandre pour entraîner dans sa révolte les évêques de sa province. ~ Sur les concessions réciproques que Jean et Cyrille avaient dû se faire pour parvenir à la paix, cf. la lettre de Jean à Cyrille (début 433) [*PG* 77, 169-173; *ACO*, I, I, 4, p. 7-9] et la réponse de Cyrille (printemps 433) [*PG* 77, 173-181; *ACO* I, I, 4, p. 15-20; trad. dans Camelot, p. 209-215]. ~ Sur Théosèbe : Introd., p. 37. ~ « toutes deux », c'est-à-dire cette

17
À Théosèbe de Cios

Lettre du même (Théodoret) à Théosèbe, évêque de Cios. Irénée les donne toutes deux[1]

Depuis le jour où nous avons quitté Éphèse au nom maudit, je n'ai pas écrit à Ta Sainteté et je n'ai pas eu non plus le bonheur de bénéficier d'une lettre de toi. Cependant, pour donner une raison qui satisfasse les deux, la cause en a été, je crois, non pas la longueur du trajet mais le fait que Ta Piété et nous-même habitons à une trop grande distance de la route par où passent les courriers[2]. Néanmoins, nous avons beau n'avoir pas reçu de lettre, nous ne cessons de faire nos délices des éloges qu'on t'adresse.

Nous entendons parler, en effet, de ton zèle pour la foi, de ton courage face à l'injustice, et nous admirons la grande constance de ton âme. Si, pour notre part, en effet, nous trouvant loin de l'ennemi et, selon l'expression commune, placé hors de la portée de ses flèches[3], nous n'avons aucune difficulté à exalter par nos paroles le courage des hommes vertueux, puisque nous nous abstenons d'agir, toi, l'ami de Dieu, au contraire, qui te trouves

lettre (*Cas.* 176) et celle qui précède, à Jean d'Antioche (C 16 = *Cas.* 175).

2. Même explication dans la lettre C 13 (l. 13-18).

3. Zénobius III, 62 et 89, dans *Corpus paroemiographorum graecorum* (ed. Leutsch et Schneidewin), t. I, 1839, avec références. Souvent cité, par opposition à l'expression εἴσω βέλους (cf. *LSJ*, s.v. βέλος). Emploi identique dans la lettre S 16 (*SC* 98, p. 56, l. 19).

hostium in medio constituta et ab eis undique circumdata, cum circumfusi sint inimici, fortior extat a malis et quasi uir fortissimus aliquis armis amictus, galea quidem emissarum nubem repercutit sagittarum, lancea uero fugat instantes. Sic sanctitas tua omnimodis spiritalibus armis amicta, scuto quidem fidei ignitas iniquorum sagittas extinguit, gladio autem Spiritus[a] et diuinorum doctrina sermonum falsitatem quidem conuincit, fortitudinem uero ueritatis ostendit.

Propter quod beatificamus te, sanctissime, et Dominum deprecamur, simile aliquid facientes his qui sedentes in terra pro eis qui pugnant inter pelagi fluctus, feruentur exorent, ut si placet ipsi, tempestates ecclesiasticas soluat ; si uero adhuc oportet eos qui nobis sunt similes, corripi et eos qui uobis, ostendi, hoc uobis robur donet usque in finem certaminum. Communis namque confidentia erit et uirilitatis principalitas omnibus qui in hoc stadium descendere eligunt, quod quidem malignus aperuit nostrae naturae superbiens, utile uero fecit bonorumque procurationi accommodum Deus ille qui maligni machinationibus utitur ad salutem.

Denique et nunc illos qui contraria doctrinae apostolicae adstruebant, et qui unam naturam factam docebant Christi <duas> naturas et temperationem et confusionem super inconfusa unitione dogmatizabant et illas passiones quae

a. Cf. Ep 6, 16-17

situé au milieu même de l'ennemi et qui es cerné par lui de tous côtés — puisque les ennemis sont répandus partout —, tu triomphes pourtant des méchants et, tel un valeureux guerrier revêtu de ses armes, tu réexpédies de ton casque la nuée de flèches tirées tandis que de ta lance tu mets en fuite ceux qui te pressent. C'est de la même façon que Ta Sainteté, revêtue de toutes les armes de l'Esprit, avec le bouclier de la foi éteint les flèches enflammées des méchants, tandis qu'avec le glaive de l'Esprit [a] et la connaissance des divines paroles elle réfute le mensonge et fait éclater la puissance de la vérité.

Aussi te jugeons-nous bien heureux, très saint évêque, et supplions-nous le Seigneur — semblables en cela à ceux qui, se trouvant sur le rivage, prient avec ferveur pour ceux qui luttent au milieu des flots de l'océan — de dissiper, si telle est sa volonté, les tempêtes qui ravagent l'Église ; et si, par contre, il faut encore que ceux qui sont comme nous soient à leur tour emportés par elles et que ceux qui sont comme vous soient exposés aux regards, de vous gratifier de cette force jusqu'à la fin des combats [1]. Car la même intrépidité et la même supériorité de courage seront données à tous ceux qui sont prêts à descendre dans ce stade qui a sans doute été ouvert par le Malin pour insulter à notre nature, mais d'où le Dieu qui se sert des intrigues de ce même Malin pour nous sauver a tiré à notre intention un profit et une source possible de biens.

Maintenant enfin ceux-là mêmes qui essayaient de construire une doctrine opposée à celle des apôtres, qui enseignaient que les deux natures du Christ étaient devenues une seule nature, qui prêchaient comme un dogme la confusion et le mélange des natures au sujet de l'union inconfusible, et qui avaient tenté d'appliquer à la

1. Malgré l'obscurité relative de ce passage (on voit mal quels mots grecs se cachent derrière *corripi* et *ostendi*), il semble bien que Théodoret fait ici allusion à une aggravation possible de la persécution.

pro nostra salute carni Domini sunt illatae, inconuertibili et incommutabili diuinitati ascribere temptauerunt, in alteram doctrinam, quae his e regione contraria, manifeste reduxit et euangelicam redoceri regulam compulit. Vnde duas confiteri naturas praesenti tempore persuasi sunt et uertibilitatem confusionemque ab ecclesiasticis exiliantes dogmatibus, naturarum <differentiam> clara praedicant uoce et passiones carni coaptantes impassibilem diuinam confirmant esse naturam.

Tantum et ipsis aduersariis hoc stadium profuit, non propter diaboli nequitiam, sed propter Dei nostri misericordiam et sapientiam, <qui> credimus quod et iniquitatem conuincat, sicut impietatem nudauit, et iustitiae prospiciat, sicut pietatem ostendit, et omnibus persuadat quia nihil est quod non regatur ab eo neque quod neglegat, sed omnia sapienter gubernans permittat ad modicum contra nauem saeuire procellas, ut uirtutem propriam nauigantibus innotescat. Viriliter igitur age, domine, et confortetur cor tuum et sustine Dominum [b]. Et me autem suffulcias tuis orationibus, quaeso, qui ualde tali praesidio egeo tam propter animae infirmitatem quam propter corporis quoque languorem.

b. Cf. Ps 26, 14

1. La reconnaissance par Cyrille de la non-convertibilité de la nature divine en chair et de la non-confusion des deux natures du Christ conduisait tout naturellement Théodoret à penser qu'aucune difficulté dogmatique ne subsistait plus entre Antioche et Alexandrie, thèse qu'il sut faire admettre par le synode euphratésien de Zeugma, auquel Alexandre se garda de participer. Sur la manière assez éclectique de

divinité immuable et invariable les souffrances qui ont été infligées à la chair du Seigneur pour notre salut, ceux-là mêmes il les a manifestement ramenés à l'autre doctrine, radicalement opposée à la première, et les a forcés à recevoir à nouveau la règle de l'Évangile. Aussi se sont-ils décidés maintenant à confesser deux natures et, expulsant des croyances de l'Église l'idée de la convertibilité et celle de la confusion, ils proclament clairement la distinction des natures, n'attribuant les souffrances qu'à la chair, et affirment que la nature divine ne saurait souffrir [1].

Et si telle a été l'utilité de cette lutte pour les adversaires eux-mêmes, ce n'est point grâce à la perversité du démon mais à la miséricorde et à la sagesse de notre Dieu, car nous croyons qu'il triomphe de l'injustice comme il a mis à nu l'impiété, veille sur la justice comme il fait éclater la piété, et persuade tout le monde que rien n'échappe à son gouvernement, qu'il ne néglige rien et que, menant toutes choses avec sagesse, s'il permet que pendant quelque temps la tempête se déchaîne contre le navire, c'est afin de montrer aux navigateurs sa propre puissance. Aie donc courage, seigneur, que ton cœur soit fort et attends le Seigneur [b]. Quant à moi, donne-moi l'appui de tes prières, je t'en supplie, car j'ai grand besoin d'un tel secours tant à cause de ma lassitude morale que de ma fatigue physique.

Théodoret, lorsqu'il reproduit des énoncés de son ancien adversaire, en christologie, comparer les lettres C 14, C 17 et C 21, respectivement adressées à Alexandre, à Théosèbe et à Jean d'Antioche : il est visible que l'évêque de Cyr tire facilement à lui les formulations de Cyrille (voir à ce sujet Introd., p. 49). ~ On notera l'intention péjorative de l'adverbe *denique*, en début de phrase, pour reprocher à l'Alexandrin de n'avoir que trop tardé à abandonner des formules qui paraissaient aller à l'encontre de la christologie antiochienne ; même reproche dans les lettres C 18 et C 21.

18a (*Coll. Cas.* 227)

Epistula, inquit, eiusdem ad amicum Christi Constantinopolitanum orthodoxum populum, per quam eos hortatur ad patientiam et circa dogmata contrariorum paenitentiam declarat

Qui nauticae arti dant studium et in mari uiuere deligunt, dum pessimis tempestatibus repugnant et a contrariis flatibus saeuisque uoluminibus oppugnantur ac multa caligine detinentur, si subito eis ignis illuxerit, consolantur et resumunt excusso terrore fiduciam, quae eos meliores spes desperare non sinit. Tale aliquid etiam nos perpessi nunc sumus, uestrae deoamabilitatis litteras perlegentes. Multum namque ecclesiarum concussionem uidentes et tempestates et procellas undique cernentes illidi et hinc uolumen feruens et accrescens et naufragium minitans et pinguem nebulam diffusam et quae sunt cominus, conspici non sinentem, uelut si igniculum subito quoddam et introitum portus, uestras uidimus litteras et

1. Sur la date, cf. p. 208, n. 1. Sur la communauté de Constantinople, cf. lettres C 5 et C 8. Sur la place donnée par erreur à cette lettre dans le *Synodicon*, où elle devrait faire suite à la lettre C 17 (*Cas.* 176), dont elle est contemporaine, cf. Schwartz, *ACO* I, 4, p. 165. ~ Autre traduction latine partielle du texte dans la *Coll. Palatina* (44 = *ACO* I, 5) : ci-dessous (18b).

18a

Au peuple de Constantinople

Lettre, dit (Irénée), du même (Théodoret)
au peuple orthodoxe de Constantinople, ami du Christ,
par laquelle il l'exhorte à la patience
et montre clairement le repentir des adversaires
en matière de croyances [1]

Lorsque ceux qui s'adonnent à la navigation et ont choisi la vie de marin luttent contre d'atroces tempêtes, subissent l'assaut de vents contraires et de féroces tourbillons, et sont enveloppés d'un épais brouillard, si une lumière vient tout à coup à les éclairer, les voilà qui, rassurés et chassant leur panique, retrouvent une assurance qui leur interdit de désespérer d'un sort meilleur. C'est un sentiment analogue que nous avons, nous aussi, éprouvé aujourd'hui en parcourant votre lettre à vous les amis de Dieu [2]. Car au moment où il nous était donné de voir les Églises secouées, les tempêtes et les ouragans se briser de toutes parts sur elles, le tourbillon bouillonner, s'enfler et menacer de rompre le vaisseau, et un nuage épais se répandre de tous les côtés et empêcher d'apercevoir les objets les plus proches, comme si tout à coup une étincelle s'était mise à briller et comme si nous avions pénétré dans le port, en voyant votre lettre nous sommes

2. Cette lettre ne nous est pas parvenue, mais d'après ce qu'en dit Théodoret, il est clair qu'elle devait témoigner de la fidélité de ses auteurs à la cause antiochienne et de leur patience dans l'épreuve.

consolatione perfruimur et fiduciam sumpsimus et fortiter patimur impetus tempestatis et puram sustinemus |18b serenitatem. Fidelis enim Deus est, qui non permittet <neque> uos neque <nos> temptari ultra uirtutem, sed cum temptatione faciet et prouentum, ut sustinere possimus[a] et falsitatem quidem conuincere ualeamus, ueritatem uero Iudicius comprobare. Conuicta siquidem nunc quoque est compositio falsitatis et uirtus ueritatis ostensa.

Ecce enim qui Saluatoris nostri Christi naturas impio sermone confuderant et unam praesumpserant eius praedicare naturam et ut diuinitati passiones deputarentur, legem protulerant et ob hoc sanctissimum et Deo amicissimum praepositum sacerdotum Dei Nestorium oppugnauerant, tamquam in camo et freno maxillas confracti[b] et a sinistris ad dexteram tracti, didicere ueritatem et contraria docent, illo ducatu retrahente ad ueritatem, quem pro ueritate oppugnauerant. Pro una enim natura duas nunc confitentur et eos qui contemperationem uel confusionem inducunt anathematizant et diuinitatem Christi in passibilitate uenerantur, et carnis esse passiones docent et euangelicas diuidunt uoces et excelsas quidem Deoque

a. Cf. 1 Co 10, 13 b. Cf. Ps 31, 9

1. Cyrille et ses partisans, dont Théodoret énonce en termes assez sommaires les anciennes affirmations christologiques telles qu'elles lui apparaissaient à travers les douze anathématismes.

2. À partir d'ici Théodoret résume une fois de plus la lettre *Laetentur caeli* de Cyrille à Jean d'Antioche (*PG* 77, 173-181 ; *ACO* I, I, 4, p. 15-20) en la présentant comme une totale capitulation de celui-ci et, du même coup, comme une réhabilitation de Nestorius. Dans ce bulletin de victoire il ne fait état que des affirmations dyophysistes de la lettre : deux natures,

rassuré, nous avons pris confiance, nous supportons avec courage les assauts de la tempête et vivons dans l'attente d'un ciel serein. Car Dieu qui est fidèle ne permettra pas que ni vous ni nous soyons tentés au-delà de nos forces, mais avec la tentation il ménagera aussi une heureuse issue, en nous donnant le pouvoir de la supporter [a] et la force de réfuter le mensonge et de prouver d'une manière plus lumineuse la vérité. Car aujourd'hui encore, assurément, les habiletés du mensonge ont été réfutées et la puissance de la vérité manifestée.

Voici, en effet, que ceux qui avaient confondu par un langage impie les deux natures du Christ notre Sauveur [1], qui avaient été assez présomptueux pour affirmer qu'il n'y avait en lui qu'une seule nature, qui avaient proclamé comme une loi que les souffrances devaient être rapportées à la divinité et qui, pour cette raison, avaient attaqué l'évêque très saint et très cher à Dieu Nestorius — comme des hommes à qui on aurait brisé la mâchoire dans un carcan et avec un mors [b] et que l'on aurait écartelés dans tous les sens —, ont reçu la vérité et enseignent à la distinguer de son contraire, ce retour à la vérité réhabilitant celui qu'ils avaient persécuté à cause de la vérité. En effet [2], au lieu d'une seule nature, ils en confessent aujourd'hui deux, disant anathème à ceux qui introduisent l'idée d'un mélange ou d'une confusion de ces natures et qui vénèrent la divinité dans l'aptitude du Christ à la souffrance [3], ils enseignent que les souffrances sont le fait de la chair et distinguent parmi les mots de l'Évangile ceux qui sont nobles et dignes de Dieu, qu'ils attribuent à la

pas de mélange ni de confusion, répartition des idiomes, sans exposé personnel sur l'économie et sans faire aucune allusion aux concessions que, de son côté, Jean avait dû faire à Cyrille, même pas à l'abandon de Nestorius que Jean avait anathématisé et dont il avait accepté la déposition.

3. Il est difficile de deviner ce que recouvrent les mots *diuinitatem Christi in passibilitate uenerantur* : son impassibilité divine est maintenue, « respectée », dans le langage tenu sur ses souffrances ?

dignas diuinitati ascribunt, humiles uero humanitati coap- |18b tant. Tales enim nunc ab Aegypto allatae sunt litterae.

Sed hi qui uix tandem dogmatis didicerunt et euangelicam regulam normamque edocti sunt maliuoli hactenus circa illum qui eis horum doctor est factus atque illum qui eos ab errore liberauit et ad ueritatem deduxit, ut impium et hostem et operibus et uerbis impetere temptant et latrando aduersus eum satiari non uolunt. Sed non superabunt ueritatem, quia res firma est ueritas. Ipse enim Christus ueritas et conuicit quidem iam, sicut dixi, aduersitates mendacii et ueritatis radium subnudauit, qui coronat ueritatis amatores ; ostensurus uero est eam clarius et falsitatem omnino disrumpet. Et discent qui usi sunt ea, quod sit Deus in caelo, qui et ea quae fiunt, conspicit et quae dicuntur, audit et ponit suis athletis certamina et leones fame ac furore diffluentes mansuetudines docet[c] et ignem sine mensura nutritum et nimis accensum in auram roris immutat[d] et in ceto magno istum fugacem saluum conseruat[e] et in cisternam caeni cum propheta descendit[f] et qui illic eum miserant, per bella captiuos expellit, ipsum uero aeneum murum et turrem robustam statuit[g] barbarorumque ei praestat obsequium et in bellis uero enitescere praestat et per duos plerumque fideles multoties dena milia infidelium fugat. Et huius rei testis est Ionathan et

c. Cf. Dn 6, 16 s. d. Cf. Dn 3, 50 e. Cf. Jon 1, 3 ; 2, 1-11
f. Cf. Jr 38, 6 g. Cf. Jr 1, 18

---

1. C'est la lettre enthousiaste *Laetentur caeli* de Cyrille à Jean d'Antioche (printemps 433), qui scellait la paix entre Cyrille et Jean (cf. p. 216, n. 2).

divinité, et ceux qui sont humbles et qu'ils appliquent à l'humanité. Tel est bien, en effet, le sens de la lettre qui a été à présent apportée d'Égypte[1].

En revanche, ces hommes qui ont enfin et difficilement appris la vraie doctrine et à qui on a enseigné la règle et le canon de l'Évangile, sont encore jusqu'ici pleins de malveillance à l'égard de celui-là même[2] qui les leur a enseignés et s'efforcent, à la fois par leurs œuvres et par leurs paroles, d'attaquer comme impie et ennemi celui qui les a délivrés de l'erreur et les a amenés à la vérité, et ils ne se lassent pas d'aboyer contre lui. Mais ils ne triompheront pas de la vérité, car la vérité est une chose solide, puisque la vérité, c'est le Christ lui-même et que le Christ, qui a déjà, comme je l'ai dit[3], vaincu les contradictions du mensonge et a fait luire le rayon de la vérité, dont sont couronnés ceux qui sont épris d'elle, fera briller cette vérité d'une manière plus éclatante encore et détruira tout à fait le mensonge. Et ceux qui en ont usé apprendront alors qu'il y a dans le ciel un Dieu qui voit tout ce qui se fait, entend tout ce qui se dit, propose des combats à ses athlètes, enseigne la douceur aux lions qu'enflent la faim et la colère[c], change en souffle de rosée la flamme que l'on alimente sans mesure et qui brûle avec force[d], conserve intact le fuyard dans le ventre d'une énorme baleine[e], descend avec le prophète dans la citerne boueuse[f], par la guerre rend captifs et exilés ceux qui l'y avaient précipité tandis qu'il fait de lui un rempart d'airain et une tour puissante[g], met à ses pieds les barbares, lui permet, par ailleurs, de briller dans les combats et souvent, avec deux fidèles, met en fuite des dizaines de milliers d'infidèles, ainsi qu'en témoignent Jonathan et son écuyer qui, seuls

2. Bien évidemment Nestorius, dont la doctrine a été maintenant acceptée par Cyrille : dès lors il serait absurde de souscrire à la condamnation de celui qui, par son enseignement, a amené à la vérité ceux qui étaient dans l'erreur.

3. Cf. l. 24-26.

armiger eius, qui soli contra alienigenas confidentes nutu diuino uniuersa alienigenarum milia fugauerunt et ab inuicem fecere consumi [h].

Sed deficiet me tempus narrantem Dei mei mirabilia et eius prouidentiam, quae fit in nobis per singulos dies. Haec igitur scientes, dilectissimi et Deo amicissimi fratres, in eum praesumite qui dixit : « Confidete, ego uici mundum [i]. » Etsi enim nos misericordia eius sumus indigni, tamen propter Dauid seruuum suum et Ierusalem, quam elegit, et procellas extinguet et tempestatem sistet et in directum denuo ferri praecipiet Ecclesiae nauem.

18b (*Coll. Pal.* 44)

Eiusdem Theodoriti ex epistula quam pro consolatione Nestorianorum Constantinopolim destinauit, in qua dicit quod duas quidem naturas et cetera pietatis dogmata confiteatur Aegyptius, de iniquitate uero quae in Nestorium commissa est, nulla sit correctio subsecuta, post alia

Fidelis, inquit, Deus, qui non patietur neque nos neque uos temptari super id quod possumus, sed faciet cum temptatione etiam exitum ut tolerare possimus [a] et mendacium quidem redarguere *** quamuis et nunc assertio

h. Cf. 1 S 14, 13-15 i. Jn 16, 33

contre les étrangers mais pleins de confiance dans la puissance de Dieu, mirent en fuite sans aucune exception des milliers d'étrangers et les firent se détruire entre eux [h].

Mais le temps me manquerait si je voulais raconter les merveilles de mon Dieu et chanter sa providence, qui s'exerce sur nous chaque jour. Aussi, frères bien aimés et très chers à Dieu, puisque vous savez tout cela, mettez votre confiance en celui qui a dit : « Ayez confiance, j'ai vaincu le monde [i]. » Car, bien que nous ne méritions pas sa miséricorde, par égard pour David, son serviteur, et pour Jérusalem, son élue, il apaisera l'ouragan, arrêtera la tempête et redressera à nouveau le vaisseau de l'Église.

18b

Au peuple de Constantinople

De la lettre du même Théodoret,
qu'il envoya à Constantinople
pour consoler les amis de Nestorius
et dans laquelle il déclare
que si l'Égyptien confesse bien, certes,
deux natures et toutes les autres croyances de la foi,
par contre, en ce qui concerne l'injustice
qui a été commise contre Nestorius,
aucune réparation n'a suivi

... Dieu, dit-il, qui est fidèle, ne permettra pas que ni nous ni vous soyons tentés au-delà de nos forces, mais il donnera aussi, avec la tentation, le moyen de la vaincre, afin que nous puissions la supporter [a] et que nous soyons capables de faire éclater le mensonge..., quoiqu'au-

a. Cf. 1 Co 10, 13

probetur mendacii confutata et ueritatis ostensa potentia.

Ecce enim qui Saluatoris Christi naturas impia ratiocinatione confuderant et unam naturam ausi fuerant praedicare ac deitati passiones adiungere, propterea etiam sanctissimo et uenerando summo Dei pontifici Nestorio resultarunt, uelut quodam camo et freno secundum prophetam maxillis omnino confractis[b] et a prauis ad recta perducti, ueritatem iterum didicerunt, utentes eius assertione qui pro ueritate bella sustinuit. Pro una namque natura duas in praesentiarum confitentur, anathematizantes eos qui permixtionem aut confusionem praedicant et deitatem Christi in passibilitate uenerantur, et carnis esse disserunt passiones et euangelicas diuidunt uoces et deitati quidem sublimes et Deo dignas adscribunt, humiles autem adsignant humanitati. Talia namque nunc ab Aegypto scripta delata sunt.

b. Cf. Ps 31, 9

jourd'hui encore il soit prouvé que l'assertion du mensonge a été réfutée et la puissance de la vérité manifestée.

Car voici que ceux qui avaient, par un raisonnement impie, confondu les natures du Christ Sauveur, qui avaient osé prêcher une seule nature et rapporté les souffrances à la divinité et qui, pour cette raison, insultèrent aussi le très saint, vénérable et très grand pontife de Dieu, Nestorius, voici que, comme si, selon la parole du prophète, on leur avait brisé complètement la mâchoire à l'aide d'un carcan et d'un mors [b], détournés de l'erreur vers l'orthodoxie, ils ont appris à nouveau la vérité, utilisant les affirmations de celui qui soutint les combats pour la vérité. Car au lieu d'une seule nature, ils en confessent maintenant deux, jetant l'anathème sur ceux qui prêchent le mélange ou la confusion et vénèrent la divinité du Christ dans la passibilité, et ils affirment que les souffrances sont le propre de la chair et distinguent parmi les termes de l'Évangile, attribuant ceux qui sont sublimes et dignes de Dieu à la divinité et ceux qui sont humbles à l'humanité. Car c'est bien là ce qui est écrit dans la lettre apportée aujourd'hui d'Égypte.

19 (*Coll. Cas.* 185)

Epistula Theodoreti, quam rescripsit episcopo Alexandro

Culpans et ipse huius rei causa Paulum, et eorum memor sum quae Ephesi contigerunt — noui subtiliter causam, tamquam si hodie facta sit — et sicut coram ipsa ueritate sic dico quia mox ut legi redargutionem a te factam, dolui animo, sciens discretionem sanctitatis tuae, mihique ualde displicuit quod mediator eius quae dicitur pacis factus, quamuis sciens perturbationem quae Ephesi facta est atque molestiam, hac magis propositione usus est et non illis aliis quae in Antiochia factae sunt. Ego uero propter omnia necessarium arbitror ut, ubicumque iubes, conueniamus, sed et dominus meus Deo amicissimus episcopus Andreas, si uero tuae placuerit sanctitati, ut et

1. Date : sensiblement contemporaines, les lettres C 19 et C 20 se situent entre la conclusion de la paix (avril 433) et le concile de Zeugma (début de l'été de la même année). La lettre C 19 répond à la lettre d'Alexandre de Hiérapolis à Théodoret (*Cas.* 184 = *ACO* I, 4, p. 133 s.) dans laquelle il reprochait à Paul d'Émèse la façon dont il avait obtenu l'accord de Cyrille : c'est à ce comportement de Paul que Théodoret fait référence par les mots *huius rei causa.* ~ Après *Alexandro*, Schwartz ajoute *<nisi> falsa est.*

2. C'est-à-dire : de Dieu lui-même (formule qui revient plusieurs fois dans la Correspondance de Théodoret).

19

À Alexandre de Hiérapolis

Lettre de Théodoret en réponse à l'évêque Alexandre [1]

Si de mon côté je blâme Paul pour cette raison, je me souviens aussi des événements d'Éphèse — je connais l'affaire dans le détail comme si elle s'était passée aujourd'hui — et je déclare, comme je le ferais en présence de la Vérité elle-même [2], qu'aussitôt lue ta réfutation, j'ai été peiné, sachant le jugement de Ta Sainteté [3], et j'ai grandement désapprouvé le fait que, devenu le médiateur de cette soi-disant paix, alors qu'il savait les pénibles désordres qui s'étaient produits à Éphèse, il ait davantage usé de cette formule que des autres qui ont été élaborées à Antioche. En vérité, si, quant à moi, je crois, pour tous les motifs, nécessaire que nous nous réunissions là où tu l'ordonneras, de son côté mon seigneur l'évêque très cher à Dieu André pense que, si tel est l'avis de Ta Sainteté, il faut que les autres évêques aussi se rendent à Hiérapolis ou

3. Entendre : l'opposition d'Alexandre à la formule élaborée à Éphèse et reprise par Paul d'Émèse dans ses tractations au lieu des propositions établies par l'assemblée d'Antioche (sept. 432), dont Théodoret avait été sans doute le principal rédacteur. Sur le détail de la négociation voir la lettre de Cyrille à Acace de Mélitène (*ACO*, I, I, 4, p. 20-31 ; trad. : FESTUGIÈRE, *Éphèse...*, p. 493-494) et G. BARDY, « Acace de Bérée... », p. 39-42.

alii episcopi ueniant Hierapolim aut in Zeugmate, quatenus pariter uniuersi quid agendum sit, deliberemus ; non enim parua causa uersatur, sed principalissima omnium. Scribere igitur dignetur sanctitas tua praedicto Deo amicissimo episcopo, id est domno Andreae, et si se promiserit adfuturum, deprecetur sanctitas tua significare mihi quo ueniam, et continuo adero.

1. Le synode de l'épiscopat euphratésien souhaité par André de Samosate et Théodoret eut bien lieu, en définitive, à Zeugma, sur la rive droite de l'Euphrate, au nord de Hiérapolis. Sur cette ville (aujourd'hui Balkis) qui devait son nom au pont de bateaux jeté sur le fleuve à cet

à Zeugma [1], afin que nous puissions délibérer tous ensemble de la conduite à tenir, car l'affaire dont il s'agit, loin d'être de mince importance, est entre toutes essentielle. Que Ta Sainteté daigne donc écrire à l'évêque très cher à Dieu déjà nommé, je veux dire le seigneur André, et, s'il promet d'être présent, que Ta Sainteté le prie de me faire savoir où je dois me rendre : je serai là aussitôt.

endroit, voir F. CUMONT, *Études syriennes*, Paris 1917, p. 119 s. et « Villes de l'Euphrate : Zeugma, Néocésarée, Birtha », dans *Mélanges d'archéologie et d'histoire* 35, 1915, p. 161-189, suivi par DUSSAUD, *Topographie historique*..., p. 449; cf. V. CHAPOT, *La frontière de l'Euphrate*, p. 278-280. Voir aussi P. CANIVET, *Monachisme*..., p. 154, n. 28. Nous savons que le synode se déroula en l'absence d'Alexandre.

20a (*Coll. Cas.* 187)

Item uerba Irinaei : Epistula, inquit, Theodoreti ad Alexandrum per quam promitti<t, si anathemati>zauerint qui circa Iohannem, personae doctrinam, nec ipse eorum pariter communicator existere

Scit sanctitas tua, etiamsi minime dixero, quia propterea et in Arbathilimas prius et in Hierapolim tunc adueni et nullius alterius rei causa nisi ut communiter tractaremus quid agere deberemus et quod conuenisset, manciparetur effectui. Quia igitur tuae sanctitati complacuit ut conueniremus in Zeugmate, quaeso sanctitatem tuam ut minime differas. Omnia enim quae desiderat religiositas tua, ut spero, facienda sunt, et nullus in ullo tuae sanctitati resistet ; omnes enim et ut patrem et ut dominum et reueremur et uenerauimus et reuerebimur. Quaeso igitur iterum atque iterum sanctitatem tuam *** sed fatigari

1. Date : cf. p. 224, n. 1. Lettre destinée à hâter la tenue du synode accepté par Alexandre, à la demande de Théodoret et d'André de Samosate et dont il avait lui-même choisi le lieu, comme le confirme André dans la lettre *Cas.* 186 à son métropolitain : *iussisti nos in Zeugmate conuenire* (*ACO* I, 4, p. 134, l. 30-31 ; la lettre à laquelle il est fait allusion est perdue). ∼ Autre traduction latine partielle du texte dans la *Collectio Palatina* 48 = *ACO* I, 5, p. 172, l. 20-24 (20b). ∼ La personne dont il est question est Nestorius.

2. Sur ce lieu, cité plusieurs fois sous différentes formes dans la *Coll. Casinensis* (*ACO* I, 4, p. 133, l. 25 ; p. 135, l. 12 ; p. 186, l. 27), cf. HONIGMANN, art. « Syria », *PW* 4A², c. 1697, l. 20-33.

3. Sur Zeugma, cf. p. 227, n. 1.

20a

À Alexandre de Hiérapolis

Pareillement, paroles d'Irénée. Lettre, dit-il, de Théodoret à Alexandre, par laquelle il promet, si ceux de l'entourage de Jean venaient à jeter l'anathème sur la doctrine de la personne, de ne pas, quant à lui, accepter la communion avec eux [1]

Ta Sainteté sait, sans que j'aie besoin de le lui dire, que si je me suis rendu d'abord à Arbathilimas [2] et ensuite à Hiérapolis, ce n'est pas pour une autre raison que pour rechercher ensemble ce que nous devions faire et mener à bonne fin ce qui aurait été convenu. Aussi, puisque Ta Sainteté a voulu que nous nous réunissions à Zeugma [3], je la supplie de ne point différer. En effet, tout ce que souhaite Ta Piété doit, je l'espère, se réaliser et personne ne résistera en rien à Ta Sainteté, puisque tous nous te révérons, nous t'avons vénéré et nous te révérerons à la fois comme un père et comme un seigneur. Je le demande donc encore avec insistance à Ta Sainteté : ne tarde pas, mais accepte de te déranger [4]. Je crois, en effet, en toute

4. Pour combler la lacune qui précède la conjonction *sed*, Schwartz proposait, en apparat, les mots *noli morari*, qui paraissent en effet convenir : aussi, sans introduire cette conjecture dans notre texte, l'avons-nous utilisée dans la traduction. *Fatigari* a toutes les chances de traduire σκυλῆναι, comme dans *Cas.* 144, où *si igitur possibile est fatigari usque ad nos* rend εἰ τοίνυν δυνατὸν σκυλῆναί σε ἕως ἡμῶν (*Coll. Athen.* 106 = *ACO* I, I, 7, p. 147, l. 4). Théodoret connaissait le peu d'empressement d'Alexandre à réunir un synode des évêques de sa province, au moment où il venait justement de rompre avec Jean coupable, à ses yeux, d'avoir abandonné la cause de Nestorius.

dignare. In ueritate etenim credo quia bonorum auctor Deus quae ad nos attinent, dispensare dignatus est nec nos relinquet, ut aut offendamus in eum aut confundamur apud homines, illuminans mentem nostram et quod
20b placitum sit, ostendens. Nam et olim iam tuae sanctitati dixi quia <si> anathematizauerint dogma domini mei sanctissimi et Deo amicissimi episcopi Nestorii, neque ego his qui haec fecerunt, communicabo, et si tuae complacuerit sanctitati et hoc inseri litteris quae a nobis <Antiochiam> sunt dirigendae, fiet hoc. Noli igi-
20b tur immorari, quaeso per uestigia tua, sed Deo tuo rem cede, et ipse gubernabit, uti nouit, et sanctitatem tuam et humilitatem nostram.

20b (*Coll. Pal.* 48)

Eiusdem Theodoriti ad Alexandrum Hieropolitanum

Et ante iam tuae sanctitati praedixi quia si domini mei uenerabilis et sanctissimi episcopi Nestorii fuerit dogma damnatum, nec ego his qui hoc faciunt, communicabo. Quod si tuae sanctitati placuerit id ipsum litteris inserere quae Antiochiam diriguntur, hoc fiat. Ne ergo differatur, obsecro tuis haerendo uestigiis.

1. La lettre (C 21) qui informera Jean d'Antioche des décisions du synode.

2. L'expression *per uestigia tua* (= διὰ τῶν ἰχνῶν σου), d'abord obscure, s'éclaire si l'on entend le mot « traces » (*uestigia*) au sens métaphorique, comme dans l'expression « marcher sur les traces de » : il s'ensuit que l'expression de Théodoret signifie en dernier ressort : « par ton passé exemplaire ».

vérité, que Dieu, source des biens, a daigné régler tout ce qui nous concerne et qu'il ne permettra ni que nous l'offensions ni que nous soyons confondus devant les hommes, car il éclairera notre intelligence et nous manifestera sa volonté. J'ai déjà dit, en effet, il y a longtemps, à Ta Sainteté que s'ils venaient à jeter l'anathème sur la croyance de mon seigneur l'évêque très saint et très cher à Dieu Nestorius, pour ma part, je cesserais toute communion avec ceux qui auraient agi de la sorte et que si Ta Sainteté voulait que cela aussi fût mis dans la lettre que nous devons envoyer à Antioche [1], il en serait fait ainsi. Ne tarde donc pas, je t'en supplie par ton passé exemplaire [2], mais confie l'affaire à ton Dieu : lui-même dirigera, comme il sait le faire, et Ta Sainteté et notre humble personne [3].

20b

À Alexandre de Hiérapolis

Du même Théodoret à Alexandre de Hiérapolis

Déjà auparavant aussi j'ai fait savoir à Ta Sainteté que si la doctrine de mon seigneur le vénérable et très saint évêque Nestorius venait à être condamnée, pour ma part, je n'accepterai pas la communion avec les auteurs de cette condamnation. S'il plaisait à Ta Sainteté que cela même soit mis dans la lettre qui est adressée à Antioche, ce serait fait. Que l'on ne tarde donc pas, je t'en conjure en m'attachant à ton passé exemplaire.

3. La réponse d'Alexandre à Théodoret (*Cas.* 188 = *ACO* I, 4, p. 135 s.) est rédigée en des termes qui ont dû ôter à l'évêque de Cyr toute illusion sur les intentions de son métropolitain, celui-ci lui exposant sans ambages les raisons pour lesquelles il ne se rendra pas au synode.

21a (*Coll. Athen.* 128)

Θεοδωρήτου πρὸς Ἰωάννην ἐπίσκοπον Ἀντιοχείας

Ὁ πάντα σοφῶς πρυτανεύων Θεὸς καὶ τῆς ἡμετέρας προμηθούμενος ὁμονοίας καὶ τῆς τῶν λαῶν κηδόμενος σωτηρίας συναθροισθῆναι ἡμᾶς κατὰ ταὐτὸν παρεσκεύασεν καὶ συμφώνους ἀλλήλοις τὰς ἁπάντων ἔδειξε γνώμας. Ἐν κοινῷ γὰρ ἀναγνόντες τὰ Αἰγύπτια γράμματα καὶ ἐξετάσαντες αὐτῶν ἀκριβῶς τὴν διάνοιαν, εὕρομεν σύμφωνα τοῖς <παρ’ ἡμῶν> εἰρημένοις τὰ ἐκεῖθεν ἀπεσταλμένα καὶ ἄντικρυς ἐναντία τοῖς δώδεκα κεφαλαίοις, οἷς μέχρι τοῦ παρόντος ὡς ἀλλοτρίοις τῆς εὐσεβείας πολεμοῦντες διετελέσαμεν. Ἐκεῖνα μὲν γὰρ εἶχεν σαρκικῶς σάρκα γεγονότα τὸν ἐκ Θεοῦ Λόγον καὶ καθ’ ὑπόστασιν ἕνωσιν καὶ σύνοδον τὴν καθ’ ἕνωσιν φυσικὴν καὶ τὸν Θεὸν Λόγον πρωτότοκον γεγενημένον ἐκ νεκρῶν, ἀπηγόρευε δὲ καὶ τῶν περὶ τοῦ κυρίου φωνῶν τὴν διαίρεσιν, καὶ ἕτερα δὲ πρὸς τούτοις εἶχεν τῶν μὲν ἀποστολικῶν σπερμάτων ἀλλότρια, τῶν δὲ

1. Date : printemps 433, au lendemain du synode de Zeugma (cf. p. 227 et n. 4), qui avait chargé Théodoret, avec André de Samosate, de faire connaître à Jean d'Antioche son attitude unanime à l'égard de la lettre *Laetentur coeli* de Cyrille à Jean (*PG* 77, 173-181 ; *ACO* I, I, 4, p. 15-20) et des conditions de paix. La lettre comporte deux parties, la première relative aux nouvelles affirmations doctrinales de Cyrille, la seconde — conservée seulement en latin (21b) — au problème posé par la déposition de Nestorius et la condamnation de sa doctrine : habilement l'évêque de Cyr souligne la contradiction qu'il y aurait entre l'acceptation

21a
À Jean d'Antioche

De Théodoret à Jean, évêque d'Antioche [1]

Dieu qui préside à tout avec sagesse, qui veille à notre concorde et prend soin du salut des peuples, a fait en sorte que nous nous réunissions et a manifesté que l'accord régnait entre les opinions de tous sans exception. Ayant lu, en effet, en commun la lettre de l'Égyptien et en ayant examiné minutieusement son sens, nous avons trouvé que ce qui a été envoyé de là-bas est en accord avec ce que nous-mêmes avons dit et directement contraire aux douze chapitres contre lesquels nous n'avons jusqu'ici cessé de combattre comme étant étrangers à la foi orthodoxe [2]. Ces chapitres, en effet, soutenaient que le Verbe Dieu s'est de Dieu transformé en chair de manière charnelle, que l'union s'est faite selon l'hypostase, que la conjonction s'est opérée selon l'union physique et que le Verbe Dieu est devenu premier-né d'entre les morts, refusaient d'autre part de distinguer entre les termes relatifs au Seigneur, sans compter d'autres propositions étrangères aux semences apostoliques et qui n'étaient que des pousses issues de

par Cyrille de ce que Nestorius n'a cessé, dit-il, d'enseigner et, d'autre part, l'exigence de sa condamnation posée comme condition de la paix.

2. Théodoret compare, dans un premier temps, les Anathématismes et la Lettre d'union et déclare à Jean d'Antioche qu'autant les premiers étaient inadmissibles, autant la seconde permet de réintégrer Cyrille — encore appelé dédaigneusement « l'Égyptien » — dans la communion des Orientaux.

αἱρετικῶν ζιζανίων βλαστήματα· τὰ δὲ νῦν ἐπεσταλμένα τῇ εὐαγγελικῇ εὐγενείᾳ καλλύνεται.

Θεὸς γὰρ τέλειος καὶ ἄνθρωπος τέλειος ὁ Κύριος ἡμῶν Ἰησοῦς ὁ Χριστὸς ἐν αὐτοῖς ἀναγορεύεται καὶ φύσεις δύο καὶ τούτων διαφορὰ καὶ ἕνωσις ἀσύγχυτος, οὐ κατὰ κρᾶσιν καὶ φυρμόν, ἀλλ' ἀπορρήτως καὶ θεοπρεπῶς γενομένη καὶ τῶν φύσεων τὰς ἰδιότητας ἀκράτους διαφυλάξασα, καὶ ἀπαθὴς μὲν ὁ Θεὸς Λόγος καὶ ἄτρεπτος, παθητὸς δὲ ὁ ναὸς καὶ τῷ θανάτῳ πρὸς ὀλίγον παραδοθεὶς καὶ πάλιν τῇ δυνάμει τοῦ ἑνωθέντος Θεοῦ ἐγερθεὶς καὶ τὸ Πνεῦμα τὸ ἅγιον οὐκ ἐξ Υἱοῦ ἢ δι' Υἱοῦ τὴν ὕπαρξιν ἔχον, ἀλλ' ἐκ τοῦ Πατρὸς ἐκπορευόμενον, ἴδιον δὲ Υἱοῦ ὡς ὁμοούσιον ὀνομαζόμενον. Ταύτην τὴν ὀρθότητα ἐν τοῖς γράμμασιν θεασάμενοι καὶ ἐναντίαν ἐκ διαμέτρου τοῖς ἤδη πρότερον γραφεῖσιν εὑρόντες, ὑμνήσαμεν τὸν τὰς ψελλιζούσας γλώσσας ἰατρεύοντα καὶ τὸν ἀπηχῆ φθόγγον εἰς ἠχὴν ἡδεῖαν μεταρρυθμίζοντα [a].

a. Cf. Is 32, 4

---

1. Le résumé des Anathématismes contient un écho du premier (« Dieu Verbe devenu chair »), du deuxième (« union selon l'hypostase »), du troisième (« conjonction selon une union physique »), du quatrième (refus de distinguer parmi les expressions évangéliques celles qui conviennent à la divinité et celles qui s'appliquent à l'humanité du Christ) et du douzième (« Verbe de Dieu devenu premier-né d'entre les morts »).

2. Le résumé de la lettre *Laetentur caeli* est, lui, assez approximatif (l. 19-29) : il ne souffle mot du *Theotokos*, qui avait été concédé à Cyrille, non plus que d'une quelconque communication des idiomes entre le Verbe et son temple (maintenue pourtant par Cyrille : *PG* 77, 180 B-C) et accentue le recul du même Cyrille quant au rapport entre le Fils et

l'herbe mauvaise de l'hérésie [1] : par contre, la lettre qui a été envoyée maintenant est parée de la noblesse évangélique.

Dans cette lettre, en effet, il est déclaré que Notre Seigneur Jésus-Christ est Dieu parfait et homme parfait, qu'il y a deux natures, qu'elles diffèrent et qu'elles sont cependant unies sans confusion, non à la façon de liquides qui se mélangent ou d'un ferment qui se coagulerait, mais d'une manière ineffable et qui convient à Dieu, qui a maintenu sans mélange les propriétés des natures, que le Verbe Dieu est impassible et inconvertible, mais que le Temple est passible, qu'il a été pour un peu de temps livré à la mort et à nouveau rendu à la vie par la puissance du Dieu uni à lui, et que l'Esprit-Saint ne tire pas son existence du Fils ou n'existe pas par le fait du Fils, mais qu'il procède du Père, tout en étant nommé propre au Fils en tant que consubstantiel [2]. Ayant donc constaté cette rectitude dans la lettre et l'ayant trouvée diamétralement opposée à ce qui avait été écrit auparavant, nous avons chanté celui qui guérit la langue des bègues et transforme la voix discordante en un son plaisant [a] [3].

l'Esprit. Pour la formule « Dieu parfait et homme parfait », voir cependant *PG* 77, 176 D ; pour l'union sans confusion des deux natures, 177 A ; pour la négation du mélange et de la confusion, 180 B.

3. Théodoret et le synode de Zeugma unanime ne mettaient donc plus en question l'orthodoxie de Cyrille, mais il restait à régler l'épineux problème à la fois de la personne et de l'enseignement de Nestorius : tel est l'objet de la deuxième partie de la lettre dont le contenu montre assez que l'union avec Cyrille ne serait possible que dans le cas où Nestorius serait épargné (voir ci-dessous la lettre 21b).

21b (*Coll. Cas.* 183)

Incipit epistula, ut aiunt, Theodoreti episcopi ad Iohannem Antiochiae

21ac Deus, qui sapienter omnia indagatur et nostrae unianimitati prospiciens et saluti populorum parcens, praeparauit ut conueniremus in unum, et consonas ad inuicem cunctorum uoluntates ostendit. In communi enim legentes Aegyptias litteras et earum mentem discutientes subtiliter, consona nostris ea quae inde sunt per epistulam scripta cognouimus et XII capitulis quasi <e> regione contraria, contra quae usque ad praesens perstitimus dimicantes. Illa namque habent carnaliter carnem factum ex Deo Verbum et unitionem secundum substantiam et conuentum circa unitionem naturalem et Deum Verbum primogenitum factum ex mortuis, interdicunt uero et uocum quae de Christo sunt diuisionem, et alia autem praeter haec habebant ab apostolicis quidem dogmatibus aliena, ex haereticis uero zizaniis germinantia; quae autem nunc in
21c epistula continentur clare nobilitate euangelica decorantur.

Praedicatur namque in eis Deus et homo perfectus Dominus noster Iesus Christus et duae naturae earumque differentia et unitio inconfusa, non quasi per liquidorum in inuicem mixtionem coagulamentumue fermenti, sed

1. La lettre *Cas.* 183 donne le texte intégral de la lettre dont *Coll. Athen.* 128, qui précède, ne fournit que l'original grec de la première

21b

À Jean d'Antioche

Commencement de la lettre dite de l'évêque Théodoret à Jean d'Antioche [1]

Dieu qui dirige tout avec sagesse, qui veille à notre concorde et prend soin du salut des peuples, a fait en sorte que nous nous réunissions et a manifesté que l'accord règne entre les opinions de tous. En effet, en lisant en commun la lettre de l'Égyptien et en examinant à fond son sens, nous avons trouvé que le contenu de la lettre qu'il nous a envoyée de là-bas est en accord avec nos propres opinions et pour ainsi dire radicalement contraire aux douze chapitres contre lesquels nous n'avons jusqu'ici cessé de lutter. Ces chapitres, en effet, soutiennent que le Verbe s'est de Dieu transformé en chair de manière charnelle, que l'union s'est faite selon l'essence, que la conjonction s'est opérée selon l'union naturelle et que le Verbe Dieu est devenu premier-né d'entre les morts; ils refusent d'autre part de distinguer entre les termes relatifs au Christ, et ils soutenaient en outre d'autres propositions assurément étrangères aux croyances apostoliques et qui n'étaient que des pousses issues de l'herbe mauvaise de l'hérésie : par contre, ce qui est écrit aujourd'hui dans la lettre est visiblement orné de la noblesse évangélique.

Dans cette lettre, en effet, il est déclaré que Notre Seigneur Jésus-Christ est Dieu parfait et homme parfait, qu'il y a deux natures et qu'elles diffèrent mais sont unies sans confusion, non à la façon de liquides qui se mélangent

partie. Une autre traduction latine du début de la lettre (*ACO* IV, 1, p. 135) est donnée ci-dessous (21c).

ineffabiliter et deodecenter effecta et quae naturarum proprietates integras conseruauit, et impassibilis quidem Deus Verbum atque inconuertibilis, templum uero passibile ac morti ad modicum traditum et resuscitatum rursus uniti Dei uirtute, Spiritus quoque sanctus non ex Filio aut per Filium habens subsistentiam, sed prodiens quidem a Patre, proprius uero <Filii>, quod et ei consubstantialis sit nominatus. Hanc rectitudinem conspicientes in litteris ipsis et quasi e regione contrariam repperientes eis quae ante conscripta sunt, conlaudauimus Deum, qui blaesorum linguas saluare dignatus est et incertum sonum in articula- 21a tam uocem suauemque transduxit[a].

De his igitur hanc habuimus sententiam; altera uero diffamata sunt quaedam, quae nos nimium turbauerunt. Dicunt enim quod is qui hac paenitudine usus sit, non solum deiectionis siue damnationis suscriptionem a uestra sanctitate nitatur exigere, sed anathematismum quoque doctrinae sanctissimi et Deo amicissimi episcopi Nestorii. Quod si id uerum est, qui haec uelut ex arce praecipit ciuitatis, simile aliquid facit tamquam si quis uix tandem perductus ad consubstantialem Deo et Patri Filium confitendum, mox iterum anathemate feriat eos qui hoc a principio sapuerunt atque docuerunt. Et iste siquidem postquam uix tandem nostris dogmatibus est adiunctus, mox eorum anathematismum conatur exigere, quasi pro ipsa rerum rectitudine paenitens. Quia igitur hoc animas nostras ualde perturbat, quaeso sanctitatem tuam et iterum

a. Cf. Is 32, 4

---

1. Cyrille, sévèrement jugé par Théodoret qui lui reproche à la fois son comportement autoritaire et son peu d'empressement à accepter en

ou d'un ferment qui se coagulerait, mais d'une manière ineffable et qui convient à Dieu, qui a maintenu intactes les propriétés des natures, que le Verbe Dieu est impassible et inconvertible, mais que le Temple, lui, est passible, qu'il a été pour un peu de temps livré à la mort et à nouveau rendu à la vie par la puissance du Dieu uni à lui, et que l'Esprit-Saint n'est pas issu du Fils ou n'existe pas par le fait du Fils, mais qu'il procède du Père, tout en étant propre au Fils puisqu'il est dit consubstantiel aussi à lui. Constatant dans la lettre même cette rectitude et la trouvant pour ainsi dire exactement contraire à ce qui a été écrit auparavant, nous avons loué Dieu d'avoir daigné guérir la langue des bègues et transformer un son discordant en une voix bien articulée et douce[a].

Sur ce point voilà donc quelle a été notre opinion ; mais on a par ailleurs répandu d'autres bruits qui nous ont absolument bouleversés. On dit, en effet, que l'homme qui a manifesté ce repentir[1] s'efforcerait d'exiger de Votre Sainteté non seulement qu'elle souscrive à la déposition ou à la condamnation de l'évêque très saint et très cher à Dieu Nestorius, mais encore qu'elle jette l'anathème sur sa doctrine. Si cela est vrai, celui qui donne des ordres comme du haut d'une citadelle n'agit pas autrement qu'un homme qui, amené finalement et avec peine à confesser que le Fils est consubstantiel à Dieu le Père, frapperait bientôt à nouveau d'anathème ceux qui ont depuis le début professé cette opinion et l'ont enseignée. C'est de même que notre homme, lui aussi, après avoir enfin et avec peine adhéré à nos croyances, s'efforce ensuite d'exiger qu'on jette l'anathème sur elles, comme s'il regrettait son orthodoxie même. Aussi, puisque cela bouleverse profondément nos âmes, je supplie avec insistance Ta Sainteté

matière de foi des formules conformes à celles-là mêmes que les Orientaux avaient utilisées à propos de l'Incarnation (cf. CAMELOT, p. 71). En réalité Cyrille n'avait pas tout cédé aux Orientaux.

quaeso ut doceas nos utrum uera sit quae omnes perturbauit opinio. Nam de subscriptione tuae scribere sanctitati arbitror esse superfluum, quae saepe promisit nullum se contra uoluntatem ad ista compellere.

Haec in commune scribere cuncti noluimus, sed deliberauimus potius ego et sanctissimus et Deo amicissimus Andreas episcopus non synodicis litteris, sed amicabilibus haec tuae innotescere sanctitati et sapientibus medicaminibus tuis sedata es quae ex opinione nata est perturbatione restituere sanitatem. De meo autem domino sanctissimo et Deo amicissimo episcopo Alexandro rogamus tuum sanctum caput ut tua utens consuete sapientia sustineas patienter ; credimus enim quia et ipse una nobiscum uoluntate consentiet, etsi nunc ambigit, subtilitatem nominum quaerens ac minime intellectae confessionis <non> contentus.

21c (Σ 106)

Theodoreti ad Iohannem episcopum Antiochiae

Quia omnia sapienter gubernat Deus et nostrae prouidens concordiae et populorum procurans salutem, congre-

1. Nous adoptons la leçon de *M* (*sanctitati*), contre Schwartz (*sanctitatis*).

2. Une lettre synodale comportait, en effet, le risque de provoquer une rupture avec le patriarche, ce que les évêques du synode voulaient à tout prix éviter : aussi Théodoret use-t-il d'une simple lettre *amicale* (*non synodicis litteris, sed amicalibus*) pleine de modération.

de nous faire savoir si véridique est la rumeur qui nous a tous retournés. Car pour ce qui est de souscrire, il est, je pense, superflu que j'en parle à Ta Sainteté [1], puisque celle-ci a promis maintes fois de n'y obliger personne contre son gré.

Plutôt que d'écrire une lettre collective à ce sujet [2], nous avonc préféré, l'évêque très saint et très cher à Dieu André et moi-même, au lieu de faire connaître à Ta Sainteté ces décisions par le moyen d'une lettre synodale, les lui faire connaître par une lettre amicale et, grâce aux sages remèdes que tu emploieras, guérir le trouble auquel cette rumeur a donné naissance et ramener la santé. Quant à mon seigneur l'évêque très saint et très cher à Dieu Alexandre, nous demandons à Ta Sainte Tête d'user de son habituelle sagesse et d'attendre patiemment ; car nous avons confiance que lui aussi s'accordera avec nous, malgré son actuelle hésitation [3], qui provient de ce qu'il est exigeant quant à l'exactitude du vocabulaire et ne se tient pas satisfait d'une confession [4] mal comprise.

21c

À Jean d'Antioche

De Théodoret à Jean, évêque d'Antioche

Parce que Dieu gouverne tout avec sagesse, veille à notre concorde, et s'occupe du salut des peuples, il a fait

3. En fait il ne s'agissait pas seulement d'une hésitation (*ambigit*), fût-elle le fruit d'une excessive rigueur intellectuelle, mais d'une volonté bien arrêtée d'Alexandre de refuser la réconciliation avec Cyrille, qu'il considérait toujours comme hérétique malgré son changement de vocabulaire : voir ses lettres à André de Samosate (*Cas.* 192 = *ACO* I, 4, p. 138) et à Jean de Germanicie (*Cas.* 193 = *Ibid.*, p. 138 s.).

4. Nous lisons *confessionis*, contre *M* (*confessionem*) et Schwartz (-*ni*).

gari nos in unum praeparauit et consonantes sibi omnium ostendit uoluntates. Communiter enim perlegentes Aegyptiacas litteras et examinantes earum subtiliter sensum inuenimus consonantes dictis a nobis eas quae inde directae sunt, et palam contrarias duodecim capitulis quibus usque ad praesens, ut alienis a pietate, repugnantes permansimus. Nam illa quidem habebant carnaliter carnem factum esse Dei Verbum et per substantiam unitatem et conuentum per unitatem naturalem et Deum Verbum primogenitum factum ex mortuis, abdicabant autem et uocum diuisionem quae de Domino factae sunt, et alia uero ad haec habebant apostolicis quidem seminibus aliena, haereticorum autem germina zizaniorum. Quae autem nunc directae sunt, euangelica generositate decorantur.

en sorte que nous nous réunissions et a manifesté l'accord des opinions de tous. En effet, lisant jusqu'au bout en commun la lettre de l'Égyptien, et examinant à fond son sens, nous avons trouvé que ce qui a été envoyé de là-bas était en accord avec ce que nous avons dit, et clairement contraire aux douze chapitres auxquels nous n'avons jusqu'ici cessé de nous opposer comme étant étrangers à la foi. Ces chapitres soutenaient en effet que le Verbe de Dieu est devenu chair de manière charnelle, que l'union s'est faite selon l'essence et la conjonction selon l'union naturelle, et que le Verbe Dieu est devenu premier-né d'entre les morts ; ils refusaient aussi de distinguer entre les termes appliqués au Seigneur et soutenaient encore d'autres propositions étrangères aux semences apostoliques ce qui n'étaient que des pousses issues de l'herbe mauvaise de l'hérésie. Par contre, la lettre qui a été envoyée maintenant est ornée de la vertu évangélique.

22 (*Coll. Cas.* 198)

Epistula, inquit, Theodoreti ad Helladium, indicans quod non abscesserit ab illis quae inter eos semel in negotio conuenerunt, neque iniustitiae quae in illam personam commissa est, acquiescere patiatur

Quando praecipue litterarum consolatione nos oportuit frui — uehementior quippe nunc est erecta tempestas —, tunc et ipsa fraudamur et damnificamur ea quae nobis sola supererat. Ego quidem semel secundoque scripsi de his quae uertuntur, et poscens commune consilium et manifestans sententiam meam et claram mihi tuae sanctitatis intentionem fieri rogans, et nec semel impetraui rescripta ; unam uero solum per totum tempus aestatis commendaticiam suscepi epistulam. Et ualde me obstupuisse confiteor. Vereor quippe ne qua aduersus nos accusatio ueniens — opus namque tale multorum est, licet semper, praecipue

1. Date : automne 433. Théodoret se plaint de n'avoir reçu de son ami aucune lettre de tout l'été (l. 12 : *per totum tempus aestatis*) et lui demande la raison de sa froideur. Nous connaissons bien le contexte dans lequel fut écrite cette lettre : le succès que Théodoret avait remporté au synode de Zeugma (qui avait reconnu l'orthodoxie de Cyrille, sans toutefois accepter la déposition de Nestorius : cf. lettre C 21) n'avait été que de courte durée ; très vite il s'était heurté à l'hostilité croissante d'Alexandre, qui avait refusé d'approuver les décrets du synode et qui, de

22

À Helladius de Tarse

Lettre, dit (Irénée), de Théodoret à Helladius, lui faisant savoir qu'il n'a pas renoncé à ce qui avait été convenu entre eux une fois pour toutes au sujet de l'affaire, et qu'il n'accepte pas de consentir à l'injustice commise contre la personne (de Nestorius) [1]

C'est au moment même où il nous aurait le plus fallu bénéficier de la consolation d'une lettre — car la tempête s'est levée maintenant avec plus de violence — que nous sommes justement privé et frustré de la seule qui nous restait. Tandis que, pour ma part, je t'ai écrit une et deux fois sur l'évolution des événements [2], réclamant une réunion commune, découvrant au grand jour mon opinion et te demandant de me faire connaître clairement l'intention de Ta Sainteté, je n'ai pas même obtenu une seule réponse et, de tout l'été, je n'ai reçu qu'une seule lettre, une lettre de recommandation [3] ! J'avoue que ma stupeur a été grande. Je crains, en effet, que quelque accusation dirigée contre nous — car une œuvre de ce genre peut être celle de beaucoup, en tout temps certes, mais plus

surcroît, mettant à profit la rupture récente des évêques des deux Cilicies avec Jean d'Antioche (cf. les lettres *Cas.* 201, de Maximin d'Anazarbe, et 202, d'Helladius : *ACO* I, 4, p. 142-144) excitait ces évêques contre Théodoret. Celui-ci était donc obligé de se défendre.

2. Aucune de ces lettres ne nous est parvenue.

3. Emploi ironique de l'adjectif *commendaticiam*.

tamen hoc tempore — tuae caritatis turbidauerit puritatem suadens quod relicta acie dediticii fuerimus effecti et quasi quidem multipedes aut chamaeleontes colorem secundum petras et folia uerterimus. Vnde ad has rursus litteras uenio ac rogo ut sanctitas tua eadem sit circa nos. Adiuuante siquidem gratia Dei, non imitamur uarios reumatum cursus qui interdum quidem huc, non numquam uero illuc recurrere solent, sed festinamus in eis quae a principio deliberauimus, quae recta sunt, permanere et tristia quaequae uenerint, sustinere et nutum de super expectare.

Vnde eam quidem quae ex Aegypto est directa epistulam quippe orthodoxam recepimus ; mercedes uero quas pro eadem sua recta fide poposcit, qui eam uix tandem discere ualuit, ut odiosam Deo et abominandam sumus auersati. Nam quis umquam eorum qui sub pietate nutriti sunt, mercedem rectae fidei homicidium postulauit uel quis tribuit postulanti ? aut quis ueracem appellet eum qui sine mercede honorare noluerit ueritatem ? demus enim non esse malum quae est petita mercedem, <quo modo omnino postulari posse mercedem> docuerit. Mihi enim

1. Même comparaison, pour exprimer un changement d'opinion, dans la lettre C 23a, à Nestorius (l. 26-28) ; voir aussi la lettre S 125 (*SC* 111, p. 98-99).

2. La lettre d'union *Laetentur caeli* de Cyrille à Jean d'Antioche (*PG* 77, 173-181 ; *ACO* I, I, 4, p. 15-20) : printemps 433.

3. C'est-à-dire l'abandon de Nestorius, que Cyrille exige des Orientaux pour prix de son adhésion à l'orthodoxie, alors qu'il vient tout juste d'y adhérer et avec peine ! Théodoret repousse avec horreur un tel marchandage : à vrai dire, le salaire avait déjà été versé par Jean qui, dans sa lettre à Cyrille (*PG* 77, 169-173 ; *ACO* I, I, 4, 7-9) avait (début 433) explicitement déclaré tenir pour déposé Nestorius, anathématisé sa doctrine et approuvé l'élection de Maximien au siège de Constantinople. ~ Si le sens n'est pas douteux, la phrase latine contient une anomalie : *mercedes... odiosam... et abominandam* (un singulier rapporté

particulièrement aujourd'hui — n'ait troublé la pureté de ton amour, en le persuadant que nous avions quitté le rang, que nous avions capitulé et que nous avions changé, comme il est vrai que certains polypodes ou caméléons changent leur couleur suivant celle des pierres et des feuilles [1]. C'est pourquoi, de nouveau, j'ai recours à cette lettre et demande que Ta Sainteté soit la même à notre égard. Car, certes, grâce à l'aide de Dieu, nous n'imitons pas le mouvement variée de la marée qui a coutume d'aller tantôt dans un sens et tantôt dans l'autre, mais notre impatience ne vise qu'à persister dans les idées que nous avons choisies dès le début, et qui sont justes, à supporter toutes les tristesses qui peuvent survenir et à attendre la volonté du ciel.

C'est pourquoi si nous avons accepté, parce que conforme à la vraie foi, la lettre qui a été envoyée d'Égypte [2], par contre nous avons repoussé comme une chose odieuse à Dieu et abominable [3] le salaire que réclamait, pour le payer de l'orthodoxie de cette foi qui est la sienne, celui qui n'a été capable de l'apprendre que tout récemment et non sans peine. Car quel est celui, parmi ceux qui ont été élevés dans la foi, qui a jamais réclamé un homicide comme rétribution de son orthodoxie, ou quel est celui qui l'a accordée quand on le lui a demandé ? Ou encore qui donc appellerait sincère un homme qui a refusé de rendre honneur à la vérité gratuitement ? Accordons en effet que la rétribution qui a été demandée ne soit pas mauvaise : mais comment pourra-t-il montrer qu'une rétribution peut toujours être demandée ? Je ne crois pas,

à un pluriel). On peut conjecturer, pour l'expliquer, que Théodoret employait sans doute le singulier (comme à la phrase suivante : *mercedem rectae fidei*), les prédicats étaient donc au masculin singulier ; Rusticus les a mis naturellement au féminin, mais a oublié qu'il avait rendu τὸν μίσθον par un pluriel. Le même mot est utilisé par Nestorius dans sa réponse (*Cas.* 209 = *ACO* I, 4, p. 150, l. 27) à la lettre de Théodoret, pour désigner, lui aussi, l'abandon de sa personne par les Orientaux.

uidetur nec illum nominare perfectum qui propter regnum caelorum uirtute animi pollet, sed quem boni detinet amor et bonum propter id ipsum complectitur. Et testatur hoc Dominus dicens ita : « Qui diligit me, implebit mandata mea[a]. » Et non ait : « Qui desiderat regnum caelorum », sed « Qui diligit me ». Si uero et meminit ubique mercedum, aliquando quidem dicens : « Quoniam ipsorum est regnum caelorum [b] », aliquando uero « Quia ipsi hereditate possidebunt terram [c] », et quaecumque sunt talia, hoc facit ostendens propriam largitatem et animas fastidiosorum ad bona sustollens ; perfectorum uero est proprium proclamare : « Mihi uiuere Christus est et mori lucrum [d] », et « Ego enim non tantum ligari, sed et mori paratus sum pro nomine Domini nostri Iesu Christi [e] », et « Complaceo mihi in infirmitatibus, in persecutionibus, in seditionibus pro Christo. Quando infirmor, tunc potens sum [f]. » Sed iste orthodoxiae assertor seu praeceptor egregius mercedem orthodoxae fidei expoposcit et mercedem scelestam et bestiis sanguinem potantibus concedentem. Verum clamemus ei quia « diis tuis culturam non exhibemus et imaginem quam statuisti auream non adorabimus [g] ». Hanc tenemus sententiam, Deo amicissime domine.

Nullus igitur nos apud uos impetat uelut alia sapiamus. Sed orate ac deprecamini Deum et animam nostram, quae infirma est, roborare, et corpus, quod grauiter est dispositum, dexter enim pes meus torpore detentus lecto nos rursus affixit ; sed noui quod et hoc utiliter atque salubriter dispensauerit uniuersitatis inspector.

a. Jn 14, 21 b. Mt 5, 3 c. Mt 5, 5 d. Ph 1, 21
e. Ac 21, 13 f. 2 Co 12, 10 g. Dn 3, 18

en effet, qu'on doive non plus appeler parfait celui qui n'est riche de vertu morale qu'en vue du royaume des cieux, mais plutôt celui qui est possédé par l'amour du bien et qui s'attache à lui pour cette seule raison. C'est ce qu'atteste le Maître quand il dit : « Celui qui m'aime gardera mes commandements[a]. » Il ne dit pas : " Celui qui désire le royaume des cieux ", mais « Celui qui m'aime ». Et si partout il fait aussi mention de récompense, disant tantôt : « Car le royaume des cieux est à eux[b] », tantôt « Car ils hériteront de la terre[c] », et toutes paroles semblables, il le fait pour montrer sa propre générosité et pour élever vers le bien les âmes fatiguées ; mais il appartient aux parfaits de proclamer : « Car le Christ est ma vie, et la mort m'est un gain[d] », et « Car moi, je suis prêt non seulement à être lié, mais encore à mourir pour le nom de notre Seigneur Jésus-Christ[e] », et « Je me plais dans les faiblesses, dans les persécutions, dans les séditions pour le Christ. Lorsque je suis faible, c'est alors que je suis fort[f]. » Notre homme, au contraire, ce défenseur de l'orthodoxie, ce maître distingué, a réclamé un salaire pour l'orthodoxie de sa foi, et un salaire criminel et qui ne convient qu'à des bêtes assoiffées de sang. Crions-lui donc : « Nous ne servirons pas tes dieux et nous ne nous prosternerons pas devant la statue d'or que tu as dressée[g]. » Voilà, seigneur très cher à Dieu, l'opinion que nous embrassons.

Que personne n'aille donc nous accuser auprès de vous d'avoir une autre pensée. Mais priez et suppliez Dieu de fortifier notre âme qui est faible, et notre corps, qui est malade, puisque mon pied droit engourdi par un rhumatisme nous a de nouveau cloué au lit ; mais je sais que si l'inspecteur du monde nous a ménagé cette épreuve, c'est encore en vue de notre intérêt et de notre salut[1].

1. Nouvelle utilisation du thème de la maladie, mais ici Théodoret en tire une leçon de philosophie sur la valeur de la souffrance comme moyen de salut.

23a (*Coll. Cas.* 208)

23bc Deo amicissimo, inquit, secundum ueritatem et sanctissimo patri episcopo Nestorio Theodoretus

Quod habitare in uilla non metuam et obsequii et gloriae et excelsi throni non sim desiderio compeditus, tuam nosse arbitror sanctitatem. Nam si et aliud nihil, saltim solitudo ciuitatis, cuius gubernacula sum sortitus, sat est ad docendum me hanc philosophiam ; praeter ipsam siquidem solitudinem et causarum turbas plurimas habet, quae sufficiunt ad abigendum eos quoque qui nimis talibus gaudent. Nullus igitur religiositati tuae suadat quod ego praesulatus amore oculos claudens, idcirco ut orthodoxas susceperim litteras ab Aegypto. Dico enim, sicut coram ueritate ipsa, frequenter eis perlectis subtiliterque discus-

1. Date : sans doute contemporaine de la lettre C 22. Dans les deux cas Théodoret se défend contre les accusations dont il est victime de la part de ses amis et distingue clairement le plan doctrinal et le problème posé aux Orientaux par la déposition de Nestorius. Contre l'hypothèse du P. Peeters (« S. Syméon stylite... », p. 35, n. 1) qui pensait pouvoir situer la lettre au moment où Nestorius était déjà en exil, cf. M. Richard, « Théodoret, Jean d'Antioche... », p. 150, n. 6, qui s'appuyait, pour combattre cette opinion, à la fois sur le contenu et la place de la lettre dans la collection. ~ Cette lettre existe aussi en deux autres traductions latines : *Coll. Pal.* 43 (*ACO* I, 5, p. 170-171) et *Actes du Ve concile* (*ACO* IV, 1, p. 134), données ci-dessous (23b et 23c).

2. Théodoret parle souvent de son amour de la solitude : lettres S 119, au patrice Anatole (*SC* 111, p. 81), et S 134, à Jean de Germanicie (*ibid.*,

23a

À Nestorius

Au véritablement très ami de Dieu, dit (Irénée), et père très saint l'évêque Nestorius, Théodoret [1]

Que le séjour à la campagne ne m'effraye point [2] et que le désir de la faveur, de la gloire et de la majesté du trône ne m'entrave nullement, Ta Sainteté, je pense, le sait. Car, même à défaut d'autre chose, la simple solitude de la ville dont le gouvernement m'est échu [3] suffit à m'enseigner cette sagesse ; mais, outre sa solitude même, cette ville offre mille causes de troubles qui suffisent à en écarter ceux-là mêmes qui trouvent trop leur joie en de tels biens. Que personne donc n'amène Ta Piété à croire que l'amour de l'épiscopat m'a fait fermer les yeux et que c'est pour cette raison que j'ai accepté, comme conforme à la vraie foi, la lettre d'Égypte [4]. J'affirme, en effet, comme je le ferais en présence de la Vérité elle-même [5], que c'est après

p. 127 et la n. 3 sur le sens du mot ἡσυχία = « calme » mais aussi « solitude »). Nous savons que c'est avec regret qu'il avait quitté la vie monastique (423) pour monter sur le siège de Cyr.

3. Sur la situation géographique de Cyr et la pauvreté de son diocèse, cf. p. 188, n. 1. Voir aussi P. Canivet, Introduction à Théodoret de Cyr, *Thérapeutique des maladies helléniques* (*SC* 57), p. 17-20.

4. La lettre *Laetentur caeli* de Cyrille contenant sa nouvelle confession de foi (*PG* 77, 173-181). Il faut entendre qu'un désir trop vif de conserver son siège aurait pu conduire l'évêque de Cyr à déclarer trop vite orthodoxe cette lettre pour échapper au risque de le perdre : la phrase qui suit (*enim*) suffit à effacer un tel soupçon.

5. Sur cette expression cf. p. 224, n. 2.

sis, inueni ab illa eas haeretica amaritudine liberas easque timui ullo modo maculare, dum certe oderim non minus aliis illarum patrem sicut totius mundi perturbationis auctorem, et spero son me soluturum poenas ob hoc in die iudicii, quia iustus iudex intentionis inspector est.

His autem quae contra tuam iniuste et inique facta sunt sanctitatem, nec si ambas manus meas quilibet abscidat, patior assentire, procul dubio diuina mihi cooperante gratia et animae imbecillitatem roborante, et hoc manifestum feci et illis per litteras qui exigere nitebantur. Direxi uero et sanctitati tuae eorum quae illis respondi, rescripta, ut agnoscas quia diuino nutu a nullo sumus tempore permutati neque multipedes aut chamaleones ostensi, quorum hi quidem petras, illi uero colore folia, quibus adhaeserint, imitantur.

Omnen quae cum tua religiositate est in Christo fraternitatem ego et qui mecum sunt, plurimum salutamus. |23bc

1. Même accusation contre Cyrille dans les lettres C 12 (l. 20-22) et C 16 (l. 30-31).

2. Il s'agit de la lettre C 21, par laquelle Théodoret, au lendemain du synode des évêques de l'Euphratésie tenu à Zeugma (433) avait fait connaître à Jean d'Antioche la décision du synode de refuser la condamnation de Nestorius.

avoir lu et relu plusieurs fois cette lettre et en avoir bien pesé tous les termes que je l'ai déclarée exempte de l'antique amertume de l'hérésie et que je me ferais scrupule de lui donner une note infamante, encore que j'en haïsse l'auteur autant que personne, comme étant le responsable des troubles du monde entier [1], et j'espère que cela ne me vaudra pas de châtiment au jour du jugement, puisque c'est sur l'intention que le juste juge porte son examen.

Pour ce qui est, par contre, des actes injustes et iniques qui ont été commis contre Ta Sainteté, me couperait-on les deux mains, je ne pourrais les approuver, grâce sans aucun doute au secours de Dieu qui fortifie la faiblesse de mon âme, et c'est ce que j'ai fait savoir aussi, par le moyen d'une lettre [2], à ceux qui s'efforçaient de l'exiger. D'autre part, j'envoie également à Ta Sainteté une copie de la réponse que je leur ai faite, afin que tu te rendes compte que, grâce à Dieu, aucune circonstance ne nous a fait changer et que nous ne sommes pas apparu comme les polypodes ou les caméléons dont les uns prennent la couleur des pierres, les autres celle des feuilles auxquelles ils sont accrochés [3].

Je salue mille fois, avec ceux qui sont avec moi, tous les frères qui sont unis à Ta Piété dans le Christ [4].

3. Sur cette comparaison, employée plusieurs fois dans la Correspondance de Théodoret, voir la lettre C 22, l. 17-19, et la n. 1 de la p. 246.

4. À cette lettre, Nestorius devait répondre par une longue et violente critique de la lettre de Cyrille (*Cas.* 209 = *ACO* I, 4, p. 150-153). On voit, à la lumière de cette réponse, à quel point l'accusation d'impiété portée par Nestorius contre la lettre de Cyrille s'opposait à la persistance de Théodoret à la déclarer orthodoxe.

23b (*Coll. Pal.* 43)

Item epistula eiusdem sceleratissimi Theodoriti directa Nestorio iam in exilio pro sua perfidia constituto, qua satisfacit non honoris amore, sed ipsa ueritate conpulsum probasse se dogma beati Cyrilli, quem uocat Aegyptium, in damnatione uero eiusdem Nestorii nullo modo praebere consensum

Domino meo uere deoamantissimo et uenerando sancto patri Nestorio episcopo Theodoritus in Domino salutem.

Quod urbana me conuersatio et obsequium gloriaque non superet nec excelsis indigeam sedibus, arbitror tuam cognoscere sanctitatem. Nam etsi nihil aliud, saltim solitudo ciuitatis, cuius dispensationem uideor esse sortitus, hanc me philosophiam sufficienter edocuit. Quam constat ad solitudinis cumulum etiam turbas habere causarum, quae retardare plurimos ualeant etiam qui rebus talibus nimis exultant. Nullus igitur tuae persuadeat sanctitati quod ego praesul esse desiderans, clausis oculis uelut recta dogmata Aegyptia scribta susceperim. Nam per ipsam fateor ueritatem, saepius ea reuoluens et diligenter examinans, ab haeretica prauitate libera deprehendi, et aliquam illis inponere maculam formida<ui, licet mihi non magis quam aliis illorum pater odi>bilis adprobetur

23b
À Nestorius

Pareillement : lettre du même très scélérat Théodoret adressée à Nestorius, déjà installé en exil en raison de sa perfidie, et par laquelle il exprime pour se justifier que ce n'est point poussé par l'amour des honneurs, mais par le souci de la vérité elle-même qu'il a approuvé la doctrine du bienheureux Cyrille, qu'il appelle l'Égyptien, mais que, par contre, il ne donne en aucune manière son accord à la condamnation du même Nestorius

À mon seigneur véritablement très aimé de Dieu et vénérable, au père saint l'évêque Nestorius, salutations de Théodoret dans le Seigneur.

Que le séjour à la ville, les honneurs et la gloire ne triomphent pas de moi et que je n'ai pas besoin de sièges élevés, je pense que Ta Sainteté le sait. Car, à défaut d'autre chose, l'isolement de la cité dont je crois avoir reçu en partage le soin, m'a suffisamment appris cette philosophie. Cette cité, on le sait, outre l'excès de solitude, comporte aussi une foule de raisons capables d'arrêter un très grand nombre de ceux-là mêmes qui mettent trop leur joie dans de tels biens. Que nul ne persuade donc Ta Sainteté que c'est par désir du pouvoir que j'ai, les yeux fermés, accepté comme justes les croyances que l'Égyptien a exposées par écrit. Car je déclare en toute vérité que c'est en relisant plus d'une fois cette lettre et en pesant soigneusement les termes, que je l'ai trouvée exempte de la corruption de l'hérésie et j'ai craint de lui imposer une flétrissure, sans pour autant approuver celui qui a été à la

uelut qui toto mundo causa perturbationis extiterit, et spero me nullis delictis pro hac re in die iudicii subiacere, quia iudex iustus explorat propositum singulorum.

His autem quae contra tuam uenerationem iniuste atque inique patiata sunt, nec si mihi utramque manum quis absciderit, potero praebere consensum, diuina procul dubio mihi cooperante gratia et infirmitatem animae subleuante. Hoc autem etiam his qui haec exigunt, certum litteris feci et tuae sanctitati quid eis a me rescribtum sit, exempla transmisi, quatenus agnoscat quod nullum tempus nos per diuinam gratiam commutauit nec polypodas aut chamaeleontas ostendit, quorum illi quidem petras, hi uero folia iuxta colores proprios imitentur.

Omnem quae cum tua ueneratione est in Domino fraternitatem ego et qui mecum sunt, plurimum salutamus.

23c (Σ 105)

Item eiusdem ad Nestorium post unitatem inter Orientales et sanctissimum Cyrillum factam

Domino meo reuerentissimo et religiosissimo et sanctissimo patri episcopo Nestorio Theodoretus in Domino gaudere.

Quod non urbana conuersatione delector nec saeculari curatione nec gloria nec altis sedibus sum alligatus,

source de désordre pour le monde entier [1], et j'espère qu'au jour du jugement je ne serai pas pour cela soumis à un châtiment, parce que le juste juge regarde l'intention de chacun en particulier.

Quant aux injustices et aux iniquités qui ont été commises contre Ta Vénérabilité, me couperait-on les deux mains, je ne pourrais donner mon consentement pourvu, évidemment, que Dieu m'accorde son secours et aide la faiblesse de mon âme. Cette assurance, je l'ai donnée par lettre à ceux qui ont ces exigences et j'envoie à Ta Sainteté des copies de ce que je leur ai répondu, afin qu'elle se rende compte qu'aucune circonstance, grâce à Dieu, ne nous a fait changer ni ne nous a montré polypodes ou caméléons, qui imitent par leur couleur les uns les rochers, les autres les feuilles où ils sont accrochés.

Ceux qui sont avec moi et moi-même adressons mille salutations à tous les frères qui sont avec Ta Vénérabilité dans le Seigneur.

23c
À Nestorius

Pareillement : du même à Nestorius,
après l'union réalisée entre les Orientaux
et le très saint Cyrille

À mon seigneur très vénérable et très pieux, au père très saint, l'évêque Nestorius, salut de Théodoret dans le Seigneur.

Que le séjour à la ville n'ait pour moi aucun charme et que je n'aie aucun attachement pour les occupations

1. Nous adoptons la conjecture de Schwartz.

arbitror scire tuam sanctitatem. Licet enim et nihil aliud, ipsa tamen solitudo ciuitatis quam gubernare sortitus sum, sufficit hanc me philosophiam docere; non solum enim solitudinem, sed etiam plurimos habet rerum tumultus qui possunt facere pigros etiam eos qui eis ualde gaudent. Nemo igitur tuae persuadeat sanctitati quod ego episcopalem sedem cupiens, cohibendo oculos meos, tamquam orthodoxas suscepi Aegyptiacas litteras. Vt enim cum ipsa ueritate dicam, saepius eas perlegi et subtiliter discussi et haeretica illas amaritudine liberatas esse inueni et timui quandam maculam eis imponere, et certe in odio habens quam alius quidam patrem illarum tamquam auctorem tumultuum existentem orbis terrarum, et spero nullas poenas sustinere huius gratia in die iudicii, quoniam intentionem iustus iudex exquirit.

His uero quae aduersus tuam sanctitatem iniuste et contra leges facta sunt, nec si ambas meas manus aliquis incideret, patiar consentire, diuina uidelicet gratia me adiuuante et infirmitatem animae subportante. Et hoc certum etiam exigentibus per litteras feci. Direxi uero etiam tuae sanctitati quae rescripsimus ad ea quae scripsit nobis, ut cognoscas quod nullum nos tempus propter diuinam uirtutem mutauit nec multipedes uel uersipelliones docuit, quorum hi quidem petras, illi uero folia per colorem imitantur.

Vniuersam fraternitatem quae tecum est, in Domino ego et qui mecum sunt, plurimum salutamus.

mondaines, ni pour la gloire, ni pour les sièges élevés, je pense que Ta Sainteté le sait. À défaut d'autre chose, en effet, l'isolement de la cité dont le gouvernement m'est échu en partage suffit à m'enseigner cette philosophie. On y trouve d'ailleurs non seulement l'isolement, mais aussi de nombreux soucis, de quoi calmer l'ardeur de ceux-là mêmes à qui ces choses procurent une grande joie. Que nul ne persuade donc Ta Sainteté que, par désir d'un siège épiscopal, c'est en fermant les yeux que j'ai accepté, moi, comme orthodoxe la lettre venue d'Égypte. Pour le dire en toute vérité, je l'ai lue de bout en bout à plusieurs reprises et je l'ai examinée minutieusement : je l'ai trouvée exempte d'amertume et j'ai craint de lui imposer une flétrissure, tout en haïssant autant que tout autre son auteur comme responsable manifeste des troubles du monde entier, et j'espère n'être soumis pour cela à aucune peine au jour du jugement, puisque c'est l'intention qu'examine le juste juge.

Pour ce qui est par contre des actes injustes et illégaux qui ont été commis contre Ta Sainteté, me couperait-on les deux mains, que je ne pourrais les approuver, avec le secours de la grâce divine, bien entendu, soutenant la faiblesse de mon âme. Et cela, j'en ai donné l'assurance par lettre à ceux qui l'exigeaient. D'autre part, j'ai aussi envoyé à Ta Sainteté ce que j'ai répondu à ce qu'on m'a écrit, afin que tu saches que, grâce à Dieu, aucune circonstance ne nous a changé, ni ne nous a montré polypodes ou caméléons, dont les premiers imitent la couleur des rochers, les autres celles des feuilles.

Moi-même et ceux qui sont avec moi adressons mille salutations dans le Seigneur à tous les frères qui sont avec toi.

24 (*Coll. Cas.* 216)

Irinaeus ait : Et haec epistula Theodoreti ad Meletium Neocaesariae de his quae Iohannes in eis diuersis uicibus inique commisit

Memor sum eorum quae mihi locuta est in Hierapoli religiositas tua, quando mihi Antiocheni intentionem nuntiasti dicentis, quod pacem desideraret, nihil umquam quod nos contristaret, se esse facturum. Vide igitur, Deo amicissime, sacramentorum ueritatem, uide uineae Nabuthae direptionem[a] et iniustas et contra legem ordinationes ; uide transgressionem canonum et diuinarum legum despectum. Quae ei concedit regula ut in aliena paroecia consecret ? Immo quae non hanc iniustitiam uetat ? Non ei

a. Cf. 1 R 21, 1-24

1. Date : vers Pâques 434. Théodoret dénonce avec indignation les violations du droit ecclésiastique dont Jean, sans doute excédé par la résistance des évêques d'Euphratésie et l'hostilité déclarée d'Alexandre à l'accord d'avril 433, venait de se rendre coupable. ~ Sur Mélèce, cf. Introd., p. 34.

24
À Mélèce de Néocésarée

Irénée dit : Voici aussi une lettre de Théodoret à Mélèce de Néocésarée [1], écrite au sujet des injustices commises par Jean en ces diverses circonstances

Je me souviens des paroles que Ta Piété prononça devant moi à Hiérapolis, lorsqu'elle m'annonça l'intention de l'évêque d'Antioche qui déclarait que, souhaitant la paix, il ne ferait jamais rien qui pût nous causer du chagrin [2]. Vois alors, ami très cher à Dieu, la sincérité de ses serments, vois la vigne de Naboth saccagée [a] [3], les ordinations auxquelles il a procédé contre toute justice et contre la coutume établie ; vois les canons violés et les lois divines méprisées. Quelle règle lui permet de consacrer dans un diocèse étranger ? Mieux encore, quelle est celle qui ne s'oppose à cette violation du droit ? Cependant il ne

2. Nous ignorons la date de cette rencontre ; toutefois, d'après ce qu'écrit l'évêque de Cyr, on avait discuté de la conduite à adopter à l'égard de Jean, qui demandait l'assentiment des évêques à sa politique de réconciliation avec Cyrille : Mélèce avait dû plaider en faveur de cette dernière, en tirant argument de la parole rassurante de Jean ici rapportée.

3. Même référence scripturaire (1 R 21, 1-16), avec un bref commentaire, dans la lettre S 126 (*SC* 111, p. 100, l. 2-5).

suffecit illicite ordinare, sed et adjecit alteram impietatem, ut talibus uiris committeret sacerdotium. Et Marinianum deomabilitas tua plus omnibus nouit et de Athanasio clare audis. Vnde cognoscat religiositas tua quod a communione talia praesumentis nos ipsos abscidimus, timentes iudicium Dei ; similiter uero et eorum qui has consecrationes iniquas suscipiunt, communionem uitamus. Haec uero in praesenti scribere sum coactus, memor quae tuae sit caritas sanctitatis, et uolens ut in omnibus eminens, nec ulla reprehensione maculeris.

Omnem quae tecum est fraternitatem ego et qui mecum sunt, salutamus.

1. Jean avait déposé (printemps 434), sans même prévenir le métropolitain, deux évêques d'Euphratésie, Abbibus de Doliché et Acyllinus de Barbalissos, et les avait remplacés, le premier par Athanase, le second par Marinianus, deux hommes dont Théodoret dit le plus grand mal. ~ Le diocèse de Doliché, situé au nord de Cyr, était contigu à celui de Théodoret ; selon ce dernier (*HE* 5, 4 = *PG* 82, 1204 C), Doliché n'était qu'une toute petite ville : cette ville, cependant, tirait son importance de sa position au point de jonction de plusieurs routes (cf. *SC* 40, p. 110, n. 4 ; DUSSAUD, *Topographie...*, p. 479) ; sur le nom d'Abbibus : P. CANIVET, *Monachisme...*, p. 240 et n. 22. ~ Comme celui de Doliché, l'évêque de Barbalissos était suffragant du métropolite de Hiérapolis. Barbalissos (aujourd'hui Bâlis) se trouvait située près de l'Euphrate, à

lui a pas suffi de procéder à des ordinations illégales [1], il a ajouté encore une seconde impiété en confiant l'épiscopat à de tels hommes. Toi, l'ami de Dieu, tu connaîs Marianus mieux que personne et tu sais fort bien ce qui se dit d'Athanase [2]. C'est pourquoi Ta Piété doit savoir que, quant à nous, la crainte du jugement de Dieu nous a fait nous séparer d'un homme qui s'arroge de tels droits, et que, de même, nous fuyons la communion avec ceux qui reçoivent ces ordinations contraires à la justice [3]. Voilà ce que je suis obligé de t'écrire aujourd'hui, me souvenant de la charité de Ta Sainteté et voulant qu'éminent en toutes choses tu ne sois entaché d'aucun blâme.

Moi et ceux qui sont avec moi saluons tous les frères qui sont avec toi.

l'endroit où le fleuve se dirige brusquement vers l'est (cf. *DHGE* 6, c. 575-576 ; R. Dussaud, *Topographie...*, p. 452-453 ; Lequien II, c. 949-950). En intervenant dans une province située en dehors de sa juridiction ecclésiastique, Jean violait les canons 4 et 6 du consile de Nicée et 19 d'Antioche, relatifs au mode d'installation des évêques précisant que l'évêque doit être établi par tous les évêques de la province et que la confirmation de ce qui s'est fait revient de droit dans chaque province au métropolitain ; sur ces canons, cf. p. 270, n. 5.

2. Sur le comportement d'Athanase, voir la lettre C 25.

3. Peu de temps avant Pâques 434, le synode d'Euphratésie, présidé par Alexandre, avait, à la suite des interventions de Jean dans une province qui ne relevait pas de sa juridiction, décidé de rompre toute relation avec lui (cf. *Cas.* 211 = *ACO* I, 4, p. 154, l. 32-38).

25 (*Coll. Cas.* 221)

Epistula, inquit, Theodoreti episcopi
ad magnificentissimum magistrum militum scripta de his

Quanticumque diuinae agnitionis lumine digni facti sumus et illius radii nitorem suscepimus, credimus et esse Deum et humana intendere et sapienter omnem gubernare creaturam, quippe quam produxit et cui esse donauit. Cernens igitur atque conspiciens eam utique bonis gaudet operibus, iniquitatem uero et alia malignitatis studia respuit. Dum uero abominetur ista et illa recipiat, omnino utique iustas retributiones metitur operariis horum et neque dignitatem neque diuitias neque potentatum neque aliquid horum quae in hac uita praeclare sunt, iudicat computanda, sed mentis fructus et cogitationum partus et rerum discutit actiones ; eos autem quibus maiores dispensationes commisit, maiores exigit ultiones. Inquit enim scriptura diuina : « Potentes potenter tormenta patientur[a] », et « Cui multum est datum, multum ab eo et

a. Sg 6, 6

---

1. Date : contemporaine de la lettre C 24 (cf. p. 260, n. 1). ~ Sur le destinataire, voir Introd., p. 37.

2. Cf. lettre C 21 (*Athen.* 128 : ὁ πάντα σοφῶς πρυτανεύων θεός ; *Cas.* 183 : *Deus qui sapienter omnia indagatur*).

25

Au maître de la milice

Lettre, dit (Irénée), de l'évêque Théodoret
au très magnifique maître de la milice,
écrite à ce sujet [1]

Nous tous, tant que nous sommes, qui avons été faits dignes des clartés de la connaissance divine et qui avons été touchés par l'éclat de ce rayon, nous croyons qu'il existe un Dieu qui veille sur les affaires humaines et gouverne avec sagesse toutes les créatures, puisque c'est lui-même qui les a produites et leur a donné l'existence [2]. C'est pourquoi lorsqu'il les voit et les contemple, il fait assurément sa joie de leurs actes de vertu, tandis qu'il exècre l'iniquité et les tendances mauvaises de leur nature. Ayant ces dernières en horreur mais accueillant volontiers les premiers, il rétribue en tout cas selon une parfaite équité ceux qui en sont les auteurs et, loin de penser qu'il faille faire entrer en ligne de compte le rang, la fortune, la puissance ni aucune des choses qui ont du prix ici-bas, il ne prête attention qu'aux produits de l'intelligence, aux fruits de la pensée et aux mobiles de la conduite [3]; cependant il est plus exigeant à l'égard de ceux à qui il a donné davantage. La sainte Écriture dit en effet : « Les puissants supporteront puissamment les tourments [a] », et

3. Il est difficile de savoir quelle expression grecque est ici rendue par *rerum actiones* : *rerum* pourrait rendre πολιτείας, mais *actiones* ? Dans la Bible latine ce mot ne figure que dans l'expression *gratiarum actio* (= εὐχαριστία) ; on peut penser à αἰτίαι ou τρόποι, peut-être à un mot composé.

exigent [b] », et « Omnia nuda et aperta sunt coram eo [c] », et « Omnes adstabimus tribunali Christi, ut recipiat unusquisque per corpus qualia egit, seu bonum siue malum [d] », et beatus Dauid clamat ad Deum quia « tu reddes singulis secundum opera eorum [e] ».

Quia ergo hanc habes, optime, fidem et in terminis ac legibus scripturae diuinitus inspiratae permanere desideras et magnam illam terribilem desiderabilemque Saluatoris nostri praesentiam sustines, in qua retributiones quisque secundum uitam suam conuersationemque recipiet, noli, oro, deceptoribus credere nec facilem praebeas aurem temptantibus fallere, sed fortissimo Iob crede dicenti « quia auris uerba diiudicat, guttur autem cibos degustat, in multo uero tempore sapientia inuenitur et in longa disciplina [f] »; et ab eis qui nos calumniari et accusare pertemptant, exige ultionem, si umquam in uico ecclesiastico agrestium multitudinem congregantes armauimus, si operariis curatoribusue praecepimus reditus non praestare praepositis, si aliquid eorum quae ad eos pertinent, retinuimus, dum certe multa milia iniustitiarum nobis ab

b. Lc 12, 48 c. He 4, 13 d. 2 Co 5, 10 e. Ps 61, 13
f. Jb 12, 11-12

1. Ici, comme il le fera aussi à la fin de sa lettre, l'évêque met Denys en garde contre la rapidité avec laquelle il a sans doute accueilli comme véridiques les accusations dont il était alors victime : les références scripturaires qui précèdent et l'évocation du jugement dernier par une allusion au texte de *Matthieu* (23, 24) n'avaient d'autre but que de placer Denys en face de sa responsabilité : aussi Théodoret va-t-il essayer de lui prouver que les torts sont bien du côté de Jean.

« On exigera beaucoup de ceux à qui il a été beaucoup donné [b] », et « Tout est à nu et à découvert à ses yeux [c] », « Nous tous, il nous faut comparaître devant le tribunal du Christ, afin que chacun reçoive ce qu'il a mérité étant dans son corps, selon ses œuvres, soit en bien, soit en mal [d] », et le bienheureux David s'écrie devant Dieu : « Tu rends à chacun selon ses œuvres [e]. »

Ainsi donc, très cher ami, puisque tu possèdes cette foi, que tu désires demeurer fidèle aux définitions et aux lois de l'Écriture inspirée de Dieu, et que tu attends le jour du grand, terrible et désirable avènement de notre Sauveur, où chacun recevra rétribution selon sa vie et sa conduite, ne va pas, je t'en prie, te fier aux séducteurs ni offrir une oreille complaisante à ceux qui essayent de te tromper mais place plutôt ta confiance dans les paroles de Job, cet homme si courageux : « L'oreille discerne les paroles, comme le palais savoure les aliments, aux vieillards appartient la sagesse, la science est le fruit des longs jours [f] » ; et de ceux qui essayent sans cesse de nous calomnier et de nous accuser [1], exige réparation [2], comme si jamais nous avions rassemblé dans une propriété ecclésiastique une foule de paysans pour les armer, donné ordre aux ouvriers et aux économes de ne pas livrer les revenus aux fonctionnaires préposés, et retenu quelque chose de ce qui leur appartient, alors que de toute évidence nous avons dû, nous, supporter de leur part une multitude

2. En grec : εἴσπραττε δίκας ; cf. *Cas.* 119 = *ACO* I, 4, p. 69, l. 34 : *non exigit ultionem* rendant οὐκ εἰσπράττεται δίκας (*Athen.* 60 = *ACO* I, I, 7, p. 80, l. 5), et aussi *Quaest. in Gen.* 54 (*PG* 80, 157 B) : καὶ δίκας τῆς ἀνθρωποφαγίας εἰσπραξάμενος. La difficulté commence avec *si umquam* : *umquam* rend certainement πότε, mais *si* ? La phrase qui suit nous donne un aperçu des calomnies venues des accusateurs de Théodoret, mais il est à craindre que les mots *si umquam* de Rusticus ne rendent bien mal le grec. Le sens de *curator* est lui aussi peu précis: « curateur ? économe ? intendant ? ». Il faut sans doute entendre par le mot *praepositis* les percepteurs chargés de prélever sur le revenu des propriétés la part revenant à l'État.

eis irrogata ferremus. Grandem siquidem contra nos multitudinem congregantes, incendere minabantur sanctorum bonorumque uictorum et athletarum Christi Cosmae et Damiani basilicam et quod minabantur, forsan opere perpetrassent, nisi occursum nostrum reuerita multitudo fugisset.

Expetat ab eis ultionem magnificentia tua pro impietate commissa in sanctissimum Abbibum episcopum, quem <quia separari noluit a> nobis, eiecerunt semiuiuum, nec uitae finem in lectulo eum suscipere permittentes. Qui nec libellos refutatorios dedit neque delirus est factus et perdidit intellectum, sicut mentiuntur, se excusare temptantes. Et cognoscet hoc magnificentia tua ex litteris quae ad nos ab eo sunt scriptae, cuius uestrae magnitudini paria destinaui, ut ex eis agnoscatis impietatis quae in illo praesumpta est magnitudinem. Non nequiquam, o optime, a communione eorum nos ipsos abscidimus, sed iusti iudicis iudicium formidantes. Scimus

1. Le fait rapporté ici est l'un des incidents qui se produisirent au début de 434, peu de temps avant la tenue du synode d'Euphratésie qui aboutit à la rupture avec Jean d'Antioche. Sur Côme et Damien, deux martyrs qui avaient sans doute péri en Cilicie pendant la persécution de Dioclétien, nos informations historiques sont maigres, mais on sait que leur culte se répandit très vite sur l'ensemble de l'empire romain, en Orient d'abord, mais aussi en Occident. Sur la basilique de Cyr où ces saints étaient honorés, cf. *SC* 111, p. 168, n. 5. Voir H. Delehaye, *Les origines...*, p. 190-191 ; Id., « Les miracles des saints Côme et Damien », *AB* 43, 1925, p. 8-32 ; Daniélou-Marrou, p. 335. Sur la basilique : J. Lassus, *Sanctuaires chrétiens...* ; J. C. et M. Sournia, *L'Orient des premiers chrétiens*, Paris 1966, p. 121-122 ; *DHGE* 13, c. 930.

2. Sur Abbibus, cf. p. 263, n. 1. Signataire, avec d'autres évêques d'Euphratésie, des lettres *Cas.* 217 et 223, Abbibus est l'un des destinataires des lettres *Cas.* 207, 218 et 219.

d'injustices ! C'est ainsi que, après avoir réuni contre nous une foule nombreuse, ils menaçaient d'incendier la basilique des saints, les vertueux et glorieux athlètes du Christ Côme et Damien, et peut-être auraient-ils mis leurs menaces à exécution, si la crainte n'avait fait fuir à la foule notre rencontre [1].

Que Ta Magnificence exige d'eux une réparation pour l'impiété qui a été commise à l'égard du très saint évêque Abbibus [2] qu'ils ont chassé moribond, parce qu'il ne voulait pas se séparer de nous [3], sans lui permettre d'attendre la mort dans son lit. Or cet évêque ne publia aucun acte de démission [4] et ne perdit pas davantage la raison et les idées, comme ils le disent en mentant pour essayer de s'excuser. C'est ce que Ta Magnificence apprendra par la lettre qu'il nous a lui-même écrite [5] et dont j'adresse une copie à Votre Grandeur, afin que, par elle, vous connaissiez quelle grande impiété a été commise à son égard. Si donc, excellent ami, nous nous sommes séparé de leur communion, ce n'est pas sans raison, mais parce que nous redoutons la sentence du juste juge [6]. Car nous

3. La conjecture de Schwartz qui propose de lire, pour combler la lacune entre *quem* et *nobis*, les mots *quia separari noluit a*, va bien dans le sens de notre interprétation : Abbibus, en bon antiochien, refusait de renoncer à sa résistance aux exigences de Jean et entendait bien garder son siège.

4. Cette traduction paraît s'imposer à la lumière de la lettre *Cas.* 222 écrite par Abbibus pour rétablir la vérité des faits déformés par ses adversaires : il n'a jamais renoncé à son siège et n'entend pas se laisser contraindre à l'abandonner sans protester : *neque umquam uolens ab hoc episcopatu recedam et uiolenter expulsus silere non patiar* (*ACO*, I, 4, p. 161, l. 8-9). Telle était aussi l'interprétation de Baluze qui commentait : *id est libellos quibus renuntiabat dignitati suae* (*PG* 84, 747 D, n. 92).

5. La lettre *Cas.* 222 (voir note précédente).

6. Dieu.

namque suptiliter Athanasii uitam. Deprehensus est enim et apud nos in xeneona turpiter uiuens, et uiuunt adhuc ex eis qui eum detexerunt multi et testimonio digni. Sed et in regia urbe multos habet qui conspexerunt eius illecebras, praefectianos, magistrianos et publicos ciuitatis, quorum testimonia in scripto nobis Chalcedone oblata et nos legimus et qui eum consecrauit inlicite. De Mariniano enim dicere superfluum puto, qui omnibus fere Antiochiae habitatoribus paruo tempore factus est notus.

Multi sunt canones qui praecipiunt non debere episcopum consecrari neque absque metropolitano suo neque sine decreto suae regionis episcoporum, sed ut aut cunctis praesentibus ordinatio celebretur aut illis solis absentibus qui uel propter infirmitatem uel propter alias necessarias occupationes afuerint et per scripta consentiunt, ut Christi gregum pastores cum concordia consecrentur ac pace; si quis uero his omissis fuerit ordinatus, huiusmodi ordinationem infirmam reprobamque esse dixerunt. Contra legem uero agentes et in alia prouincia ordinantes et ipsos

1. Sur Athanase devenu évêque de Doliché par la volonté de Jean d'Antioche, après l'expulsion d'Abbibus, cf. R. Janin, art. « Athanase 56 », *DHGE* 4, c. 383-84 ; Lequien II, p. 938, n. 6. De ce personnage nous savons seulement ce que nous en disent Théodoret et Alexandre de Hiérapolis, fort mal disposés à son égard : aussi faut-il lire avec prudence les graves accusations portées contre lui.

2. C'est-à-dire à Cyr, par opposition à *in regia urbe*, la capitale, Constantinople.

3. Sans doute lors de la conférence qui se tint dans cette ville en août-sept. 431 et à laquelle Théodoret avait participé activement.

4. Marinianus, dont le nom était déjà associé à celui d'Athanase dans la lettre C 24 à Mélèce de Néocésarée, ne nous est pas autrement connu.

5. Sont ici visés d'abord les canons 4 de Nicée (325) et 19 d'Antioche (341) définissant les conditions d'établissement d'un évêque, dont Théodoret cite explicitement le contenu : l'élection de chaque évêque est à la charge des autres évêques de la province et la fonction du métropolitain est primordiale. Voir Gélase de Cyzique, *HE* 2, 32 (*PG*

connaissons avec précision la vie d'Athanase [1]. Celui-ci fut découvert dans une hôtellerie de chez nous [2], où il menait une vie infâme, et, de ceux qui l'y découvrirent beaucoup vivent encore, qui méritent d'être pris comme témoins. Bien plus, dans la capitale elle-même, nombreux sont ceux qui ont vu ses procédés de magie : agents du préfet du prétoire, employés du maître des offices et officiels de la cité, dont les témoignages écrits nous ont été présentés à Chalcédoine [3], que nous avons lus et qu'a lus aussi celui qui l'a consacré illégalement. Quant à Marinianus, il est, je pense, inutile d'en parler, vu qu'en peu de temps il s'est fait connaître, à Antioche, d'à peu près tout le monde [4].

Nombreux sont les canons [5] qui prescrivent qu'un évêque ne doit être consacré ni en l'absence du métropolitain ni sans une décision des évêques de la province, et que l'ordination doit se faire en présence de tous ou en l'absence seulement de ceux qui ne peuvent être présents, soit pour cause de maladie soit par suite d'occupations auxquelles ils ne peuvent se dérober, et qui donnent leur accord par écrit, afin que les pasteurs du troupeau du Christ soient consacrés dans la concorde et dans la paix ; et ils ont déclaré que si quelqu'un venait à être ordonné sans que ces conditions aient été observées, une telle ordination serait sans valeur et réprouvée. Quant à ceux qui contreviennent à la loi et procèdent à des ordinations en d'autres

85, 1320-1336 ; trad. dans I. Ortiz de Urbina, *Nicée et Constantinople, Histoire des conciles œcuméniques* 1, p. 261). Cf. *DTC* 11, c. 408-416 ; *HL* 1^1, p. 511-527 ; *FM* 3, p. 89-91. ~ Suit aussitôt après une référence au canon 13 d'Antioche (*HL* 1^2, p. 718) qui spécifie que si un évêque procède à des ordinations et à d'autres affaires ecclésiastiques qui lui sont étrangères, non seulement ce qu'il fera sera invalide mais lui-même sera déposé : Jean, qui s'était rendu coupable d'ingérence dans la province d'Euphratésie située en dehors de sa juridiction ecclésiastique, était directement frappé par ce canon et ne pouvait se prévaloir des prérogatives reconnues par les canons de Nicée à l'Église d'Antioche à laquelle ils reconnaissaient seulement une primauté d'honneur.

canones deponi praecipiunt. Hae nos leges ab illis transgressae ab iniquitatis auctorum communione recedere compulerunt. Non enim discordiae et rixae seruimus, sicut tua suspicata est magnitudo, nec perturbationibus delectamur et turbis, sed omnia eligimus pati quam calcari ecclesiasticas sanctiones. Idcirco illum alium Abessalon contra patrem retinuimus oblatrantem atque ab eo accepimus iuramentum quod Dolichiensium non inuaderet ciuitatem, adhuc illo superstite qui eum presbyterum dispensatoremque constituit commisitque ei sacras pecunias, et continuo dimisimus eum qui iurans decem milibus sacramentis, non per scripta solum, sed etiam sine scriptis sub testium praesentia plurimorum moxque impietatem tantam despiciens et nec patris senectam miseratus nec communionem mensae formidans nec naturam reueritus, tamquam tyrannus Dolichium comprehendit.

Propter haec aduersum nos pugna surrexit et nos et illam equorum phalangem cum uoluptate suscepimus et uituperationem quae in tuis praeceptis est posita, memores Domini legum qui dixit : « Beati estis cum exprobauerint uos et persecuti uos fuerint et dixerint omne uerbum malum contra uos mentientes propter me. Gaudete et exultate quoniam merces uestra multa est in caelo[g]. » Et

g. Mt 5, 11-12

1. Sur la facilité avec laquelle Denys semble avoir pris le parti des adversaires de Théodoret et de ses amis, cf. p. 266, n. 1.

2. Il s'agit ici d'Athanase, mais le même verbe est employé, au même moment, pour dépeindre l'acharnement de Jean d'Antioche contre les évêques d'Euphratésie qui refusent de communiquer avec lui dans l'impiété : *Cas.* 223 (*ACO* I, 4, p. 162, l. 34 : *contra nostram prouinciam oblatrauit*).

provinces, les canons prescrivent qu'eux aussi soient déposés. Mais nous, c'est, au contraire, cette violation des règles dont ils se sont rendus coupables, qui nous a poussé à nous séparer de la communion avec ces auteurs d'iniquité. Car, loin de servir la querelle et la discorde, comme Ta Grandeur nous en a soupçonné [1], et de faire nos délices des troubles et des désordres, nous aimons mieux endurer toutes les souffrances que de fouler au pied les décisions de l'Église. C'est pourquoi nous avons empêché ce nouvel Absalon d'aboyer [2] contre son père et nous avons reçu de lui le serment qu'il n'envahirait pas la ville de Doliché tant que vivrait celui qui l'avait ordonné prêtre, l'avait institué économe et lui avait confié les sommes sacrées, et nous l'avons aussitôt renvoyé. Or cet homme qui avait prêté mille et mille serments, non seulement par écrit mais aussi verbalement en présence d'une foule de témoins, très vite, sans prêter attention à une aussi grande impiété, sans pitié pour la vieillesse de son père, sans égard à la pensée de leur commune table, sans respect de la nature, tel un tyran, s'est emparé de Doliché [3].

C'est pour cela que le combat a grandi contre nous; pour notre part nous avons reçu avec plaisir le choc de cette phalange de cavaliers ainsi que le blâme qui a trouvé place dans tes conseils [4], car nous nous sommes souvenu des leçons du Maître qui a dit : « Heureux serez-vous, lorsqu'on vous insultera, qu'on vous persécutera et qu'on dira faussement toute sorte de mal contre vous à cause de moi. Réjouissez-vous et soyez dans l'allégresse, parce que votre récompense est grande dans les cieux [g]. » Et de

3. C'est donc Abbibus, évêque de Doliché, qui avait conféré la prêtrise à Athanase et lui avait confié l'administration financière de son Église. Athanase, qui devait tout à Abbibus, son évêque consécrateur, est dépeint à travers ce récit sous les traits les plus sombres : ceux d'un ingrat et d'un parjure.

4. Sur l'attitude du comte Denys, favorable aux accusateurs de Théodoret, cf. p. 266, n. 1.

iterum : « Si mundus uos odit, inquit, scitote quia et me priorem uobis odio habuit. Si de mundo <fuissetis, mundus quod suum erat diligeret ; quia uero de mundo non estis> sed ego elegi uos, ideo odit uos mundus[h]. » Sed et beatus Paulus consolatur nos dicens : « Omnes qui uolunt pie uiuere in Christo Iesu, persecutionem patientur. Mali autem homines et seductores proficient in peius, errantes et in errorem mittentes[i]. »

Et propter haec quidem delectamur, dum contumeliam uel irrisiones patimur et tam fortiter ac pessime impugnamur ; dum uero recordamur quia uir pius, fide ornatus, habens caritatis maximam curam, resurrectionem iudiciumque expectans et iustam retributionem sustinens, nequiquam contra nos tale iter assumpsit et publice in nos proposuit contumelias et Deo amicissimos circitores iniuste trahi praecepit, dolemus animo et magnis tribulationibus uulneramur. Ait enim magnus Dauid : « Si inimicus meus exprobrasset mihi, supportarem utique, et si is qui odit me, super me magna locutus fuisset, absconderem me utique ab eo[j]. » Vnde iniuriam quidem fortiter sustinemus et Domino supplicamus ueniam dare peccatis — didicimus namque a diuinissimo Paulo dicere : « Iniuriam sustinen-

h. Jn 15, 18-19 i. 2 Tm 3, 12-13 j. Ps 54, 13

1. Citation, mutilée dans le texte, sans doute par la faute du traducteur, de Jn 15, 18.19 ; il faut donc, avec Schwartz, combler la lacune par les mots *fuissetis, mundus quod suum erat diligeret* ; *quia uero de mundo non estis* (= ἦτε, ὁ κόσμος ἂν τὸ ἴδιον ἐφίλει· ὅτι δὲ ἐκ τοῦ κόσμου οὐκ ἐστέ).

2. Le *magister militum* Denys, à qui est adressée cette lettre : la phrase exprime ouvertement une condamnation par Théodoret du comportement, à ses yeux injustifié, de Denys à son égard.

nouveau : « Si le monde vous hait, sachez qu'il m'a haï avant vous. Si vous étiez du monde, le monde aimerait son bien, mais parce que vous n'êtes pas du monde [1] mais que je vous ai tirés du monde en vous choisissant, à cause de cela le monde vous hait [h]. » Mais c'est aussi le bienheureux Paul qui nous console en disant : « Tous ceux qui veulent vivre avec piété dans la Christ Jésus auront à souffrir persécution. Quant aux méchants et aux charlatans, ils iront toujours plus avant dans le mal, trompeurs et trompés [i]. »

Et voilà pourquoi, en vérité, nous sommes dans les délices tandis que nous subissons affronts et railleries et qu'on nous attaque avec tant de force et de méchanceté ; mais lorsque nous songeons qu'un homme pieux [2], orné de la foi, qui a au plus haut point le souci de la charité, qui vit dans l'espérance de la résurrection et du jugement et dans l'attente d'une rétribution équitable, sans aucune raison s'est engagé contre nous dans une telle voie, a lancé publiquement contre nous des insultes et a donné ordre que les « visiteurs [3] » très chers à Dieu soient arrêtés [4] contrairement au droit, alors notre âme est affligée et nous sentons la grave blessure de nos tribulations. Car, dit le grand David, « si mon ennemi m'avait outragé, je le supporterais dans tous les cas, et si celui qui me hait avait triomphé de moi, je me cacherais de lui assurément [j] ». C'est pourquoi, tout en supportant certes avec courage l'injustice et tout en suppliant le Maître d'accorder son pardon aux péchés — car le divin Paul nous a appris à

3. Le mot *circitor* désigne ici, comme le fait le mot grec περιοδευτής dans la langue ecclésiastique au IVe et Ve siècles, un prêtre circulant (itinérant ou visiteur). Cf. H. Leclercq, art. « Périodeute », *DACL* 14[1], 1939, c. 369 s. ; Daniélou-Marrou, p. 439. On peut supposer, sans en être sûr, qu'il s'agissait, dans le cas présent, de prêtres qui faisaient la liaison entre les villes dont les évêques venaient d'être déposés et les autres.

4. Pour être livrés à la justice.

tes benedicimus ; dum persecutionem patimur, toleramus ; dum maledicimur, supplicamus, sicut purgamenta mundi facti sumus, omnium peripsima usque nunc [k] » —, rogamus uero magnificentiam uestram non facile credere his quae dicuntur, nec abrupte aduersum nos accusationes excipere, sed suptiliter quaerere ueritatem. Sic enim et placabis omnium Dominum et fructus gloriae carpes apud homines uniuersos.

k. 1 Co 4, 12-13

dire : « Maudits, nous bénissons ; persécutés, nous le supportons ; calomniés, nous supplions, nous sommes jusqu'à présent, pour ainsi dire, les ordures du monde, le déchet de l'univers[k] » —, nous demandons cependant à Votre Magnificence de ne pas accorder facilement crédit à ces racontars et de ne pas accueillir inconsidérément les accusations dirigées contre nous, mais de chercher scrupuleusement la vérité. Car c'est ainsi que tu apaiseras le Seigneur de l'univers en même temps que tu recueilleras les fruits de la gloire auprès de tous les hommes.

26 (*Coll. Cas.* 226)

Epistula, inquit, Theodoreti episcopi ad Dorotheum Moesiae metropolitam

Audientes uestram fortitudinem roboramur et in uos intenti segnitiem deponimus. Exemplar enim principale uirtutis omnibus qui imitari uoluerint, uos certaminibus his praesidens proposuit Deus, ut per imitationem uestris insigniamur characteribus. Quia igitur multa uobis est apud Deum fiducia, sic quidem feruentem illinc nobis sustinentiam prouidete et orationibus stabilite, ut firmi et in dogmatibus persistemus et claudamus oculos, ne sanguinis iniusti iudicium uideamus, et claudamus aures nostras, ne audiamus [et claudamus] in<iustitiam ***> [a] terram [b]. His enim bonis ac talibus perfruemur, si uestras impetrauerimus orationes.

a. Cf. Is 33, 15 b. Is 33, 17

---

1. Date : printemps 434, après l'élection de Proclus au siège de Constantinople (12 avril, cf. SOCRATE, *HE* 7, 40). Sur Dorothée, cf. Introd., p. 25. Théodoret répond à la lettre *Cas.* 225 de Dorothée, qui se plaignait d'une lettre (sans doute la première synodale) de Proclus qui venait de manifester des sentiments hostiles aux nestoriens ; Dorothée avait joint à son épître une copie de ce document qui lui semblait appeler peut-être une démarche auprès de l'empereur. Théodoret félicite Dorothée de son courage et lui demande le secours de ses prières, sans toute-

26

À Dorothée de Marcianopolis

Lettre, dit (Irénée), de l'évêque Théodoret
à Dorothée, métropolitain de Mésie [1]

En apprenant votre attitude courageuse nous sommes fortifiés et, ayant les yeux fixés sur vous, nous abandonnons notre faiblesse. En effet, c'est un modèle supérieur de vertu que Dieu, en vous plaçant à la tête de ces combats, a mis sous les yeux de tous ceux qui voudraient vous imiter, afin que par l'imitation nous soyons marqués de vos caractères. Aussi, puisque vous bénéficiez d'une grande confiance auprès de Dieu, obtenez-nous par là une ardente patience et fortifiez-la par vos prières, afin que nous persistions fermes dans les dogmes et que nous fermions nos yeux pour ne pas voir le jugement d'un sang injuste et que nous nous bouchions les oreilles pour ne pas entendre l'injustice [a] [2]. « Vous verrez un roi dans sa gloire et vos yeux verront une terre de loin [b]. » Tels sont, en effet, les biens [3] dont nous jouirons si nous obtenons le secours de vos prières.

fois répondre à la question posée. ~ Le *Mysiae* de *M* maintenu par Schwartz doit être corrigé en *Moesiae*.

2. Le texte d'*Isaïe* (33, 15) est quelque peu brouillé, les termes *oculos* et *aures* se trouvant intervertis, plus vraisemblablement par la faute de Théodoret que par celle du traducteur.

3. Les mots *His enim bonis...* permettent de supposer qu'une citation biblique explicite figurait dans la lacune qui précède le mot *terram* et que Schwartz propose de combler (avec raison, semble-t-il) au moyen du texte d'Is 33, 17 : βασιλέα μετὰ δόξης ὄψεσθε, οἱ ὀφθαλμοὶ ὑμῶν ὄψονται γῆν πόρρωθεν (voir le commentaire de ce texte par Théodoret dans *In Is*, 10 = *SC* 295, p. 310-320).

27 (*Coll. Cas.* 234)

Epistula Theodoreti, inquit, episcopi ad Alexandrum Deo amicissimum episcopum, per quam significauit quia et magnificentissimus comes Titus et sanctissimi monachi insurrexerunt in eum per litteras, tamquam qui debebat pacem communionemque amplecti Antiocheni Iohannis

Multas per hos dies sustinui perturbationes multasque tristitias quales numquam ; quarum quo alias praetermittam, uenit admirandissimus atque clarissimus tribunus Euricianus cum litteris magnificentissimi et gloriosissimi comitis Titi tam ad sanctos monachos scriptis, id est ad

1. Date : après le 12 avril 434, date de la mort de l'archevêque de Constantinople Maximien, auquel succéda Proclus ; c'est alors que Jean, impatient de voir la paix rétablie, obtint facilement, par l'entremise du préfet du prétoire Taurus, que le *magister militum per orientem* Denys chargeât son vicaire Flavius Titus (qui était *comes domesticorum* (*PLRE* II, Titus 2, p. 1123) de mettre fin à la résistance des évêques récalcitrants. Théodoret, qui a reçu du comte Titus et des saints moines une lettre qui le pressait d'accepter la communion avec Jean, raconte ici à son métropolitain tout le détail de l'affaire et lui fait part de son trouble.

2. Euricianus (ou Eurycianus) est un officier (tribun : ici tribun militaire et non pas tribun et notaire comme la *PLRE* II, Eurycianus, l'admet) appartenant à l'armée d'Orient. Théodoret lui adressa une longue *consolatio* à l'occasion de la mort de sa fille (lettre P 47 = *SC* 40, p. 110 s.). Dates limites probables : 440-448 (cf. *ibid.*, p. 117, n. 4).

3. Nous possédons deux billets de Théodoret à Titus : les lettres P 6 (*SC* 40, p. 78) et P 11 (*ibid.*, p. 83). Le premier pourrait être contempo-

27

À Alexandre de Hiérapolis

Lettre de l'évêque Théodoret, dit (Irénée),
à l'évêque très cher à Dieu Alexandre,
par laquelle il fit savoir que le très magnifique Titus
et les très saints moines s'étaient par lettre dressés
contre lui, lui signifiant qu'il devait se réconcilier
et rentrer en communion avec Jean d'Antioche [1]

J'ai eu ces jours-ci à subir bien des tourments et des afflictions, tels que je n'en ai jamais subi. Pour taire le reste, le très admirable et clarissime tribun Euricianus [2] est venu ici, porteur de lettres du très magnifique et très glorieux comte Titus [3], adressées tant aux saints moines [4],

rain du séjour de Titus en Orient, en un temps où il était aussi vicaire du *magister militum per Orientem* Denys (434-435) : il serait, dans ce cas, très proche de la lettre C 27. Titus fut nommé comte des domestiques (honoraire) durant sa charge de vicaire du maître de la milice d'Orient, ce qui lui donnait le rang d'illustre. Sur ce personnage : *PLRE* II, Titus 2 ; R. DELMAIRE, « Les dignitaires laïcs au concile de Chalcédoine : notes sur la hiérarchie et les préséances au milieu du ve siècle », *Byzantion* 54, 1984, p. 149 et 160 ; W. ENSSLIN, art. « Titus 6 », *PW* 6 A, c. 1591.

4. Ce n'était pas la première fois que le pouvoir faisait appel au concours des moines en faveur de la paix entre Antioche et Alexandrie : voir le dossier établi par le P. FESTUGIÈRE (*Antioche*..., p. 418-423), où se lit entre autres documents la lettre impériale adressée avant la mort du pape Célestin (fin juillet 432) à Syméon le stylite, au moment où le tribun et notaire Aristolaüs avait reçu mission d'établir la paix entre Jean et Cyrille (p. 419-420) : texte grec *Coll. Vat.* 121 (*ACO* I, I, 4, p. 5-6) = *Cas.* 141 (*ACO* I, 4, p. 92).

domnum Iacobum et domnum Symeonem et domnum Baradotum, et ad nos. Quae litterae minas continebant ut si non adquiesceremus pacificari, mox nobis proiectis alios ordinarent. Et quidem risi de minis ; pessime autem me sancti monachi afflixerunt, multa pro pace rogantes, ut culpantes.

Dum uero irascens ego et male accipiens ista, paratus essem et ciuitatem relinquere et prouinciam et ad uitam monachinam confugere, afflicti promiserunt usque ad Gindarum mecum discedere et Antiocheno suadere ut illic adueniret mecumque loqueretur. Me autem dicente quod nisi eicerentur illi, impossibile esset fieri pacem, direxerunt tres Deo amicissimos presbyteros et archimandritas

1. Trois noms illustres du monachisme syrien au ve siècle. Cité en tête, Jacques est l'ermite de l'*Histoire Philothée* 21, très lié avec l'évêque de Cyr, qui invoque son nom dans les lettres S 42 et S 44. Sur l'identification de Jacques l'ermite avec le destinataire du même nom qui reçoit le billet S 28 (*SC* 98, p. 86), voir *SC* 40, p. 43 — contre l'opinion du P. Festugière qui voit dans les deux cas le même personnage (*Antioche...*, p. 420, n. 3). Sur Jacques, cf. P. Canivet, *Monachisme...*, § 143-146. ~ Sur Syméon le stylite (*HP* 26), à qui ses prodiges d'ascétisme valurent une notoriété particulière, cf. P. Canivet, *Monachisme...*, § 129, et sur ses rapports avec le pouvoir civil et l'épiscopat de Syrie, *ibid.*, § 130 et la n. 119, en signalant toutefois qu'il ne faut pas situer, comme le fait l'auteur, la lettre C 27 après 434, mais la considérer comme écrite au cours de cette année-là (cf. p. 280, n. 1). Sur Syméon, voir H. Delehaye, *Les saints stylites*, et surtout Festugière, *Antioche...*, p. 241 s. ; 347-387 ; 418-420. Syméon, dont Théodoret, qui l'a bien connu, situe le village natal aux confins de la Cyrrhestique et de la Cilicie, mena successivement la vie d'hypèthre, puis de stylite ; né vers la fin du ive siècle, il mourut en 459. Le troisième moine cité est le Baradate (non Baradote) de *HP* 27 (sur ce nom, cf. P. Canivet, *Monachisme...*, § 182 s.). Voir Festugière, *Antioche...*, p. 294 s. Sur l'intervention de ces trois moines : E. Honigmann, *Patristic Studies*, Cité du Vatican 1953, p. 92-100.

2. Sur les rapports de Théodoret avec les moines d'Orient depuis l'accord d'avril 433, cf. M. Richard, « Théodoret, Jean d'Antioche... », p. 147-149, qui réfute la thèse du P. Peeters (« S. Syméon stylite... »,

je veux dire les seigneurs Jacques, Syméon et Baradote [1], qu'à nous-même. Ces lettres contenaient des menaces : si nous refusions de faire la paix, bien vite on nous chasserait et on procéderait à d'autres ordinations. Si j'ai certes ri de ces menaces, les saints moines m'ont rempli d'une douleur profonde avec leurs longues requêtes en faveur de la paix, comme s'ils nous accusaient [2].

Pour ma part, en colère et faisant un mauvais accueil à ces demandes, j'étais prêt à quitter la ville et la province et à trouver refuge dans la vie monastique ; alors, attristés, ils me promirent [3] de partir avec moi jusqu'à Gindaros [4] et de persuader l'évêque d'Antioche de se rendre en ce lieu pour s'entretenir avec moi [5]. Mais, sur ma remarque que si ces gens-là [6] n'étaient pas d'abord chassés, la paix était impossible, ils dépêchèrent trois prêtres et archiman-

p. 29-71), selon qui l'un des motifs qui auraient poussé l'évêque de Cyr à écrire son *Histoire Philothée* serait « le désir de rentrer en grâce auprès des puissances monacales ». L'histoire nous apprend que s'il est vrai qu'au printemps 434 une partie de l'opinion monastique blâmait l'attitude schismatique de l'évêque de Cyr, les rapports ne furent tendus que pendant une brève période, puisque dès la fin de 434 Théodoret s'était réconcilié avec Jean.

3. Contre l'interprétation du P. Peeters (*Tréfonds*..., p. 99), qui croyait à une visite des trois ermites à Cyr, le P. Festugière (*Antioche*..., p. 421) fait justement remarquer qu'Euricianus « est venu à Théodoret avec une escorte » : c'est d'elle qu'il s'agit dans les pluriel *afflicti promiserunt* ; et, comme l'indique le titre lui-même (*insurrexerunt in eum per litteras*), il s'agit bien d'une intervention des moines par voie épistolaire.

4. Sur Gindaros, ville située à mi-distance d'Antioche et de Cyr, que Théodoret définit comme une grande bourgade tributaire d'Antioche, cf. *HP* 2, 9 (*SC* 234, p. 215 et n. 1) ; lettre P 45 (*SC* 40, p. 110 et n. 2). Voir *DHGE* 20, c. 1419-20 ; Lequien II, 789-90 ; Dussaud, *Topographie*..., p. 229.

5. En fait, la rencontre entre Jean et Théodoret eut lieu non à Gindaros, mais à Antioche (cf. lettre C 32 : *In Antiochiam ingressus*).

6. Athanase et Marinianus, consacrés illégalement par Jean et déclarés indignes par Théodoret (cf. lettres C 24 et C 25).

tam ad eum quam ad magnificentissimum comitem Titum, mandantes eis non esse iustum ut uiros sanctos et qui suas prouincias ornauerunt, sic iniuste et inique proicerent ; « si quid enim tale fuerit gestum, perturbationem necesse est subsequi. Si igitur pacis curam geris, dignare uenire ad Gindarum, et sumentes episcopum nostrum, ueniemus ad te ».

Igitur necessarium duxi haec ipsa tuae innotescere sanctitati, ut eam nihil eorum quae agimus, lateat. Ire uero ad Antiochiam omnino interim recusauimus. Oret igitur sanctitas tua hoc quod Deo placeat, dispensari et ea fieri quae expediunt sanctis ecclesiis.

1. Inconnus.

2. Abbibus de Doliché et Acylinus de Barbalissos, tous deux suffragants du métropolite d'Euphratésie, Alexandre de Hiérapolis.

3. Le refus de rencontrer Jean n'est donc peut-être pas définitif. De fait la rencontre eut bien lieu quelque temps après et les deux évêques se réconcilièrent. Sur les sentiments de Théodoret pendant le temps que dure la brouille avec Jean, cf. M. Richard, « Théodoret, Jean d'Antioche... », p. 151-152.

drites très chers à Dieu [1] tant auprès de Jean d'Antioche que du très magnifique comte Titus, pour leur dire qu'il n'était pas juste que de saints hommes [2], qui avaient été l'ornement de leurs provinces, soient ainsi chassés de façon injuste et inique. « Si une telle chose se produit, écrivaient-ils, des troubles s'ensuivront nécessairement. Si donc tu as souci de la paix, daigne venir jusqu'à Gindaros ; de notre côté, prenant avec nous l'évêque, nous viendrons vers toi. »

J'ai jugé en conséquence nécessaire de faire connaître ces faits à Ta Sainteté, afin que rien de ce que nous faisons ne lui soit caché. Quant à aller à Antioche, nous nous y sommes absolument refusé pour le moment [3]. Que Ta Sainteté prie donc pour que l'affaire soit réglée comme il plaira à Dieu et que tout se produise au mieux des intérêts des saintes Églises [4].

4. Dans la réponse qu'il fit à cette lettre Alexandre manifeste à l'égard des faits racontés par Théodoret des sentiments tout différents, allant jusqu'à s'efforcer de discréditer les moines, et affirmant sa ferme intention de ne modifier, quant à lui, en rien son attitude à l'égard de Jean : *Cas.* 235 (*ACO* I, 4, p. 171).

28a (*Coll. Cas.* 236)

Epistula, inquit Irinaeus, ad Deo amicissimum episcopum Alexandrum, quam rescripsit significans quod et legerit directas sibi condiciones et unam tamquam nimis se bene habentem probauerit

Legens tuae sanctitatis epistulam, inspiciens uero et tria exemplaria, magis illud sine nomine approbaui. Duorum namque priorum unum quidem simplex erat, alterum uero intemperate ardens. Bene autem se habens mihi illud est uisum, quia et condescensionem cum mensura habuit et acribiam laudabilem. Continebat enim ut intenderemus in illam synodicam et quaereremus si superfluum nil haberet et rectae fidei consonaret nullumque haberet assensum ad ea quae Ephesi male sunt gesta, et <si non haeretica uisa fuerint quae continet dogmata> susciperentur pro ecclesiae pace ; alioquin omnimodo fugiantur atque refutentur.

1. Date : 434, après l'élection de Proclus au siège de Constantinople (12 avril) et avant la réconciliation de Théodoret avec Jean (fin 434. ~ Autre traduction latine du fragment *Non autem — doctrinam* (l. 32-44) : *Coll. Pal.* 49 (*ACO* I, 5, p. 172), ci-dessous (28b).

2. La lettre *Cas.* 235, réponse d'Alexandre à la lettre C 27 qu'il avait reçue de Théodoret.

3. Le mot *exemplaria* rend normalement ἀντίγραφα ou ἴσα avec le sens de « copies », mais ἀντίγραφον peut signifier aussi « document », et c'est le sens qu'il faut retenir ici : il s'agit bien de trois projets qu'Alexandre avait joints à sa lettre pour régler certaines dispositions touchant l'affaire ;

28a

À Alexandre de Hiérapolis

Lettre écrite, dit Irénée,
en réponse à l'évêque très cher à Dieu Alexandre,
lui faisant savoir qu'il a bien lu les conditions
qui lui ont été adressées, mais qu'il n'en a approuvé
qu'une seule comme étant de très bonne tenue [1]

En lisant la lettre de Ta Sainteté [2] et en examinant, d'autre part les trois projets [3], c'est celui qui ne mentionne aucun nom que j'ai le plus approuvé. Car si des deux premiers l'un était un peu simple et l'autre passionné à l'excès, le troisième, par contre, m'a semblé d'une bonne tenue, parce qu'il manifestait une condescendance non dépourvue de mesure et une louable précision. Il y était dit, en effet, que nous devions prêter attention à la fameuse lettre synodale [4] et chercher à voir si elle ne contenait rien de trop et si elle s'accordait avec la foi orthodoxe et ne comportait aucune adhésion aux mauvaises actions commises à Éphèse, et que, dans le cas où les croyances qu'elle contient ne nous paraîtraient pas hérétiques [5], nous devions les accepter pour la paix de l'Église, mais, dans le cas contraire, les fuir par tous les moyens et les repousser.

aucun ne nous est parvenu, mais nous connaissons le contenu du troisième grâce à l'analyse qu'en fait Théodoret (l. 10-15).

4. La première lettre synodale du nouvel archevêque de la capitale, Proclus, dont nous n'avons que le début (*Cas.* 238 = *ACO* I, 4, p. 173 s.). Elle était adressée à Cyrille, Jean d'Antioche et les autres évêques d'Orient.

5. Nous adoptons la conjecture de Schwartz, qui paraît convenir parfaitement à l'intelligence du texte.

Dignetur igitur sanctitas tua ut si ad Orientem redierint qui haec ipsa deportant inspicias et quaeras et nobis quid uerum sit, innotescas. Ego enim murmur audiui quod is qui nunc optinuit sedem orthodoxe docet, et docuit uero me hoc per litteras clare et dominus meus sanctissimus et Deo amicissimus episcopus Helladius et eorum quae mihi ab eo scripta sunt, tuae sanctitati rescripta transmisi. Direxit uero mihi exemplar epistulae domini mei sanctissimi et Deo amicissimi episcopi Eutherii eandem uirtutem continens. Rogo igitur sanctitatem tuam ut legens haec, sicut de recta fide, sic et de ecclesiarum cogites pace, quae secundum ueritatem nimis commouentur, ut facti simus populo uniuerso ridiculum.

Si autem tuae sanctitati uidetur ut condiciones Antiocheni pro pace suscipiamus ecclesiae, ut exclusis his qui ab eo inique sunt ordinati, foris ab Antiochia colloquamur, |28b et hoc facies sicut tuam decet religiositatem. Non autem tuam lateat sanctitatem quia et ego Antiocheni ad piissimum principem litteras legens ualde mea anima dolui, quia euidenter noui quod scriptor eius, idem sentiens, absque iudicio et iustitia condemnauit eum qui nihil

1. La leçon *ab Oriente*, retenue par Schwartz, est surprenante, puisqu'il s'agit de ceux qui apportent de Constantinople la lettre de Proclus, désignée aussitôt après par *haec ipsa* : nous proposons donc de lire non pas *ab Oriente*, mais *ad Orientem*. Sur ce texte, qui semble avoir embarrassé les traducteurs, cf. *PG* 83, 763, n. 32. Les porteurs de la lettre sont le prêtre Donat et le diacre Acace cités dans les lettres C 29 et C 30 : inconnus.

2. Proclus.

3. Sur les sentiments de Théodoret à l'égard de Proclus, cf. *SC* 40, Introd., p. 27-28. ~ Sur Euthérius, cf. p. 157, n. 4.

4. Athanase et Marinianus, cf. lettres C 24 et C 25.

5. C'est la lettre *Cas.* 179 (*ACO* I, 4, p. 127-128) = *Athen.* 120 (*ACO* I, I, 7, p. 157-158), dans laquelle Jean exprime à l'empereur sa joie de voir la paix enfin revenue et où se lit l'approbation donnée par lui

Que Ta Sainteté veuille donc, quand seront rentrés en Orient[1] ceux qui rapportent cette lettre, l'examiner, rechercher et nous faire connaître ce qu'il y a de vrai. Car pour ma part j'ai eu vent d'un bruit selon lequel celui qui a maintenant obtenu ce siège[2] dispenserait un enseignement orthodoxe, et c'est aussi ce que m'a appris clairement par une lettre mon seigneur très saint et très cher à Dieu l'évêque Helladius, et j'ai transmis à Ta Sainteté une copie de ce qu'il m'a écrit. Il m'a envoyé d'autre part un exemplaire de la lettre de mon seigneur très saint et très cher à Dieu l'évêque Euthérius, qui est empreinte du même caractère[3]. Je demande donc à Ta Sainteté d'avoir, en lisant ces textes, autant que le souci de l'orthodoxie de la foi, celui de la paix des Églises, qui sont en vérité si secouées que nous sommes devenus pour le peuple entier un objet de risée.

Mais si Ta Sainteté est d'avis que, par égard à la paix de l'Église, nous acceptions les conditions de l'évêque d'Antioche, et que, une fois chassés ceux auxquels il a conféré à tort les ordres[4], nous ayons un entretien en dehors d'Antioche, cela aussi tu le feras, comme il convient à Ta Piété. Toutefois que Ta Sainteté n'ignore pas que, moi aussi, en lisant la lettre de l'évêque d'Antioche au très pieux empereur[5] j'ai été profondément peiné, sachant à l'évidence que son auteur, tout en gardant les mêmes opinions, avait condamné sans jugement et injustement un

à la condamnation de Nestorius : « anathematismo subicientes quaecumque ab eo aliene ac peregrine dicta sunt contra apostolicam doctrinam » (*ACO* I, 4, p. 128, l. 21-22), formulation atténuée, aux yeux de Théodoret, qui y voit un motif de consolation. Il convient toutefois de noter, à la décharge de Jean, que dans la même lettre il réclame de l'empereur la restitution de leur siège aux évêques « qui dans les troubles précédents ont été expulsés », cette restitution étant présentée comme la condition d'une totale pacification des Églises (*ibid.*, l. 22-27) : en cela Jean répondait à un désir maintes fois exprimé par Théodoret. En fait, Jean conclut l'accord avec Cyrille sans que cette exigence ait été satsifaite.

nouiter praeter eius doctrinam docuit. Anathematismus uero illic insertus sufficiens est quidem plus et ab ipso deiectionis assensu perturbare legentem ; uerumtamen non indefinite, sed cum quadam determinatione positus modicam quandam praebet consolationem. Non enim dixit : « Anathematizamus eius doctrinam », sed « quaecumque ab eo aliene siue quocumque modo dicta uel sensa sunt
|28b praeter apostolicam doctrinam ». Ego quidem praesumpsi rogare ; tuae uero sit sapientiae et pertractare quod expedit, et non irasci, sed intentionem nostram perquirere.

28b (*Coll. Pal.* 49)

Eiusdem Theodoriti ad eundem Alexandrum postea quam resciuit Iohannem Antiochenum episcopum anathematizasse dogma Nestorii, post alia

Non, inquit, tuam lateat sanctitatem quod postea quam legi epistulam quae imperatori directa est, nimis animo dolui, quia manifeste cognosco quod is qui hanc scribsit, id ipsum sentiens, indiscrete atque inique damnauit eum qui nihil praeter doctrinam suam noui aliquid docuit. Sed anathematismus insertus, licet idoneus sit amplius quam consensus damnationis eius turbare lectorem, tamen quia

1. Il s'agit de la doctrine de Jean et non de celle de Nestorius comme pourrait le faire croire l'emploi ambigu de *eius* : Théodoret souligne ici

homme qui n'a introduit dans son enseignement aucune innovation allant à l'encontre de sa doctrine [1]. Sans doute l'anathématisme qui s'y trouve inséré est-il suffisant pour troubler le lecteur plus que l'assentiment même à la déposition [2]. Néanmoins le fait que cet anathématisme n'a pas été introduit sans limites, mais qu'il se trouve accompagné d'une certaine limitation, fournit quelque légère consolation. Il n'a pas dit, en effet : " Nous jetons l'anathème sur son enseignement ", mais « sur tout ce qu'il a pu dire ou penser de contraire à l'enseignement des apôtres ». Si j'ai eu, pour ma part, l'audace de poser la question, c'est à Ta Sagesse qu'il appartient de rechercher ce qui importe et, au lieu de céder à la colère, de chercher à connaître notre intention.

28b

À Alexandre de Hiérapolis

Du même Théodoret au même Alexandre,
après qu'il eut découvert que Jean, l'évêque d'Antioche,
avait jeté l'anathème sur la doctrine de Nestorius

... Que Ta Sainteté n'ignore pas qu'après avoir lu la lettre qui a été adressée à l'empereur grande a été ma peine, parce que je sais à l'évidence que celui qui l'a écrite, tout en partageant le même sentiment, a condamné sans discernement et injustement un homme qui n'a introduit dans son enseignement aucune innovation contraire à sa doctrine. Cependant le fait que l'anathématisme qui s'y trouve inséré, bien que de nature à troubler le lecteur plus

une contradiction chez Jean qui, en face d'un enseignement qui n'a pas changé, a eu deux comportements différents.

2. Celle de Nestorius.

non indiscrete, sed sub quadam <definitione positus est,> solacium praestitit. Nec enim dixit : « Anathematizamus doctrinam eius », sed « quaecumque aliter dixit aut sensit quam doctrina apostolica continet ».

que la demande d'assentiment à la condamnation, n'a pas été mis là sans nuance mais avec une certaine restriction, m'a apporté un soulagement. Il n'est pas dit, en effet : " Nous anathématisons sa doctrine ", mais « tout ce qu'il a pu dire ou penser de contraire au contenu de la doctrine des apôtres ».

29 (*Coll. Cas.* 239)

Epistula, inquit, Theodoreti ad Deo amicissimum episcopum Alexandrum, quam scripsit indicans quod multa oportet cogitare de pace et maxime quod certi essent qui thronis eorum insidiarentur

Praestitit nobis gratia Dei regressum domini mei reuerentissimi et Deo amicissimi Donati presbyteri et Acacii diaconi et ab illa qua destruebamur consumebamurque cura liberauit. Quae uero sit eorum qui sursum sunt, intentio, ex allatis amicorum litteris tua sanctitas noscet. Omnes enim uel in quocumque nobis ferre adiutorium desistentes pro pace nobis consilia optulerunt ; qui uero ualde sunt zelotae, uerentes hoc pessimum tempus nec litteris nos dignos esse duxerunt. Integrius uero haec addiscet sanctitas tua a praedictis Deo amicissimis uiris. Quae agnoscens rogo ut quod ecclesis ex<pedit, in> commune cogitetis. Instantia enim nostra, ut uideo, ad nihil suaue proficiet, sed et [commune cogitetis] perturba-

1. Date vraisemblable : fin 434, sans doute après la réconciliation de Théodoret avec Jean d'Antioche, dont il avait reçu l'assurance que ceux qui reviendraient à lui ne se verraient pas imposer l'obligation de sourcrire à la déposition de Nestorius (cf. *Cas.* 210).

2. Sur Donat et Acace, cf. p. 288, n. 1.

3. Sur l'expression *qui sursum sunt*, qui désigne presque certainement les membres de l'entourage du prince qui vivent à la cour, cf. *PG* 84, 766, n. 39.

29

À Alexandre de Hiérapolis

Lettre écrite, dit (Irénée), par Théodoret
à l'évêque très cher à Dieu Alexandre,
lui faisant savoir qu'il fallait songer beaucoup à la paix,
et surtout que l'on connaissait clairement
ceux qui guettaient leurs sièges [1]

Nous avons obtenu, grâce à Dieu, le retour de mon seigneur très vénérable et très cher à Dieu, le prêtre Donat, et du diacre Acace [2], et d'être libéré de ce souci qui nous détruisait et nous consumait. Quelle est l'intention des gens de la capitale [3], Ta Sainteté le saura par une lettre de nos amis qui nous a été apportée. Tous, en effet, renoncent à nous porter secours en quoi que ce soit, mais nous ont offert leurs conseils en faveur de la paix ; quant aux plus zélés, la peur que leur inspire notre triste époque leur a fait penser que nous ne méritions même pas une lettre [4]. Tout cela, d'ailleurs, Ta Sainteté l'apprendra d'une façon plus complète par les hommes très chers à Dieu déjà nommés.

C'est parce que je connais cette situation que je vous demande de songer pour le bien commun à l'intérêt des Églises. Je le vois bien, en effet, notre obstination, loin d'amener aucune douceur, ne fera qu'apporter [5] du trouble

4. Il faut entendre ici que ceux-là mêmes qui voudraient écrire ne le font pas par crainte que leur lettre ne tombe entre les mains de l'adversaire, qui pourrait alors se retourner contre eux.

5. Nous adoptons la conjecture *inferet* de Schwartz pour remplacer les mots *commune cogitetis*, éliminés par Lupus.

tiones ecclesiis et populos qui pascuntur a nobis, lupis cruda uorantibus tradet. Clarent enim qui exitus nostros intendunt et erunt producendi pro nobis, et timor est ne pro hac nimia acribia poenas Deo soluamus, ea quae nostra sunt intendentes et non considerantes quod populis expedit. Omnia ergo pensans et librans sapientia tua et lucrum lucro et damnum damno contraponens, et maius lucrum et minus eligat damnum. Sic enim et Deo, ut puto, placebimus et conscientiam minime uulnerabimus et eis qui ubique in nos aspiciunt, proderimus et commissos nobis populos non prodemus.

Sufficiens uero est dominator omnium Deus et sanctarum gubernator ecclesiarum quid agi debeat, per tuas nobis orationes ostendere et ab his multis ac pessimis nos uoluminibus liberare et modicam nobis serenitatem tranquillitatemque donare.

1. Sur le devoir pour un pasteur de ne pas abandonner son troupeau cf. p. 200, n. 4.

2. Cette lettre reçut une réponse brutale d'Alexandre, qui priait

aux Églises et que livrer aux loups avides de chair crue les peuples dont nous sommes les pasteurs. Car on connaît clairement ceux qui guettent notre départ et qui seront là pour nous remplacer, et il est à craindre que cette excessive rigueur qui est la nôtre ne soit à expier devant Dieu, si nous n'avons en vue que ce qui touche nos personnes et ne regardons pas l'intérêt des peuples. Que Ta Sagesse pèse donc et repèse avec soin toutes ces pensées et que, mettant en balance les avantages et les inconvénients qui existent des deux côtés, elle se décide pour l'attitude qui offre le plus grand avantage et le moindre inconvénient. Car je pense que c'est de la sorte que nous serons agréables à Dieu, blesserons le moins notre conscience, serons utiles à ceux qui partout ont les yeux fixés sur nous et ne trahirons pas la cause des peuples qui nous ont été confiés [1].

Dieu, qui est le maître absolu de l'univers et le pilote des saintes Églises, suffit à nous montrer, grâce à tes prières, ce que nous devons faire, à nous délivrer des flots nombreux et si pernicieux qui nous cernent et à nous gratifier d'une tranquillité et d'un calme relatifs [2].

l'évêque de Cyr de ne plus l'importuner, se déclarant, une fois de plus, bien décidé à ne modifier en aucune façon son attitude (*Cas.* 240 = *ACO* I, 4, p. 174-175).

30 (*Coll. Cas.* 248)

Epistula, inquit, Theodoreti episcopi ad Helladium Tarsensem, qui ei scripserat et direxerat ei litteras quas a Constantinopoli uenerant. Scripsit uero ei hortando eum ut uniretur Antiocheno, firmans quod a nemine cogeretur depositioni consentire personae

Et litteras quas tua sanctitas destinauit, inspexi et magnificentissimi atque gloriosissimi quaestoris epistulam legi, quam per Deo amicissimos Donatum presbyterum nobis et Acacium diaconum destinauit. Legi uero et aliorum litteras amicorum et inueni quod omnes pro pace nobis hortatus offerrent. Memor uero est et sanctitas tua quia et a principio esse orthodoxam dixerim epistulam quae ab Aegypto directa est, et nullam circa eam quandolibet discordiam habui.

1. Date : fin 434, dans les semaines qui ont suivi la rencontre de Théodoret et de Jean d'Antioche, au siège de celui-ci ; lettre de peu antérieure à la lettre C 31, à Cyrille d'Adana.

2. Cette lettre ne nous est pas parvenue.

3. C'est la lettre *Cas.* 213 (*ACO* I, 4, p. 155), de Domitien, questeur du palais en 434-435 (au temps où Taurus détenait la préfecture du prétoire), par laquelle il exhortait l'évêque de Tarse à faire la paix avec Jean et lui demandait de persuader les évêques des deux Cilicies de suivre son exemple. Sur ce haut personnage de l'État, cf. *SC* 40, Introd., p. 52 ; *PLRE* II, Domitianus 4 (probablement identique à Domitianus 3 qui était référendaire en 431). C'est à lui que Théodoret adresse, vers le même moment, la lettre P 40 (*SC* 40, p. 104).

30

À Helladius de Tarse

Lettre, dit (Irénée), de l'évêque Théodoret à Helladius de Tarse qui lui avait écrit et adressé la lettre qui était arrivée de Constantinople. Il lui écrivit pour l'exhorter à faire l'union avec l'évêque d'Antioche, affirmant que nul ne le forcerait à consentir à la déposition de la personne (de Nestorius) [1]

J'ai examiné la lettre que Ta Sainteté m'a adressée [2] et j'ai lu celle du très magnifique et très glorieux questeur [3] qu'elle m'a fait parvenir par le moyen du prêtre Donat et du diacre Acace, tous deux très chers à Dieu [4]. J'ai lu aussi, par ailleurs, des lettres d'autres amis [5] et j'ai vu que tous nous prodiguaient des exhortations en faveur de la paix. D'autre part, Ta Sainteté se souvient que dès le début j'ai déclaré orthodoxe la lettre qui nous a été adressée d'Égypte [6], et que, à aucun moment, je n'ai eu d'hésitation à ce sujet.

4. Déjà porteurs de la première synodale de Proclus (cf. lettre C 29).
5. Sans doute ceux dont il était question dans la lettre C 29 (l. 9).
6. La lettre *Laetentur caeli* de Cyrille à Jean (*PG* 77, 173-181 = *ACO* I, I, 4, p. 15-20) souvent citée par Théodoret, qui en défend l'orthodoxie ; nous savons cependant l'hostilité que cette lettre avait suscitée chez Alexandre de Hiérapolis et chez d'autres membres de l'épiscopat oriental. Sur les réactions de l'épiscopat au lendemain de l'Acte d'union de 433, cf. R. Devreesse, « Après le concile d'Éphèse... », *Échos d'Orient* 30, 1931, p. 274-289, qui montre bien l'inquiétude que cet accord avait fait naître dans les deux camps, Cyrille faisant figure de dupe, Jean de traître à la cause de Nestorius qu'il avait finalement condamné.

Haec igitur apud memet ipsum cogitans omnia et quod unum sit ecclesiae dogma et quia haereticorum illorum capitulorum uirtus euacuata est, dum duae naturae pro una praedicentur et confessa est impassibilis deitas, collocutus sum domino meo Deo amicissimo episcopo Iohanni et inueni eum et pro orthodoxia studiose certantem et ecclesiae unitionem fieri festinantem et depositionis subscriptionem minime exigentem ab eis qui id facere nollent. Inueni uero et eos qui sunt secundae Ciliciae, ad eum communionis epistulam destinasse. Necessarium igitur aestimaui dirigere honorandissimum et reuerentissimum presbyterum Basilium cum his litteris et rogare sanctum tuum caput ne prodas greges tibi commissum, dum causae nullius intersit. Nam per gratiam Dei et recta fides obtinuit et ad iniustitiam nos secum nullus impellet.

Quaeso igitur sanctitatem tuam iterum iterumque ne differas litteras, sed ut scribas et salues ecclesiam, quando quidem nec tua conscientia uulneratur. Nec enim nos iustus iudex alienae iniustitiae exiget ultiones ; inquit enim : "Qui ligat sarcinam, ipse et portabit[a]", et « Qui uuam acerbam comederit, eius dentes obstupefient[b]. » Nos

a. Cf. Ga 6, 5 b. Jr 31, 30

1. Théodoret se plait à louer, dans la lettre de Cyrille, les deux affirmations les plus chères à la christologie antiochienne : la reconnaissance de deux natures dans le Christ et celle de l'impassibilité de la divinité.

2. À juste titre M. Richard (« Théodoret, Jean d'Antioche... », p. 154) fait remarquer que les lettres C 30, à Helladius, et C 31, à Cyrille d'Adana, protestent contre l'opinion du P. Peeters (« S. Syméon stylite... ») selon qui « la rencontre entre l'évêque de Cyr et Jean d'Antioche ne put lui (Théodoret) laisser qu'un souvenir amer » ; le ton même de ces lettres prouve le contraire.

C'est pourquoi, en agitant en moi ces pensées et en songeant que l'Église ne connaît qu'une seule croyance et que les fameux chapitres hérétiques ont perdu leur force, puisque l'on proclame deux natures au lieu d'une seule et que l'on a confessé l'impassibilité de la divinité [1], je me suis entretenu avec mon seigneur l'évêque très cher à Dieu Jean et j'ai découvert qu'il mettait son zèle à lutter en faveur de l'orthodoxie, avait hâte que l'union se fasse dans l'Église et n'exigeait nullement que souscrivent à la déposition ceux qui s'y refusaient [2]. J'ai appris aussi que, de leur côté, les évêques de la seconde Cilicie lui avaient adressé une lettre de communion [3]. Aussi ai-je jugé nécessaire de vous envoyer le très honorable et très respectable prêtre Basile [4], muni de cette lettre, pour demander à Ta Sainte Tête de ne pas abandonner le troupeau qui t'a été confié, vu que ce n'est l'intérêt de personne, puisque, grâce à Dieu, la foi orthodoxe a triomphé et que nul ne nous contraindra à commettre l'injustice avec lui.

Je demande donc avec insistance à Ta Sainteté de ne pas différer sa lettre [5], mais d'écrire et de sauver ainsi l'Église, puisque, à la vérité, ta conscience, de son côté, n'en recevra aucune blessure. Le juste juge, en effet, ne vengera pas sur nous l'injustice d'autrui, car il a dit : " Celui qui noue le fardeau le portera aussi lui-même [a] ", et « Celui qui mangera des raisins verts, ses dents en seront agacées [b]. »

3. *Cas.* 247 (*ACO* I, 4, p. 179-180) : lettre synodale que venait d'adresser à Jean d'Antioche Maximin d'Anazarbe, métropolitain de la Cilicie II, lui annonçant la communion des évêques de cette province, exemple que devait suivre sans tarder l'épiscopat de la Cilicie I (cf. lettre C 34 et les lettres *Cas.* 251 ; 252).

4. Inconnu : rien n'autorise à identifier ce Basile avec le prêtre de même nom à qui Théodoret adresse, à une date que nous ignorons, le billet S 19 (*SC* 98, p. 67) pour le remercier de lui avoir envoyé l'orateur Athanase.

5. La lettre par laquelle Helladius rétablirait sa communion avec Jean.

conuenit et contentiones sistere et ecclesias coniungere et commissas a Deo non prodere oues, ne ob hoc tormenta soluamus.

Pour nous, il convient que nous mettions fin aux querelles, que nous réalisions l'union des Églises et que nous n'abandonnions pas les brebis que Dieu nous a confiées, afin de n'avoir pas à subir des tourments à cause de cela.

31 (*Coll. Cas.* 249)

Epistula, inquit, eiusdem ad Cyrillum Adanensem, quam scripsit rogans et ipsum ut pro pace satageret, confisus quia nihil ab eo expeteretur nisi sola communio

« Tempus, inquit, pugnae et tempus pacis[a] » sapiens Salomon, res bene dispertiens et quid sit proprium temporis cuiusque, determinans. Igitur praesens tempus non belli, sed pacis est. Nam et apostolica doctrina per Dei gratiam tenet et haereticorum quieuit noua uox dogmatum et unus est sensus ecclesiae et secum nos iniustitiam facere nullus impellit nec ad damnationem quisquam cogit insontis. Et haec manifeste cognoui colloquens domino meo sanctissimo et Deo amicissimo episcopo Iohanni et subtiliter eius intentionem comperiens.

a. Qo 3, 8

---

1. Sur Cyrille d'Adana, cf. Introd., p. 28. ~ Date : lettre sensiblement contemporaine de la précédente, adressée à Helladius pour le convaincre de faire l'union avec Jean. Il semblerait que Théodoret n'avait pas obtenu le résultat souhaité puisqu'il réclame ici l'aide de Cyrille pour venir à bout de la résistance d'Helladius.

2. Thème de la nouveauté de l'hérésie opposée à l'antique tradition apostolique.

31

À Cyrille d'Adana

Lettre, dit (Irénée), écrite par le même (Théodoret) à Cyrille d'Adana pour lui demander, à lui aussi, de se dépenser pour la paix, sûr qu'on ne réclamerait de lui rien d'autre que la seule communion [1]

« Il y a un temps pour la guerre et un temps pour la paix [a] », a dit le sage Salomon, divisant ainsi d'une façon heureuse les événements et définissant exactement ce qui appartient à chaque moment. C'est ainsi que le moment présent n'est plus celui de la guerre, mais celui de la paix. Car, grâce à Dieu, la doctrine des apôtres est souveraine tandis que la voix toute nouvelle des croyances hérétiques s'est tue [2] ; il n'y a plus qu'une seule opinion dans l'Église, personne ne nous force à commettre l'injustice avec lui et personne ne nous oblige à condamner un innocent [3]. C'est ce qui m'est apparu d'une manière évidente en m'entretenant avec mon seigneur l'évêque très saint et très cher à Dieu Jean et en cherchant à découvrir exactement son intention.

3. Sans revenir sur le contenu doctrinal de la lettre d'union, Théodoret, éclairé et pacifié par sa rencontre avec Jean d'Antioche, remarque que la lettre ne condamne pas explicitement Nestorius (il a d'ailleurs reçu l'assurance personnelle qu'il ne serait pas obligé d'adhérer à la condamnation et considère que cela le dégage de toute participation à l'injustice commise).

Dignare igitur, sanctissime domine, quia et hi qui ad secundam Ciliciam pertinent, ad eum synodicam direxerunt, communicatores se eius litteris confitentes, hortari dominum meum Deo amicissimum episcopum Helladium ut pro unitione curet ecclesiae, quando quidem nec conscientia uulneretur. Oportet enim sanctitatem tuam pro ecclesiae pace curare — sufficienter quippe inuicem, uelut in nocturna pugna, consumpsimus — et operare ut nosmet ipsos de reliquo cognoscentes, iam tandem amplectamur et pacem.

1. Sur le ralliement des évêques de la Cilicie II à Jean d'Antioche, cf. p. 301, n. 3.

Accepte donc, très saint seigneur, puisque les évêques qui appartiennent à la seconde Cilicie lui ont, de leur côté, envoyé une lettre synodale [1], par laquelle ils reconnaissent être en communion avec lui, d'exhorter mon seigneur l'évêque très cher à Dieu Helladius à avoir le souci de l'unité de l'Église, vu que sa conscience même n'en recevra aucune blessure [2]. Il faut, en effet, que Ta Sainteté s'inquiète de la paix de l'Église — car nous ne nous sommes que trop épuisés mutuellement dans cette sorte de combat nocturne — et s'efforce de faire en sorte que, nous connaissant mieux désormais nous-mêmes, aujourd'hui enfin nous embrassions aussi la paix.

2. En se dépensant ainsi pour rallier à la communion avec Jean les évêques récalcitrants, Théodoret répondait parfaitement au désir exprimé par l'archevêque d'Antioche (*Cas.* 210).

32 (*Coll. Cas.* 250)

Epistula, inquit, eiusdem ad Mocimum Deo amicissimum oeconomum Hierapolitanae ecclesiae, per quam significat quod in Antiochiam ingressus Iohanni collocutus sit et ea de quibus agitur, decenter et optalibiter composuerit

Qui facit omnia longe melius quam petimus uel intellegimus, praeparauit nos colloqui cum domino meo sanctissimo episcopo Iohanne et sermone de singulis habito, terminum quem uolebamus, accepimus. Inuenimus quoque remedium quod sufficiat domino meo Deo amicissimo episcopo uestro, subtilitatis dogmatum causa. Dignare igitur, Deo amicissime, praeloqui religiositati eius et eum nobis ad persuadendum facilem praeparare. Speramus enim quia, jubente Deo, circa diem mensis huius uicesimum et omnem uobis collocutionem nostram narrabimus, ut et uos Domini mirabilia obstupescatis.

Qui nobiscum sunt salutant tuam religiositatem.

1. Date : fin 434-début 435 ; l'indication chronologique (*circa diem mensis huius uicesimum*) donnée l. 13 et reprise à la fin de la lettre C 33, malgré sa précision, nous laisse dans l'ignorance du mois où devait avoir lieu la rencontre avec Alexandre, souhaitée par Théodoret. ~ Sur Mocime, cf. Introd., p. 34. Il ne s'agit d'ailleurs ici que d'un court billet écrit pour solliciter de Mocime la démarche susceptible de rendre Alexandre mieux disposé à l'égard de l'évêque de Cyr.

2. Sur la rigueur d'Alexandre en matière doctrinale, voir la lettre C 21b (l. 63-65) : « subtilitatem nominum quaerens ac minime intellectae confessionis non contentus ».

32

À Mocime

Lettre, dit (Irénée), du même (Théodoret)
au très cher à Dieu Mocime,
économe de l'Église de Hiérapolis,
par laquelle il lui fait savoir que,
s'étant rendu à Antioche, il a eu avec Jean un entretien
et qu'il a réglé les problèmes dont il s'agit
comme il convenait et comme il était souhaitable [1]

Celui qui fait toutes choses bien mieux que ne le conçoit notre désir ou notre intelligence nous a ménagé un entretien avec mon seigneur le très saint évêque Jean et, après avoir discuté de chaque point en particulier, nous avons obtenu l'issue que nous voulions. Nous avons aussi trouvé le moyen de satisfaire les exigences de mon seigneur très cher à Dieu, votre évêque, en matière de précision doctrinale [2]. Daigne donc, ami très cher à Dieu, parler le premier à Sa Piété et la rendre facilement accessible à notre persuasion, car nous espérons, si Dieu le veut, pouvoir vous raconter, vers le vingt de ce mois, tout notre entretien, afin que, vous aussi, vous soyez frappés de stupeur devant les merveilles du Seigneur [3].

Ceux qui sont avec nous saluent Ta Piété.

3. Le ton chaleureux qu'emploie Théodoret témoigne de l'excellence du climat dans lequel avait dû se dérouler l'entretien avec Jean d'Antioche : aussi n'hésite-t-il pas à en parler ici comme d'une « merveille du Seigneur ». Il apparaît en outre que l'attitude jusqu'ici négative d'Alexandre n'avait pas ôté à l'évêque de Cyr tout espoir de vaincre la résistance de son métropolitain.

33 (*Coll. Cas.* 254)

Epistula Theodoreti, inquit, episcopi ad Deo amicissimum episcopum Alexandrum, quam scripsit postquam ingressus Antiochiam Iohanni est collocutus, unde praefatus senex Deo amicissimus eius, id est Theodoreti, colloquium non est passus ulterius

Ego, etiamsi me tua religiositas persequatur et pellat et utatur inuectiuis contra nos, non desinam procidens supplicare et prouolui infimis pedibus sanctitatis <tuae> et tenere illa genua quae in orationibus expendisti, et quae ad obsequium pertinent, uniuersa peragere, quibus testimonium ea quae nuper acta sunt, perhibent.

Post turbas enim decem milia et non pauciores perturbationes quas sustinui, uidens in magno periculo animas quae commissae sunt nobis, in domo facto colloquio uniuersa nobis per gratiam Dei uotiue peracta sunt ; seruo

1. Date : contemporaine de la lettre précédente à Mocime (cf. p. 308. n. 1) : dans les deux cas il est question de la rencontre, semble-t-il, imminente, que Théodoret souhaite avoir avec Alexandre, à Hiérapolis. Rien ne prouve que cette rencontre ait eu lieu, car il n'en est fait mention nulle part ailleurs : Alexandre, qui ne voulait à aucun prix entendre parler d'une communion avec Jean d'Antioche, a pu fort bien refuser de recevoir l'évêque de Cyr.

33

À Alexandre de Hiérapolis

Lettre, dit (Irénée), de l'évêque Théodoret
à l'évêque très cher à Dieu Alexandre,
qu'il écrivit après que, s'étant rendu à Antioche,
il a eu un entretien avec Jean,
raison pour laquelle le vieil évêque très ami de Dieu
déjà nommé (Alexandre) ne voulut plus, par la suite,
avoir d'entretien avec lui, c'est-à-dire avec Théodoret [1]

Pour moi, Ta Piété s'acharnerait-elle contre ma personne, me chasserait-elle et userait-elle d'insultes à notre égard [2], je ne cesserais pas de me prosterner devant toi, de te supplier, de me jeter humblement aux pieds de Ta Sainteté, de serrer ces augustes genoux que tu as usés en prières et de ne rien omettre de ce qui manifeste la déférence, toutes choses auxquelles ma conduite passée rend témoignage.

En effet, après les troubles que j'ai connus en nombre infini et les agitations tout aussi nombreuses que j'ai subies, quand j'ai vu le grand péril dans lequel se trouvaient les âmes qui nous ont été confiées, j'ai provoqué un entretien privé au cours duquel, grâce à Dieu, tout s'est

2. Allusion probable à la réaction hostile d'Alexandre dans sa réponse (*Cas.* 240) à la lettre C 29 de Théodoret (cf. p. 297, n. 2) : Alexandre n'avait pas hésité à manifester son opposition radicale à l'évêque de Cyr : « non uero miretur religiositas tua quod tu quidem scribas illa, qui Cyrillum putas orthodoxum, ego uero ista, qui Cyrillum habeo haereticum » (*ACO* I, 4, p. 175, l. 3-5).

autem narrationem collocutioni futurae. Inuenimus enim et satisfactionem quae tuae mundae conscientiae satis sit et ab omni eam dubitatione ualeat praemunire; cui et Isauri cedentes et Cilices amplexi sunt communionem ad dominum meum sanctissimum episcopum Iohannem. Spero autem, concedente Deo, ad tuam uenire circa diem mensis huius uicesimum sanctitatem.

Omnem quae cum tua religiositate est in Christo fraternitatem ego et qui mecum sunt, plurimum salutamus.

1. Sur l'heureuse issue de l'entretien de Théodoret avec Jean d'Antioche, tant sur le plan de la doctrine que sur celui de la condamnation de Nestorius, voir les lettres C 31 et C 32.

passé à souhait [1] ; mais j'en réserve le récit pour une conversation à venir. Nous avons même trouvé, en effet, le moyen de donner satisfaction à la pureté de ta conscience et capable de la mettre à l'abri de toute hésitation [2] ; c'est en cédant devant ce moyen que les évêques d'Isaurie et ceux de Cilicie ont accepté la communion avec mon seigneur le très saint évêque Jean [3]. J'espère par ailleurs, si Dieu le permet, me rendre auprès de Ta Sainteté vers le vingt de ce mois.

Ceux qui sont avec moi et moi-même adressons mille salutations à tous les frères dans le Christ qui sont avec toi.

2. C'est-à-dire la possibilité d'entrer en communion avec Jean sans être pour autant obligé de souscrire à la déposition de Nestorius (cf. *Cas.* 210).

3. Cf. p. 301, n. 3.

34 (*Coll. Cas.* 256)

Epistula, inquit, Theodoreti ad Deo amicissimum episcopum Alexandrum, qua significauit quod Cilices et Isauri subcriptis condicionibus Antiocheno sunt adunati

Seu suscipiat quae a nobis uel apud nos aguntur, sanctitas tua siue etiam non, nos nos quiescimus illa facientes tota uirtute quae coram terribili illo tribunali damnationem nobis qualemcumque non inferant. Etsi in aliis enim neglegentes et fastidiosi sumus nullamque rerum diuinarum facimus curam, sed in talibus et oramus et satagimus ne studiosis bonorum multo infirmi simus.

Innotesco igitur sanctitati tuae quia Cilices et Isauri et eulogias Antiochiae direxerunt et in litteris suis ut episcopos nominarunt et Alexandrinum et Constantinopolita-

1. Date : sans doute très proche de la lettre précédente (cf. p. 308, n. 1), cette lettre a été écrite vers le début de 435, donc peu de temps avant le départ d'Alexandre pour l'exil (15 avril).

2. Le ton assez vif dont use ici Théodoret s'explique aisément par la mauvaise humeur qu'avait manifestée Alexandre dans sa lettre *Cas.* 255 (*ACO* I, 4, p. 186-187), dans laquelle il priait l'évêque de Cyr de bien vouloir, à l'avenir, ne plus l'importuner par ses conseils : « Quiesce igitur, quaeso, de cetero et ipse fatigari et conterere nos » (p. 186, l. 38-29) et aussi « Rogo... religiositatem tuam... ut parcas senectuti meae » (p. 187, l. 28-29).

3. Le retour des Ciliciens et des Isauriens à la communion avec Jean pouvait, dans la pensée de Théodoret, être pour Alexandre un encouragement à suivre leur exemple : cependant, dans sa réponse (*Cas.* 257), Alexandre manifestera la plus grande indifférence à l'égard de cet événement et sa volonté de reser fidèle à sa foi. ~ Sur les « eulogies », voir H. Leclercq, *DACL* 5^{1}, 1922, c. 733-734.

34

À Alexandre de Hiérapolis

Lettre, dit (Irénée), de Théodoret
à l'évêque très cher à Dieu Alexandre
par laquelle il lui fit savoir que les Ciliciens
et les Isauriens, après avoir souscrit aux conditions,
avaient réalisé leur union avec l'évêque d'Antioche [1]

Que Ta Sainteté accepte ce que nous faisons ou ce qui se fait chez nous, ou même qu'elle ne l'accepte pas, pour notre part, nous ne cessons de mettre toute notre énergie à suivre une attitude qui ne risque pas de nous attirer devant le grand et redoutable tribunal une quelconque condamnation [2]. En effet, même si dans d'autres cas nous manifestons de la négligence et de la lassitude et ne nous soucions aucunement des choses divines, par contre, dans un tel domaine, nos prières et nos efforts visent à ne pas nous faire paraître trop faible aux yeux de ceux qui ont l'amour du bien.

Je fais donc connaître à Ta Sainteté que les évêques de Cilicie et d'Isaurie ont envoyé leurs eulogies à Antioche [3] et, dans leur lettre, ont cité comme évêques celui d'Alexandrie et celui de Constantinople [4], non sans ajouter qu'ils ne

4. Cyrille et Maximien. La nomination de Maximien comme successeur de Nestorius sur le siège épiscopal de Constantinople, mal supportée par les Orientaux qui avaient été exclus de l'élection par l'empereur (21 oct. 431), avait été reconnue comme légitime par Jean dans sa lettre à Théodose (*Cas.* 179 = *ACO* I, 4, p. 128, l. 28-20), et réaffirmée dans la lettre à Cyrille au début de 433 (*ACO* I, I, 4, p. 9, l. 14-16 ; traduction dans Camelot, p. 211).

num, adicientes non se communicare depositioni sanctissimi episcopi Nestorii. Haec mihi indicauerunt amicorum nonnulli communium, mandantes ut etiam nunc tuam deprecer sanctitatem et ad sanctos pedes tuos cadam et persuadam quatenus his quae cunctis placuerunt communiter, acquiescas. Putant enim me cunctorum omnia posse apud sanctitatem tuam. Vnde iterum rogo animam tuam sanctam ut suscipias hanc deprecationem meam et condescendas pro ecclesiae pace.

s'associaient pas à la déposition du très saint évêque Nestorius. Ces faits m'ont été communiqués par plusieurs amis communs qui m'ont donné mission d'adresser aujourd'hui encore mes prières à Ta Sainteté, de me jeter à tes pieds et de te décider à approuver les décisions qui ont été prises en commun, car ils me croient tout-puissant auprès de Ta Sainteté. C'est pourquoi je demande de nouveau à ta sainte âme d'accueillir favorablement la prière que je lui adresse et d'y condescendre pour la paix de l'Église [1].

1. Cette lettre est la dernière de Théodoret à Alexandre que nous possédons.

35 (*Coll. Cas.* 258)

Theodoreti ad Nestorium, inquit Irinaeus, sanctissimum, ut persuaderet sanctissimum Alexandrum adunari Antiocheno

Domino meo et secundum ueritatem Deo amicissimo atque sanctissimo patri et episcopo Nestorio Theodoretus in Domino salutem.

Pessime quidem aegrotaui postquam redii a Germanicia; amplius me uero conficiunt et ualidius cruciant ea quae geruntur circa dominum meum sanctissimum episcopum Alexandrum. Nec enim Domini uerbis acquiescere patitur dicentibus : « Bonus pastor animam suam ponit pro ouibus suis[a] », nec iuramentis beati Pauli quibus usus est <sanctissimus episcopus Ioannes> ad suadendum nobis quod anathema fieri a Christo iurauerit pro impiis Iudaeis[b]; sed uult commissa sibi pascua prodere et ultiones ob hoc debitas pro nihilo deputat.

a. Jn 10, 11 b. Cf. Rm 9, 3

1. Date : 435, antérieure au 15 avril, date de la déposition d'Alexandre et de son envoi en exil aux mines de Famothis en Égypte (*Cas.* 279 = *ACO* I, 4, p. 203, l. 28 s.); sur la date, cf. W. Ensslin, dans *PW* 6 A^2, c. 1592. Après les lettres C 33 et 34, par lesquelles il s'était efforcé sans succès d'amener Alexandre à une plus grande souplesse, Théodoret en vient à écrire même à Nestorius pour le prier d'intervenir auprès de son ami en faveur de la paix.

35

À Nestorius

De Théodoret au très saint Nestorius, dit Irénée, afin qu'il persuade le très saint Alexandre de faire l'union avec l'évêque d'Antioche [1]

À mon seigneur, père et évêque véritablement très cher à Dieu et très saint, Nestorius, salutations de Théodoret dans le Seigneur.

Si j'ai été très malade après mon retour de Germanicie [2], je suis encore plus accablé et plus fortement torturé par ce qui se passe à l'endroit de mon seigneur le très saint évêque Alexandre. Il refuse, en effet, de se soumettre à la parole du Seigneur selon laquelle « le bon pasteur donne sa vie pour ses brebis [a] », de même qu'aux serments du bienheureux Paul dont le très saint évêque Jean s'est servi pour nous persuader — à savoir qu'il souhaiterait devenir lui-même anathème, loin du Christ, pour les juifs [b] impies [3] —, mais il veut abandonner les pâturages qui lui ont été confiés et ne fait aucun cas des châtiments que cette faute appelle.

2. On peut penser que Théodoret s'était rendu à Germanicie, ville septentrionale de l'Euphratésie, pour y rencontrer Jean, évêque titulaire de cette cité dès 431 : longtemps fidèle à son métropolitain, il devait finir, comme bien d'autres, par se rallier à son patriarche. L'amitié entre lui et l'évêque de Cyr durait encore en 450 (cf. lettres S 125 et 134 = *SC* 111, p. 92 s. et 126 s.). Sur Jean de Germanicie, cf. *SC* 40, Introd., p. 32-33

3. Référence au texte de Rm 9, 3 utilisé, en effet, par Jean d'Antioche dans sa lettre à Théodoret (*Cas.* 210 = *ACO* I, 4, p. 154, l. 11-13) ; c'est donc bien Jean (*sanctissimus episcopus Iohannes*, selon Schwartz) qu'il faut entendre comme sujet du verbe *usus est*.

Vnde iterum tuam sanctitatem rogo ut ei scribas et eius sanctitatem persuadas Paulum audire dicentem quia « non quaero quod mihi soli expedit, sed quod pluribus, ut saluentur [c] », et acquiescere ut pusillum delinquat. Sic enim ponamus quasi et hoc fiat, ut a multo delicto ceteros liberet ; scis enim clare quod dico, Deo amicissime domine, et nosti causas mei doloris. Vnde nec pluribus uerbis indigeo, sed tuae supplico sanctitati ut ei uehementius increpes. Arbitror enim quia si id fiat, non refutabit nostra colloquia, atque ita, Deo fauente, difficilia cuncta soluentur.

c. 1 Co 10, 33

---

1. Théodoret s'était donc déjà adressé à Nestorius pour le prier d'intervenir dans le même sens auprès d'Alexandre, mais la lettre ainsi désignée ne nous est pas parvenue.

2. La traduction du texte grec est ici très maladroite : *ponamus* rend probablement un impersonnel, peut-être ὑποκείσθω, comme dans *Cas.* 145 (*ACO* I, 4, p. 95, l. 20), lettre de Cyrille à Acace de Bérée = *Athen.* 107 (*ACO* I, I, 7, p. 148, l. 23). L'idée n'est cependant pas douteuse : si

C'est pourquoi je demande de nouveau [1] à Ta Sainteté de lui écrire et de persuader Sa Sainteté de prêter l'oreille aux paroles de Paul qui nous dit : « Je ne cherche pas mon propre avantage, mais celui du plus grand nombre, afin qu'ils soient sauvés [c] », et de consentir à commettre une petite défaillance. Qu'il en soit ainsi, en effet, afin que par là il préserve tous les autres d'un beaucoup plus grand péché [2] ; car tu sais clairement, seigneur très cher à Dieu, ce que je veux dire et tu connais les raisons de ma douleur. Aussi, sans avoir besoin d'insister davantage, je supplie Ta Sainteté de lui adresser d'assez vifs reproches. J'ai, en effet, le sentiment que si tu agis de la sorte, il ne repoussera plus nos entretiens et qu'ainsi, grâce à Dieu, toutes les difficultés disparaîtront [3].

Alexandre accepte, il désobéit à sa conscience, mais s'il refuse, il sera déposé et la foi de ses diocésains courra les plus grands dangers : qu'il accepte donc un petit mal pour en éviter un plus grand.

3. Théodoret croyait-il vraiment à l'efficacité possible d'une démarche de Nestorius pour amener le vieil évêque à un geste de conciliation ? Par contre, il est sûr qu'en écrivant cette lettre, il voulait tenter en conscience un dernier effort pour faire céder l'obstination d'Alexandre, préjudiciable à lui-même et à ses fidèles : c'est bien ce que suggère la phrase précédente.

36 (*Coll. Cas.* 261)

Epistula <Deo> amicissimi episcopi Theodoreti ad Iohannem Antiochenum causa Deo amicissimi episcopi Alexandri

Non per neglectum distuli ad tuam sanctitatem litteras destinare, sed nesciens nunc usque quid scriberem. In suo siquidem tenore permansit dominus meus sanctissimus et Deo amicissimus episcopus Alexander, credens eum summae esse iustitiae, cuius rei gratia neque amicos affatus neque preces ammitit, sed euangelicorum transgressionem reputat mandatorum dispensatiuam condescensionem.

Quia igitur eum clare a principio, domine, nosti, sed et aliam uirtutem uiri expertus es, quaeso sanctitatem tuam ut patienter agens et eos qui ei temptant importuni esse, prohibeas. Hoc enim coram ueritate dico quia et tuae sanctitati decus plurimum prouidebit et non laetificat

1. Date : 435, antérieure au 15 avril, mais postérieure à la lettre C 35 à Nestorius. En effet, Théodoret a, dit-il, tardé à écrire à Jean parce qu'il ne savait jusque-là (*nunc usque*) ce qu'il pouvait dire à l'évêque d'Antioche au sujet d'Alexandre : il paraît clair que ce retard est à mettre en rapport avec la lettre à Nestorius dont il avait sollicité une intervention auprès d'Alexandre en vue d'assouplir sa position ; or cette intervention, si elle eut lieu — ce que nous ignorons —, était restée inefficace puisqu'Alexandre avait persisté dans son attitude (*in suo... tenore permansit*) et Théodoret était maintenant en mesure d'informer son

36
À Jean d'Antioche

Lettre de l'évêque très cher à Dieu Théodoret
à Jean d'Antioche
en faveur de l'évêque très cher à Dieu Alexandre [1]

Ce n'est pas par négligence que j'ai tardé à adresser une lettre à Ta Sainteté, mais parce que je ne savais jusqu'à ce jour que t'écrire. En effet, mon seigneur très saint et très cher à Dieu l'évêque Alexandre a persisté dans son attitude, la croyant parfaitement juste, et c'est pourquoi il n'accepte ni paroles ni prières de ses amis, mais considère comme une violation des préceptes de l'Évangile ce qui n'est que concession inspirée par l'économie.

Aussi, puisqu'il t'est, seigneur, clairement connu depuis le début, mais que tu as par ailleurs éprouvé la vertu de cet homme, je demande à Ta Sainteté d'agir avec patience et d'écarter ceux qui cherchent à lui être désagréables. Car une telle attitude — je dis cela en présence de la Vérité — procurera à Ta Sainteté un immense titre de gloire, même si pour sa part il n'en tire aucune joie [2], puisqu'il n'a

patriarche de cet échec, suppliant Jean de patienter encore un peu : le temps qui s'est écoulé entre la lettre C 35 et la lettre C 36 ne doit pas dépasser quelques semaines.

2. Le texte de ce passage ne se comprend bien qu'à la condition de donner à *et* (l. 15) la valeur de *et si* (ou *etsi*) introduisant une proposition de sens concessif. Il faut alors entendre que Théodoret demande à Jean une grande patience à l'égard d'Alexandre, *même si* celui-ci ne doit en retirer aucune joie, en raison de son état d'esprit.

ipsum, qui nullam consolationem nulla habet ex parte. Nec enim colloqui nec scribere patitur dilectoribus suis et ab eis excipere litteras unumque nunc habet tantummodo uotum ut quacumque occasione a cura liberetur. Consequens uero est ut et emolliatur temporis spatio ; si uero idem ipse perstiterit, nec hinc sanctitati tuae ulla laesio erit nec nobis nostroue in commune collegio. Quae enim per Dei gratiam docet, sunt orthodoxa et conuenientia ecclesiasticae fidei ; perturbare autem neque ualet neque temptaturus est, quoniam silentium tenet ecclesiae pacem in nullo contaminans.

Si uero eiectus fuerit, cognoscet sanctitas tua quod maxima laesio inde contingat. Aperte siquidem diuisio ex hoc ecclesiastici corporis fiet Constantinopolim et in alias plurimas urbes, eo quod per simplicitatem nesciam nunc nonnulli putent eum integerrimae fidei defensorem, alii uero factis iuuenilibus aggaudentes et propter hoc contentiones in excelsum attollere festinantes occasiones assumant. Multum uero et tuae religiositati, ignosce mihi haec pro dolore scribenti, d<edecus> et blasphemiam congregabit, si hoc contigerit, sicut nihilo minus id quod prius dixi, omnem gratiam et patientiae laudem afferet. Qui enim nactus copiam ulciscendi non utitur potestate, nullis laudibus minor est.

Recolat autem sanctitas tua et illa uerba quae ab ea olim dicta sunt nobis, quia « dominum Alexandrum cuncti

1. Sans doute lors de la rencontre de Théodoret avec Jean, en 434 qui aboutit à leur réconciliation : voir la lettre C 30, à Helladius de Tarse, et

d'aucun côté aucune consolation. Il ne supporte, en effet, ni de s'entretenir avec ceux qui l'aiment, ni de leur écrire et de recevoir des lettres d'eux, et n'a plus aujourd'hui qu'un désir, celui de se voir par n'importe quel moyen libéré de son souci. D'autre part, il est logique que le temps aussi émousse sa vigueur ; mais même si, pour sa part, il persiste dans les mêmes sentiments, il n'en résultera aucun dommage ni pour Ta Sainteté ni pour nous ou pour notre collège en général. Car, grâce à Dieu, son enseignement est orthodoxe et conforme à la foi de l'Église ; quant à des troubles, il n'a ni le pouvoir ni l'intention d'en susciter, puisqu'il garde le silence, sans chercher en rien à altérer la paix de l'Église.

Si, par contre, il vient à être chassé, Ta Sainteté verra quel préjudice en résulte pour elle, car il est évident que la division s'installera par là ouvertement dans le corps de l'Église, à Constantinople et dans une foule d'autres villes, étant donné que dans leur ignorante simplicité plusieurs aujourd'hui le considèrent comme un défenseur de la foi la plus pure, tandis que d'autres, qui se réjouissent d'actes inconsidérés et qui, pour cette raison, sont pressés de susciter des conflits, en saisissent les occasions. Or — pardonne à ma douleur de me faire écrire cela — c'est le déshonneur et la calomnie qu'une telle situation accumulera sur Ta Piété, si elle vient à se produire, aussi véritablement que la première attitude dont j'ai parlé lui attirera la reconnaissance de tous et une glorieuse réputation de patience. L'homme, en effet, qui, ayant trouvé l'occasion de se venger, n'use pas de son pouvoir est au-dessus de toute louange.

Que Ta Sainteté, d'autre part, se souvienne aussi des paroles qu'elle a prononcées naguère devant nous [1] : « En ce qui concerne le seigneur Alexandre, nous le soutenons

la lettre C 31 à Cyrille d'Adana, qui témoignent l'une et l'autre du bon climat dans lequel s'était déroulé l'entretien.

pariter et ferimus et portamus et ei quamlibet inferri importunitatem a quocumque non sinimus ». Et propter uniuersa tam quod est commune, disponens quam quae proprii sunt decoris, prohibeas eos qui illi infestari temptauerint. Hoc enim et placere arbitror omnium Deo et homines non amicos tantum, sed et inimicos ad laudem mouere.

1. Cette lettre est la dernière de toutes celles de Théodoret que nous ont conservées les collections conciliaires, et nous ignorons si Théodoret reçut une réponse. Sur ce qu'a pu être la tristesse de l'évêque de Cyr au moment de l'exil dont fut frappé Alexandre, cf. M. Richard, « Théodo-

et le portons tous également et nous ne permettons pas qu'aucun désagrément lui soit causé par qui que ce soit. » Aussi, pour toutes ces raisons, afin que soit réglée une situation qui regarde autant l'intérêt général que ton honneur personnel, écarte ceux qui pourraient être tentés de lui être hostiles. C'est en effet là, je crois, ce qui est conforme à la volonté du Dieu de l'univers et ce qui incite les hommes à la louange, et non pas seulement les amis mais aussi les ennemis[1].

ret, Jean d'Antioche... », p. 152 s. ; sur les conditions du départ pour l'exil et la réaction de ses diocésains : *Cas.* 269 et 276 (*ACO* I, I, 4, p. 198 s. et 202 s.).

INDEX

CORRIGENDA

INDEX SCRIPTURAIRE

L'astérisque signale une allusion sans citation explicite.
Les chiffres placés avant la virgule renvoient à la lettre,
ceux qui la suivent indiquent la ligne.

INDEX DES NOMS PROPRES

Abréviations : *cte* = comte ; *diac.* = diacre ; *écon.* = économe ; *év.* = évêque ; *évang.* = évangéliste ; *hér.* = hérétique ; *m.* = moine ; *mag.* = magistrat ; *magist.* = magistrianus ; *mart.* = martyr ; *patr.*= patriarche ; *pr.* = prêtre ; proph. = prophète ; *prov.* = province ; *tr.* = tribun ; *v.* = ville.

Les noms qui figurent sans indication sont ceux des personnages ou des lieux très connus ou dont, au contraire, l'identité nous fait défaut. En cas d'homonymie, nous n'avons pas omis, toutes les fois qu'il nous a été possible, de préciser la qualité de chaque personnage ou l'identité de chaque lieu.

Les chiffres en gras renvoient à la lettre, ceux qui suivent indiquent la ligne. L'astérisque qui accompagne une référence signale que le nom y fait l'objet d'une note de la traduction.

INDEX DES MOTS GRECS ET LATINS

Ces deux index sont sélectifs : ils contiennent esentiellement les mots à coloration religieuse, philosophique ou morale, auxquels s'ajoutent quelques termes relatifs aux institutions. Les chiffres en gras renvoient à la lettre, ceux qui suivent indiquent la ligne. L'astérisque qui accompagne une référence signale une note de la traduction.

A. MOTS GRECS

B. MOTS LATINS

INDEX DES CORRESPONDANTS

Abréviations : *écon.* = économe ; *év.* = évêque ; *fonct.* = fonctionnaire. Les chiffres renvoient aux numéros des lettres dans la présente édition.

INDEX CHRONOLOGIQUE

431 janv.-fév. Ep. C1 (*Vat.* 167).
 fin juil.-début août Ep. C2 (*Cas.* 108).
 sept.-oct. Ep. C3 (*Athen.* 69).
Hiver 431-432 Ep. C4 (151 aux moines).
Début 432 Ep. C5 (*Cas.* 129) et C7 (*Cas.* 134).
Été 432 Ep. C8 (*Cas.* 136).
Automne 432 Ep. C9, C10, C11 (*Cas.* 149.150.155).
Fin 432-début 433 Ep. C6, C12, C13, C14 (*Cas.* 131.159.160.161).
Début 433 Ep. C15 (*Cas.* 170).
Printemps 433 Ep. C16, C17, C18, C19, C20 (*Cas.* 175.176.227.185.187).
Début été 433 Ep. C21a (*Athen.* 128), C31b (*Cas.* 183).
Automne 433 Ep. C22, C23 (*Cas.* 198.208).
Vers Pâques 434 Ep. C24, C25 (*Cas.* 216.221).
Après avril 434 Ep. C26, C27, C28 (*Cas.* 226.234.236).
Fin 434 Ep. C29, C30, C31 (*Cas.* 239.248.249).
Fin 434-début 435 Ep. C32, C33 (*Cas.* 250.254).
Début 435 Ep. C34 (*Cas.* 256).
Avant le 15 avril 435 Ep. C35, C36 (*Cas.* 258.261).

TABLE DE CONCORDANCE

Cette table donne la correspondance entre la numérotation des lettres dans les collections conciliaires et celle de la présente édition. Elle n'intéresse pas la lettre C4 aux moines, qui nous est parvenue par une autre voie que celle des conciles (voir à ce sujet *Introd.*, p. 56). Les numéros en italique rompent l'ordre des collections conciliaires.

Abréviations : *Cas.* = Collectio Casinensis ; *Vat.* = Collectio Vaticana ; *Pal.* = Collectio Palatina ; *Sich.* = Collectio Sichardiana ; Σ = Actes du Ve concile (553) ; *PE* = Présente édition.

Cas.	*Vat.*	*Athen.*	*Pal.*	*Sich.*	*Σ*	*PE.*
	167			4		1ab
108					104	2ab
119		69				3ab
129						5
131						6
134						7
136						8
149						9
150			45			10ab
155			46			11ab
159						12
160			47			13ab
161						14
170						15

Cas.	*Vat.*	*Athen.*	*Pal.*	*Sich.*	*Σ*	*PE.*
175						16
176						17
227			*44*			18ab
185						19
187			48			20ab
183		128			*106*	21abc
198						22
208			*43*		105	23abc
216						24
221						25
226						26
234						27
236			49			28ab
239						29
248						30
249						21
250						32
254						33
256						34
258						35
261						36

ERRATA DU TOME III

p. 10, l. 6. *Lire* : οἶδα τι.
p. 11, l. 13 et 22-23. *Au lieu de* : votre Magnificence, *lire* : votre Noblesse.
p. 17, l. 30. *Au lieu de* : votre Noblesse, *lire* : votre Dignité.
p. 20, l. 7 marge. *Au lieu de* : 115, lire : 115^{v}.
p. 28, l. 2. *Lire* : Εὐνομίου.
p. 43, l. 22. *Au lieu de* : votre Magnificence, *lire* : votre Noblesse.
p. 75, l. 5. *Après* Abraham, *ajouter* : les chorévêques.
p. 85, l. 20. *Au lieu de* : votre Magnificence, *lire* : votre Noblesse.
p. 101, l. 34-35. *Après* Au contraire, *ajouter une virgule.*
p. 143, l. 6. *Au lieu de* : bienfaisants, *lire* : avantageux.
p. 147, l. 11. *Au lieu de* : votre Magnificence, *lire* : votre Noblesse.
p. 149, l. 6. *Au lieu de* : votre Magnificence, *lire* : votre Noblesse.

CORRIGENDA
(tomes I, II, III)

Monsieur R. Delmaire a bien voulu nous communiquer les remarques qui suivent. Elles concernent essentiellement les titulatures et le fonctionnement de l'administration au Bas-Empire.

Tome I
(*SC* 40 bis)

Lettre II, p. 75 (droite), l. 10-13. *Au lieu de* : mission d'aller régler la vie — le plus grand nombre d'entre eux, *lire* : mission d'aller diriger un corps de soldats selon les maximes divines : c'est à cette fin que, précisément, aujourd'hui il est parti pour la Thrace où se trouve vivre cette unité. — Τάγμα = « corps de troupe » ; ἀριθμός, équivalent du latin *numerus* = « unité militaire ». Agapet a été nommé auprès d'un corps militaire en Thrace, probablement une des scholes palatines. Sur les prêtres attachés aux unités militaires au ve siècle, voir A.H.M. Jones, « Military Chaplains in the Roman Army », *HThR* 46, 1953, p. 239-240 (qui cite cette lettre), auquel il faut ajouter les exemples donnés par Jean Chrysostome (*Ep.* 213 et 218).

Lettre V, p. 77 (droite), n. 5. *Au lieu de* : préfet du prétoire, *lire* : préfet du prétoire et de la ville (cf. *ACO* II, 1, 1, p. 148 ; 149 ; 176 ; II, 3, 1, p. 132 ; 166 ; II, 2, 1, p. 56).

Lettre VIII, p. 79 (droite), l. 27. *Au lieu de* : magistrats, *lire* : curiales.

p. 80 (droite), l. 7-10. Les unions entre oncle et nièce, autorisées sous Claude pour lui permettre d'épouser Agrippine, furent considérées comme incestueuses par *Code Théodosien* 3, 12, 1 (31 mars 342) et les unions entre cousins interdites en 396 (*CTh* 3, 12, 3). Mais ces dernières sont de nouveau autorisées en 405 (*Code Justinien* 5, 4, 19) et sont donc légales à l'époque de Théodoret. D'autre part, les mariages consanguins étaient traditionnels en Arménie, Mésopotamie, Osrhoène et Euphratensis, et y restèrent tolérés jusque sous Justin II (voir *Novelle* 154 de Justinien et *Novelle* 3 de Justin II).

Lettre XI, p. 83 (gauche), n. 1. Cette lettre est datable de 433/434 ou un peu plus tard, car Titus apparaît comme comte dans les négociations à propos de l'Acte d'union à cette époque.

Lettre XII, p. 85 (gauche), n. 1. Le général est Titus et la lettre, la lettre XI où Théodoret recommande la cause de Palladius à Titus, alors vicaire du maître de la milice d'Orient (cf. *ACO* I, 4, p. 200-201).

Lettre XV, p. 86 (droite), n. 3. Il est aujourd'hui admis que Proclus est mort en 446 (cf. *SC* 98, p. 122, n. 1, et modifier en conséquence *SC* 98, p. 107-108, n. 3) : voir V. Grumel, *Traité d'études byzantines. I. La chronologie*, Paris 1958, p. 435.

p. 87 (droite), l. 25-26. *Au lieu de* : très magnifique, *lire* : clarissime. — Le titre de clarissime (λαμπρότατος) est porté par tous les tribuns, qu'ils soient tribuns et notaires ou tribuns militaires.

Lettre XXXIII, p. 98 (droite), n. 4. La lettre XXXIII est sans doute adressée au préfet du prétoire Antiochus (sur ce personnage, voir *SC* 40, p. 50). Le correspondant de Théodoret, en effet, a été auparavant questeur du palais (p. 99 droite, l. 9-10 : « à l'époque où elle inspirait encore les décisions/lois de l'empereur ») avant d'obtenir la charge de préfet (p. 98 droite, l. 15 : « premier des préfets »). C'est justement le cas pour Antiochus qui est questeur du palais en 429 et préfet d'Orient en 430-431 ; la lettre doit dater de cette préfecture.

p. 98 (droite), l. 15. *Au lieu de* : commandant en chef, *lire* : premier des préfets.

p. 99 (gauche), n. 1. Euthalius est un ancien employé des bureaux palatins (p. 99 gauche, l. 15 : μεμοριαλίους) ; à ce titre, il a bénéficié à sa retraite du clarissimat avec *adlectio inter consulares* et dispense des charges de la préture (*Code Théodosien* 6,

26, 7-8 et 13) : il n'a donc pas à être appelé à la préture. De plus il a abandonné le sénat et le titre de clarissime pour être un homme digne de respect, un prêtre.

p. 99 (droite), l. 15-16. *Au lieu de* : très illustre préfet de la ville, *lire* : très glorieux préfet de la ville.

p. 99 (droite), l. 17-18. *Au lieu de* : il ignore que ce n'est plus un homme — encore exempté de cette charge, *lire* : il ignore qu'il n'est plus un clarissime, mais un homme digne de respect. Et d'ailleurs, quand bien même serait-il encore clarissime, il serait encore exempté de cette charge.

Lettre XXXVI, p. 100 (droite), l. 25. *Au lieu de* : archonte, *lire* : gouverneur. — À cette date le mot ἄρχων désigne toujours le gouverneur.

Lettre XXXVII, p. 101 (gauche), n. 1. La date de cette lettre doit être avancée à 431/432 car Néon a été nommé gouverneur par le préfet du prétoire Antiochus (lettre XXXIX), qui exerce la préfecture en 430-431, et les gouverneurs restent généralement un ou deux ans en charge.

p. 101 (droite), l. 23. *Au lieu de* : archonte, *lire* : gouverneur.

Lettre XXXVIII, p. 103 (droite), l. 6. *Au lieu de* : très illustre Eurycianus, *lire* : clarissime Eurycianus. — Le titre de clarissime correspond au rang sénatorial le plus bas ; celui d'illustre au rang le plus élevé.

Lettre XXXIX, p. 103 (droite), l. 29-30. *Au lieu de* : très magnifique Néon, *lire* : clarissime Néon.

Lettre XL, p. 104 (droite), l. 20. *Au lieu de* : très illustre Néon, *lire* : clarissime Néon.

Tome II (*SC* 98)

Lettre 15, p. 54, l. 1. Le mot πρωτεύων désigne le « premier » de la cité, celui qui préside la curie ; ce n'est donc pas un titre de fonctionnaire, comme le dit *SC* 40, p. 46.

Lettre 23, p. 81, l. 4. *Au lieu de* : juste, *lire* : injuste.

p. 81, l. 18. *Au lieu de* : très illustre Denys, *lire* : clarissime Denys.

Lettre 33, p. 94, n. 2. Stasimus n'est pas un haut fonctionnaire, mais il est le « premier » de la cité, comme le destinataire de la lettre 15, et il bénéficie du titre honoraire de comte (*ex comitibus* : *Code Théodosien* 12, 1, 75) ou a été nommé comte de troisième ordre comme l'indique une loi de 392 au préfet d'Orient (*CTh*12, 1, 127).

p. 95, l. 7. *Au lieu de* : très illustre Celestiacus, *lire* : très glorieux Celestiacus.

p. 95-96, n. 5. Οἱ ἐν τέλει ne désigne jamais les bouleutes par opposition aux fonctionnaires d'État, mais ceux qui excercent une charge effective par opposition à ceux qui ont des dignités honoraires (οἱ ἐν ἀξιώμασι) : cf. Théodoret, *HE* 4, 17 ; *HPhil* 3, 11 ; 8, 2.

Lettre 37, p. 101, l. 8. *Au lieu de* : archonte, *lire* : gouverneur. — Voir ci-dessus, Lettre XXXVI.

p. 101, n. 2. Il serait anormal et tout à fait exceptionnel que Saluste ait été nommé pour la seconde fois gouverneur de la même province. Martindale propose de comprendre qu'il est devenu comte d'Orient, ce qui l'amène à exercer le pouvoir dans la région où il a été d'abord gouverneur d'Euphratésie (*PLRE* II, s. v. Sallustius 5).

Lettre 40, p. 105, l. 18. *Au lieu de* : vicaire, *lire* : topotérète *ou* lieutenant. — Mieux vaut réserver le mot « vicaire » au vicaire des préfets du prétoire qui administre un diocèse. Le τοποτηρητής est un personnage qui exerce une fonction (généralement un commandement militaire subalterne) à la place du titulaire de la charge.

Lettres 42-47, p. 107-108, n. 3. Ces lettres sont à situer avant juillet 446, date de la mort de Proclus (voir ci-dessus, lettre XV).

Lettre 42, p. 109, l. 24. *Au lieu de* : l'illustre Philippe, *lire* : le respectable Philippe. — Le περίβλεπτος, *spectabilis*, est au deuxième échelon des sénateurs, l'*illustris* à l'échelon supérieur, le plus haut.

p. 111, l. 4. *Au lieu de* : magistrats locaux si malheureux, *lire* : si malheureux curiales.

p. 111, l. 16-18. *Au lieu de* : cinquante mille arpents — soumis au fisc, *lire* : cinquante mille *iuga* sont propriété privée, par contre dix mille autres sont terres du fisc. — Il ne faut pas traduire ζυγόν par « arpent » : l'arpent est une mesure de surface (*iugerum*, jugère de 25 ares), alors que le *iugum* est une unité de calcul fiscal dont la surface varie en fonction de la qualité du sol et du type de culture. Le *Livre de droit syro-romain*, § 121, nous apprend qu'en Syrie le *iugum* équivaut à 20 arpents (jugères) de cultures en plaine ou 40 de cultures en montagne ou 60 de cultures en mauvaises terres ou 5 arpents de vigne ou 225 pieds d'oliviers en plaine ou 450 pieds d'oliviers en montagne. — Il ne faut pas non plus traduire ἐλευθερικός par « exempt d'impôt », ni ταμιακός par « soumis au fisc ». On appelle « tamiaques » les biens appartenant au fisc ; il s'agit ici de terres qui font partie de la *res priuata* ; par opposition, les autres terres sont dites « libres », c'est-à-dire en propriété privée.

p. 111, l. 19-23. L'injustice est la suivante : la cité a une surface de 40 milles de côté (l. 13), soit environ 1.389.000 jugères (arpents) ; ce territoire est divisé en 60.000 unités fiscales (*iuga*), soit en moyenne 1 *iugum* pour 23 jugères. Le sol de la cité est donc classé en catégorie « cultures de plaine » (1 *iugum* pour 20 jugères) alors que, comme le souligne Théodoret, il y a beaucoup de montagnes sans ressources qui devraient être classées dans la catégorie des mauvaises terres (60 jugères pour un *iugum*).

p. 11, l. 24-112, l. 5. Autre problème : 15.000 *iuga* devaient payer l'impôt en or. Les officiels du bureau du comte d'Orient, qui levaient l'impôt sur les terres du fisc, de la *res priuata* (*Code Théodosien* I, 13, 1), et qui étaient financièrement responsables des sommes qu'ils étaient chargés de lever, obtinrent d'être déchargés de 2.500 de ces *iuga* qui étaient incapables de payer quoi que ce soit. Mais au lieu d'ôter ces *iuga* des registres d'impôts, les préfets du prétoire les attribuèrent aux malheureux curiales chargés de lever l'impôt sur les domaines privés et donnèrent en échange aux fonctionnaires du comte une quantité équivalente de terres capables, elles, de payer l'impôt.

p. 111, l. 25. *Au lieu de* : quinze mille arpents, *lire* : quinze mille *iuga*.

p. 111, l. 30. *Au lieu de* : cinq cents arpents sans ressources, *lire* : cinq cents *iuga* incapables de payer l'impôt.

p. 112, l. 1-3. *Au lieu de* : les malheureux percepteurs — une étendue égale, *lire* : la *iugatio* incapable de payer l'impôt soit attribuée aux malheureux curiales et que l'on donnât en échange aux fonctionnaires du comte une quantité équivalente. — Sur la lettre 42, voir R. DELMAIRE, « Cités et fiscalité au Bas-Empire. À propos du rôle des curiales dans la levée des impôts », *La fin de la cité antique et les débuts de la cité médiévale, Colloque de Nanterre*, 1993, p. 61.

Lettre 44, p. 117, l. 23. Au lieu de : l'illustre Philippe, *lire* : le respectable Philippe (cf. ci-dessus, lettre 42, p. 109, l. 24).

Lettre 47, p. 123, l. 5 ; p. 125, l. 3. *Au lieu de* : l'illustre Philippe, *lire* : le respectable Philippe (cf. ci-dessus, lettre 42).

Lettre 57, p. 134, n. 1. Eutrèque n'était pas préfet d'Orient en 448 lorsque Théodoret fut relégué dans son diocèse (la charge était alors occupée par Antiochus puis par Protogène) ; il était préfet de la ville de Constantinople (cf. *PLRE* II, s. v. Eutrechius).

Lettre 59, p. 136, n. 3. La lettre 99 (*SC* 111, p. 16) indique que Claudien est ἀντιγραφεύς, c'est-à-dire chef d'un des bureaux palatins, *magister scrinii* (cf. DELMAIRE, p. 67-68).

Lettre 79, p. 185, l. 7-8. *Au lieu de* : de la part du maître, le dévoué Euphronius, *lire* : le très dévoué Euphronius, employé du maître de la milice. — Le στρατηλατιανός est un membre des bureaux du στρατηλάτης, le maître de la milice.

Tome III
(*SC* 111)

Lettre 126, p. 99, l. 22. Au lieu de : magistrats, lire : décurions.

Lettre 137, p. 136-137, n. 2. Μαγιστριανός ne désigne jamais le maître des offices, mais toujours un des membres de son bureau, les *agentes in rebus* (cf. DELMAIRE, p. 97-118).

INDEX GÉOGRAPHIQUE
(tomes I, II, III, IV)

Cet index récapitule l'ensemble des toponymes de la correspondance. Par souci de conformité aux réalités historiques de l'époque dont les lettres sont contemporaines, nous avons cru bon de distinguer parmi les noms relevés plusieurs groupes dont chacun correspond à l'une des grandes circonscriptions administratives et ecclésiastiques de l'empire au ve siècle. En cas d'incertitude le nom est suivi d'un point d'interrogation entre parenthèses.

Les chiffres romains désignent les volumes, les autres les pages et les notes.

DIOCÈSE DE THRACE

Constantinople, province d'Europe sur la rive occidentale du Bosphore.
Marcianopiolis, métropole de la Mésie inférieure : IV, 278.
Trajanopolis, province du Rhodope, au sud d'Andrinople : IV, 163, n. 1.

DIOCÈSE DU PONT

Ancyre, métropole de la Galatie : II, 199 et III, 35.
Césarée, métropole de la Cappadoce I : III, 51.
Chalcédoine, en Bithynie, sur la rive orientale du Bosphore.
Cios (ou Kios), en Bithynie : IV, 208.
Nazianze, en Cappadoce II : IV, 158.
Nicée, en Bithynie, au sud de Nicomédie.
Nicomédie, en Bithynie, à l'est de Chalcédoine : IV, 186.192.

Rufinianes, en Bithynie, sur la rive orientale du Bosphore, dans la banlieue asiatique de Constantinople : IV, 84 et 85, n. 4.
Tyane, chef-lieu de la Cappadoce II : III, 51 et IV, 156.

Diocèse d'Asie

Éphèse, chef-lieu de la province d'Asie.
Korna, en Lycaonie : I, 54, n. 1.
Méthymne et Mitylène, dans l'île de Lesbos : II, 45.
Philadelphie, en Lydie : IV, 155, n. 1.

Diocèse d'Orient

Cilicie I

Adana, au nord-est de Tarse, sur la rive gauche du Saros : IV, 304.
Tarse, métropole de la province : IV, 182.298.

Cilicie II

Aegées (ou Égée), ville maritime sur la rive occidentale du golfe d'Alexandrette : II, 152.

Isaurie

Séleucie, sur le Kalycadnos : III, 20.

Syrie I

Anasarthe : III, 133, n. 5.
Antioche, chef-lieu de la province.
Archaios, ville située vers le nord de la province de Syrie (?) : I, 110.
Bérée (auj. Alep), au nord de la Syrie : I, 105, n. 5 ; II, 92, n. 1 ; 93, n. 3 ; IV, 164.
Chalcis, au sud de Bérée, sur la route qui reliait Cyr à Apamée : I, 110, n. 4.
Gindaros, ville située sur le fleuve du même nom, dans la Cyrrhestique : I, 110, n. 2 ; IV, 283, n. 4.
Méninga, sur la route de Doliché à Sériane, à travers le désert de Syrie : I, 110, n. 4.

Syrie II

Euphratésie

Osroène

Phénicie I

Phénicie II

Diocèse d'Alexandrie

Occident

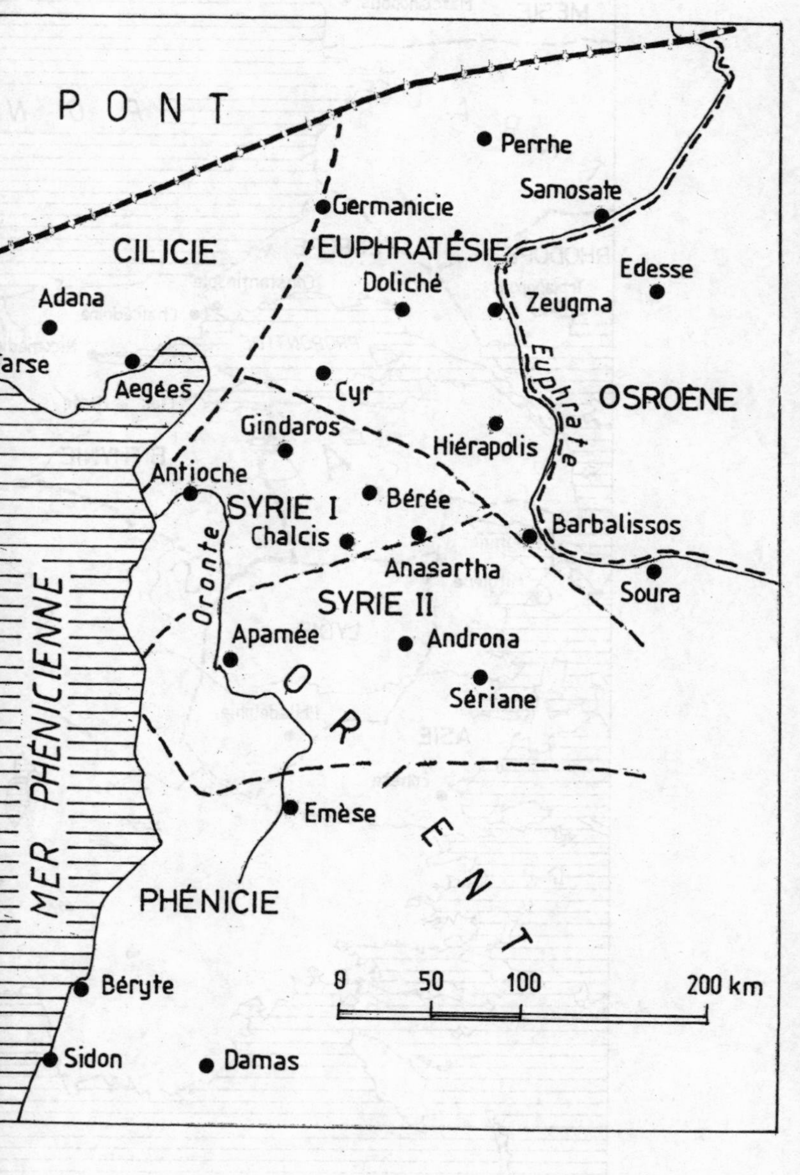

PONT
Perrhe
Samosate
Germanicie
CILICIE
EUPHRATÉSIE
Edesse
Doliché
Adana
Zeugma
Tarse
Euphrate
Aegées
Cyr
OSROÈNE
Gindaros
Hiérapolis
Antioche
SYRIE I
Bérée
Chalcis
Barbalissos
Oronte
Anasartha
Soura
SYRIE II
Apamée
Androna
Sériane
MER PHÉNICIENNE
ORIENT
Emèse
PHÉNICIE
Béryte
0
50
100
200 km
Sidon
Damas

MÉSIE
Marcianopolis
THRACE
PON
RHODOPE
EUROPE
Trajanopolis
Constantinople
Chalcédoine
PROPONTIDE
Nicomédi
Cios
Nicée
BITHYNIE
A
S
Méthymne
Mitylène
LYDIE
Philadelphie
ASIE
Éphèse

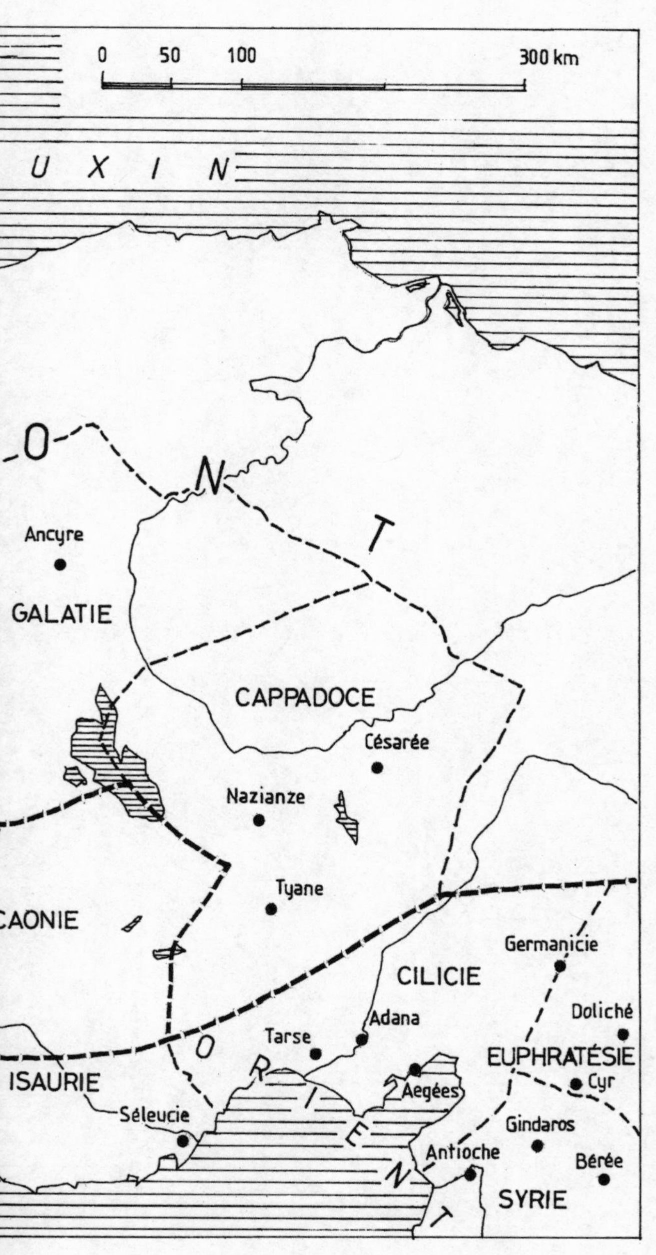
0
50
100
300 km
U X I N
O
N
T
Ancyre
GALATIE
CAPPADOCE
Césarée
Nazianze
Tyane
CAONIE
Germanicie
CILICIE
Adana
Doliché
Tarse
O
EUPHRATÉSIE
R
Aegées
Cyr
ISAURIE
I
Séleucie
E
Gindaros
Antioche
N
Bérée
T
SYRIE

TABLE DES MATIÈRES

SOURCES CHRÉTIENNES

Fondateurs : † H. de Lubac, s.j.
† J. Daniélou, s.j.
† C. Mondésert, s.j.
Directeur : D. Bertrand, s.j.
Directeur de la Collection : J.-N. Guinot

Dans la liste qui suit, dite « liste alphabétique », tous les ouvrages sont rangés par nom d'auteur ancien, les numéros précisant pour chacun l'ordre de parution depuis le début de la collection. Pour une information plus complète, on peut se procurer au secrétariat de « Sources Chrétiennes », 29, rue du Plat, 69002 Lyon (France), Tél. : 04.72.77.73.50, deux autres listes :

1. la « liste numérique », qui présente les volumes et leurs auteurs actuels d'après les dates de publication ; elle indique les réimpressions et les ouvrages momentanément épuisés ou dont la réédition est préparée.
2. la « liste thématique », qui présente les volumes d'après les centres d'intérêt et les genres littéraires : exégèse, dogme, histoire, correspondance, apologétique, etc.

LISTE ALPHABÉTIQUE (1-429)

SOUS PRESSE

APPONIUS, **Commentaire sur le Cantique.** Tome III. L. Neyrand, B. de Vregille.

BERNARD DE CLAIRVAUX, **Sermons sur le Cantique.** Tome II. R. Fassetta, P. Verdeyen.

EUDOCIE, **Centons homériques.** A.-L. Rey.

GRÉGOIRE LE GRAND, **Commentaire sur le Premier Livre des Rois.** Tome III. A. de Vogüé.

JEAN CHRYSOSTOME, **Sermons sur la Genèse.** L. Brottier.

MARC LE MOINE, **Traités.** Tome I. G. M. de Durand (†).

PROCHAINES PUBLICATIONS

Barsanuphe et Jean de Gaza, **Correspondance.** Volume II. P. de Angelis-Noah, F. Neyt, L. Regnault.

Bernard de Clairvaux, **Lettres.** Tome II. M. Duchet-Suchaux, H. Rochais.

Les Apophtegmes des Pères. Tome II. J.-C. Guy (†).

Évagre le Pontique, **Sur les Pensées.** P. Géhin, A. et C. Guillaumont.

Hilaire de Poitiers, **Sur la Trinité.** G. M. de Durand (†), M. Figura, G. Pelland.

Livre d'heures ancien du Sinaï. M. Ajjoub.

Sulpice Sévère, **Chroniques.** G. Housset.

Syméon le Studite, **Discours ascétiques.** H. Alfeyev, L. Neyrand.

RÉIMPRESSIONS PRÉVUES EN 1998

bis. Diadoque de Photicé, **Œuvres spirituelles.** É des Places.

0 bis. Ignace d'Antioche, **Lettres et Martyre de Polycarpe de Smyrne.** P.-T. Camelot.

1 bis. Hippolyte de Rome, **La Tradition apostolique.** B. Botte.

6 bis. Basile de Césarée, **Homélies sur l'Hexaéméron.** S. Giet.

5. Guillaume de Saint-Thierry, **Traité de la contemplation de Dieu.** J. Hourlier.

3. Richard de Saint-Victor, **La Trinité.** G. Salet.

0. Jean Damascène, **Homélies sur la Nativité et la Dormition.** P. Voulet.

2. Guillaume de Saint-Thierry, **Exposé sur le Cantique des Cantiques.** J.-M. Déchanet.

7. Origène, **Homélies sur saint Luc.** H. Crouzel, F. Fournier, P. Périchon.

08. Grégoire de Nazianze, **Lettres théologiques.** P. Gallay, M. Jourjon.

10. Tertullien, **De la patience.** J.-C. Fredouille.

ACHEVÉ D'IMPRIMER
EN FÉVRIER 1998
SUR LES PRESSES
DE
L'IMPRIMERIE F. PAILLART
À ABBEVILLE

DÉPÔT LÉGAL : 1er TRIMESTRE 1998
N°. IMP. 10035